Les Éditions du Boréal
4447, rue Saint-Denis
Montréal (Québec) H2J 2L2
www.editionsboreal.qc.ca

CE QU'IL RESTE
DE MOI

DU MÊME AUTEUR

Sans cœur et sans reproche, nouvelles, Québec/Amérique, 1983, prix Adrienne-Choquette et Grand Prix du *Journal de Montréal*.

Le Sexe des étoiles, roman, Québec/Amérique, 1987.

Homme invisible à la fenêtre, roman, Boréal, 1993 ; coll. « Boréal compact », 2001, Prix des libraires du Québec, 1994, prix Québec-Paris, 1993, prix littéraire Desjardins, 1994.

Les Aurores montréales, nouvelles, Boréal, 1996 ; coll. « Boréal compact », 1997.

Le cœur est un muscle involontaire, roman, Boréal, 2002 ; coll. « Boréal compact », 2004.

Champagne, roman, Boréal, 2008.

Monique Proulx

CE QU'IL RESTE DE MOI

roman

Boréal

Dépôt légal : 2e trimestre 2015
Bibliothèque et Archives nationales du Québec

Diffusion au Canada : Dimedia
Diffusion et distribution en Europe : Volumen

Catalogage avant publication de Bibliothèque et Archives nationales du Québec et Bibliothèque et Archives Canada

Proulx, Monique, 1952-

Ce qu'il reste de moi

ISBN 978-2-7646-2381-7

I. Titre.

PS8581.R688C4 2015 C843'.54 C2015-940407-X

PS9581.R688C4 2015

ISBN PAPIER 978-2-7646-2381-7

ISBN PDF 978-2-7646-3381-6

ISBN ePUB 978-2-7646-4381-5

Dieu est quand vous n'êtes pas.

JEAN KLEIN

La réalité qui entend ces mots en ce moment est la réalité de tout ce qui est.

FRANCIS LUCILLE

Le but ultime de l'évolution est de mettre en lumière ce qui n'évolue pas.

RUPERT SPIRA

LE BIEN NE FAIT PAS DE BRUIT

> *Le bruit ne fait pas de bien et le bien ne fait pas de bruit.*
>
> FRANÇOIS DE SALES

Elle a trente-quatre ans. Elle n'a jamais été belle. Ce qu'elle est irradie néanmoins plus que de l'énergie solaire. Le feu s'est allumé dans sa petite enfance, lui révélant qu'elle ne serait asservie ni au mariage ni à la vie religieuse, et depuis elle brûle de liberté totale. Elle vient de larguer toutes ses attaches, patrie passé famille, elle s'est jusque départie d'elle-même. Maintenant le courant peut passer directement entre ses restes solaires et Dieu, sans intermédiaire pour atténuer le voltage.

On peut très bien la discerner parmi les autres passagers, debout sur le pont du voilier, une tache d'humilité sous ses vêtements sévères et son éternel petit chapeau. Les côtes de La Rochelle s'estompent graduellement, les tours se noient dans les nuages, l'île de Ré bascule dans le lointain, emportant avec ses rives dorées les dernières traces de civilisation.

Là où elle va, il n'y a que forêts à perte de vue, amalgame vertigineux de jungles et de grands froids où, dit-on, vivent des hommes aussi sauvages que les bêtes.

Et pourtant, elle vibre d'excitation en regardant son pays disparaître, aucun destin ne lui paraît plus extraordinaire que le sien livré à l'informe de l'inconnu.

Elle s'en vient apporter l'éternité à des êtres qui ne la connaissent pas. Accessoirement, elle s'en vient aussi soigner les corps, puisqu'elle est infirmière et chargée de fonder un hôpital dans une ville qui n'existe pas encore. Mais c'est d'être passeur d'éternité, surtout, qui la fait vibrer.

Elle porte en elle la démesure mystique de la France, qui renoue en ce moment avec le Dieu exigeant des chrétiens primitifs. Des nobles abandonnent tous leurs biens pour se retirer au cloître, les laïques embrassent les œuvres dignes avec autant de passion que les ecclésiastiques, les fortunés essaiment leur fortune pour la sanctifier plutôt que la blanchir, François de Sales enseigne l'apostolat et la désappropriation de soi-même, Vincent de Paul célèbre les démunis, rien n'est plus exalté que la pauvreté et la souffrance, et Jérôme Le Royer de La Dauversière est visité par des visions extraordinaires d'une cité idéale en Nouvelle-France, au cœur de l'Isle de Montréal, une cité qui parviendrait à s'extraire du temporel pour se consacrer au divin. C'est lui qui lancera les dés de l'aventure, rameutant des fortunes et des esprits nobles autour de cette vision de rêve, des êtres démesurés eux aussi, fondateurs de communautés laïques, passionnés par l'avènement de l'Absolu, Gaston de Renty, Jean-Jacques Olier

– *tous finalement morts en* odeur de sainteté, *tous virtuellement* canonisables.

Paul de Chomedey et Jeanne Mance sont engagés pour concrétiser là-bas, au cœur de la sauvagerie informe, la cité idéale.

Il faudra un an, et un tout autre bateau que celui laissant La Rochelle, pour aboutir à ce lieu presque aussi inaccessible que les rêves.

C'est dans cette pinasse à trois mâts que maintenant on la retrouve, la fille de Champagne qui n'a plus rien à elle, rien de personnel, si ce n'est le dessein fou de Monsieur de La Dauversière voyageant en elle comme un passager clandestin.

Les rives qui défilent sous ses yeux sont celles d'un paradis terrestre touffu, des chênes, des hêtres, des cèdres, des peupliers comme dans la campagne chez elle, mais entremêlant leurs camaïeux de verts sans brèches et sans discipline, et à l'avant-plan des fleurs comme elle n'en a jamais vu, une tapisserie de couleurs et de débordements allègres. Des oiseaux piquent l'air de leurs tracés et de leurs chants inusités, même les oiseaux d'ici semblent marqués par l'immensité.

Quand le navire finit par s'approcher des berges, il se dégage du paysage des parfums si forts qu'un vertige la prend, car cela sent, oui, cela sent les débuts enivrants du monde.

Le 17 mai 1642 en fin d'avant-midi, peut-être à onze heures onze précises, mais impossible de l'affirmer car le temps qui ponctue ces territoires n'est pas celui étriqué de la civilisation, ils accostent dans une baie préalablement repérée, entre la petite rivière Saint-Pierre et le grand fleuve, à côté d'une prairie qui s'appellera plus tard la Commune. Paul de Chomedey est le premier à sauter à terre, à embrasser le sol, le premier aussi à abattre le premier arbre.

Plus tard encore, ils sont une soixantaine autour d'un autel improvisé, c'est à vrai dire le jour suivant, mais le temps commence à se télescoper et à ne plus vouloir défiler sagement en ligne droite, il serait plus opportun de parler d'instants qui éclaboussent l'écran avant de céder la place à l'irruption suivante, et cet instant autour de l'autel façonné de branchages hirsutes et de fleurs sauvages reste imprégné plus longtemps que les autres sur la pellicule du temps. Ils sont une soixantaine – les quarante à s'installer ici et les vingt qui sont venus exprès de Kebecq pour l'événement – à sentir monter en eux une grandeur inédite, à vibrer d'exaltation tels des instruments que le Mystère téléguide.

Le père Vimont célèbre la messe et parle de ce petit grain de moutarde qu'ils sont en train de semer, et il ne fait aucun doute, affirme-t-il, que ce petit grain de moutarde ne produise un grand arbre, ne fasse un jour des merveilles, ne soit multiplié et ne s'étende de toutes parts, *et elle regarde la masse compacte de la forêt les encerclant à l'infini dans ce territoire chaotique où le premier jour de la création n'est pas encore survenu, et contre tout bon sens elle s'engage à y croire, aux merveilles naissant un jour de cette jungle, à y croire avec tant d'efficacité que ça ne pourra pas ne pas advenir.*

ONZE HEURES ONZE

Tout ne s'efface pas d'un coup.

Si quelqu'un de fort meurt, meurt en pleine force de sa force, sans avoir connu la lente débilitation qui anéantit ce qui vous distingue des autres, quelque chose de cette force subsiste fatalement un moment. Par exemple, les cheveux et les ongles continuent de croître comme des champignons sur les corps pourris – on le sait grâce aux fabricants de films d'horreur, même si on n'est pas tenu de les en remercier pour autant.

Si quelqu'un comme Maman boit son thé debout dans sa cuisine, la tête débordante de mouvements vers l'avant et de projets de conquêtes, et que la seconde d'après elle est raide par terre, anéantie par une rupture d'aorte, les vagues de son esprit ne vont pas s'arrêter sur leur lancée.

C'est évident.

Elles continuent de rouler, même si leur rampe de lancement s'est dissoute, elles roulent dans la maison et vont faire naufrage un peu plus loin, agrippées à un rideau, infiltrées dans un tiroir, solidifiées en poussière, en odeur.

C'est ce qui frappe d'abord, dans la cuisine : l'odeur. Il s'agit de la même odeur qu'avant, mais ainsi laissée toute seule derrière, sans objets, sans personne à qui s'accrocher, l'odeur est comme une entité à la recherche d'un corps.

Même sans fermer les yeux, Gaby peut très bien imaginer Maman debout dans la cuisine, sa tasse de thé à la main, tendue avec indignation contre ce qui s'apprête à la terrasser – *Ah non ! Pas maintenant !...* – et s'écroulant sans lâcher prise, en laissant son odeur derrière, comme un sillage révolté dont les molécules refusent de s'évaporer.

Gaby s'assoit là où était sa place il y a longtemps, face à la chaise de Maman, et elle inspire profondément. À force d'attendre, l'odeur s'estompe et des images surgissent, mais ce ne sont pas celles qu'elle espère, aucune émanation actuelle de Maman, seulement de vieilles images d'elle-même, attablée sans plaisir, renfrognée et ingrate comme toutes les ados en attente de vol libre.

Il faut sans doute changer de point de vue et oser s'installer sur la chaise d'en face, sa chaise. Son trône, son quartier général, son poste d'observation, son bureau. S'asseoir ici et essayer de sentir ce que c'était, être Maman, essayer assez fort pour que les bribes laissées derrière, les vagues de sa force insubmersible se rassemblent une ultime fois avant de se disperser.

D'ici, on voit tout, on a accès à ce qui se passe au-dedans comme au-dehors, on peut admirer les ramures du marronnier dans la rue Jeanne-Mance et du même coup surprendre les enfants hassidiques avant qu'ils ne mutilent les pivoines – car il ne faut pas compter sur leurs mères débordées par leurs permanentes gestations pour les élever convenablement –, on peut téléphoner à l'entrepreneur ou au plombier pour hâter des travaux, on peut gribouiller des projets de rénovation, des règlements de bail et des listes d'épicerie dans le même carnet ou sur des feuilles éparses, allumer le téléviseur et l'éteindre aussitôt, constater qu'il neige ou qu'il grêle ou que la lune est pleine, reprendre son souffle en buvant, luxe suprême, un pineau des Charentes, chercher des solutions à des problèmes insolubles, rester seule tard le soir à ruminer des angoisses dont personne ne saura rien. C'est d'ici qu'on donne tout, aussi : les conseils avisés, la nourriture abondante à défaut d'être subtile, l'affection un peu rude pour réconforter sans ramollir.

Mais ça ne se transmet pas. Sur la chaise de Maman, il n'y a que Maman pour ressentir cette solidité, cette conscience ferme qui sait où se poser. Les objets de la table, sûrement, en répercuteraient un écho, mais rien n'est resté à sa place, ni la tasse de thé ni le stylo ou le carnet, que Thomas a emportés, aucune des feuilles couvertes de gribouillis desquelles une phrase, peut-être, se serait élevée comme un talisman – même la nappe de tous les jours avec sa tache de fraise indélébile a été ramassée, rangée ou jetée. La maison est dépouillée, ou presque, mis à part le sous-sol, les garde-robes, quelques meubles dont cette table et ces chaises, des tiroirs de coiffeuses et de bahuts qu'il reste à nettoyer de leur cargaison orpheline. Mais l'intention de Gaby n'est pas de nettoyer. Aujourd'hui le 11 novembre, onze jours après la mort de Maman, elle ne vient pas nettoyer ou vider quoi que ce soit, même si c'est le prétexte qu'elle a fourni à Thomas pour s'aventurer seule en terrain si miné. Bien au contraire, elle vient remplir, remplir avec un contenu dont elle ignore encore la forme.

Je reviendrai. Je trouverai bien le moyen de vous joindre.

Maman a déjà dit ces mots-là, pour évoquer ce qui suivrait sa mort lointaine et improbable. Seule Gaby s'en souvient, c'est peut-être que seule Gaby les a entendus – et reçus –, ces mots pleins d'une promesse redoutable. Ou alors elle les a inventés, mais peu importe, on n'invente jamais rien au fond, on découvre simplement l'existence de ce qui jusque-là nous était resté caché.

Je m'en vais pas mourir aujourd'hui.

C'est aussi ce que Maman a dit, le jour même de sa mort. Au téléphone, à Gaby qui s'inquiétait pour elle. Comme quoi les prophéties peuvent exister à l'envers, dans l'exact déni d'elles-mêmes.

Si ce n'est dans la cuisine, ce sera dans le sous-sol que la quintessence de Maman se sera condensée, à proximité du peuplement d'outils – souffleuse, scie circulaire, vrilles électriques, ponceuses, boulons et vis, fourbi de petits bidules mystérieux livrés à la corrosion en attendant qu'elle leur assigne un destin. Elle a totalement pris possession du sous-sol depuis qu'elle vit seule, et quand elle n'est pas à superviser ou à réfléchir sur sa chaise en haut, c'est là en bas qu'on la trouve, à crocheter parfois un tapis – ce qui reste dans l'ordre féminin des choses –, mais surtout à limer la chaîne de sa grosse scie ou à touiller des mixtures huileuses pour les entrailles de sa tondeuse l'été, de sa souffleuse l'hiver.

Était. Crochetait. Limait.

Il est encore impossible d'en parler au passé.

Dans le fouillis humide du sous-sol, les images vivantes de Maman lèvent et s'ébrouent, affairées, souveraines, d'une efficacité toujours irréprochable. Elle pousse dans les bancs de neige la souffleuse vrombissante, un mastodonte qui pourrait lui happer un pied mais qui ronronne de soumission entre ses mains. Elle traîne les sacs à ordures jusqu'à la rue, un dans chaque main pour rentabiliser la randonnée. Elle zigonne dans le robinet qui fuit jusqu'à ce qu'il ne fuie plus. Elle repeint la porte du garage, les fenêtres, les murs intérieurs – il n'y a qu'au toit qu'elle ne touche pas elle-même. Elle dirige d'une main de fer les ouvriers inévitables, en repérant d'avance les erreurs et les incompétences. Elle récupère en personne les loyers de ses locataires récalcitrants. Elle conduit très vite sa vieille Cutlass Supreme impeccable, que les collectionneurs n'en finissent pas de reluquer dans la rue et pour laquelle cent fois ils lui font des offres qu'elle décline avec fierté. Elle lave depuis toujours elle-même sa Cutlass Supreme, raison pour laquelle elle est impeccable.

(On ne parle pas des années d'avant où s'ajoutent à son ordinaire de nombreux cours par correspondance, sténo et dactylo la nuit sur la table du sous-sol pour ne pas déranger les enfants, un emploi à temps plein à l'Hôtel-Dieu où sans diplôme ni expérience elle commence par décrotter les toilettes avant qu'on découvre son feu ardent et ses talents et qu'on la nomme secrétaire de direction la même année, et toujours elle s'échine, se démène, bourdonne, travaille travaille travaille pour un jour pouvoir cesser de travailler.)

Les tâches subalternes aussi sont expédiées en leur

temps, cuisine, ménage, couture – même les courtepointes et les tapis sont assemblés la nuit sous une lumière mesquine dans la deuxième section du sous-sol où luisent les dos noirs jumeaux d'un piano et d'une machine à coudre. Car elle joue du piano quand il lui reste du temps libre. Il ne lui reste jamais de temps libre.

Qui a allumé ça en elle ? Qui l'a gardée allumée et incendiaire, capable de renouveler à volonté le feu et les combustibles qu'il dévore ? Une étincelle doit exister quelque part, une source de pouvoir, invisible pour la majorité des créatures faiblardes et aveugles, mais qui l'a irriguée, elle, sa vie durant, toute sa longue vie et peut-être même encore maintenant là où des particules d'elle continuent de se trouver.

Et Gaby convoque cette source, ce feu originel, elle convoque Maman – *ô Esprit de Maman* –, le postérieur mal calé sur un coin de tabouret, les jambes entravées par les bêches pour remuer la terre et les sacs de sel pour amadouer la glace, toutes saisons confondues dans ce sous-sol matrice universelle, elle pense même à Dieu un court moment, avec terreur, car comment croire que Maman avait quoi que ce soit à faire avec Dieu ?

Avec Diable, oui, peut-être.

Car si Maman est forte, Maman est aussi méchante. Il faut l'avouer tout bas. Méchante dans le sens de : capable de haine durable, capable de faire du mal à qui a fait lever cette haine, à l'aise sur les champs de bataille, crépitant d'un feu qui brûle tout sans discernement, aussi bien le bois sain que le pourri. Rarement souriante, les lèvres froissées dans un repli combatif, les yeux cinglants. Sauf avec la chair de sa chair, la masculine adulée, Pat, Thomas et le petit Laurel qui n'est plus du tout petit, parfois même avec sa descendance féminine timorée en qui elle ne se reconnaît guère, sa benjamine Gaby, et alors son sourire au milieu d'un visage d'habitude austère est bouleversant quand il éclate et fait oublier toutes les fois où il n'est pas là.

N'empêche que c'est à Gaby qu'elle a fait sa promesse et devant elle qu'elle se manifestera puisqu'on ne l'a jamais vue manquer à ses promesses. Il n'y a pas de moment plus propice et ça ne peut que se passer dans les prochaines minutes : il sera bientôt onze heures en ce onze du onzième mois qui l'a vue périr onze jours auparavant.

Il y a toujours eu une accointance magique entre le chiffre onze et Maman. Elle n'est pas née un onze, mais elle s'est mariée un onze, avec Marcel qui est mort bien avant de mourir pour de vrai, mais ce n'est pas le moment d'évoquer Marcel, elle affirmait que toujours, lorsqu'une impulsion ou une nécessité lui commandait de regarder l'heure, il était onze heures onze. Peut-être même est-elle morte à onze heures – on ne saura jamais, ça fait partie des éléments crève-cœur que de la savoir entrée seule dans sa mort et de ne l'avoir trouvée que le lendemain. C'est Thomas qui l'a trouvée. Dans sa force en train de s'évaporer, elle a fait que ce soit Thomas qui la trouve, plutôt que Gaby qui ne s'en serait jamais remise.

Gaby a les yeux fermés lorsque se produit la stridulation terrible qui la projette presque en bas du tabouret, et qui se répète une, deux fois. La sonnette. Maman sonne à la porte.

Figée entre la stupeur sacrée et l'ineptie, Gaby se

demande quand même pourquoi Maman serait dehors, alors que c'est dedans depuis trente ans que ses sucs et ses odeurs se ramassent. Puis Maman tambourine et insiste trop pour que ce soit Maman. De l'escalier du sous-sol, Gaby distingue maintenant le tronc noir, la tête noire, l'entité complètement noire qui s'interpose entre la porte et la chiche lumière de novembre.

Mon Dieu, un Homme Corbeau. Un hassid.

L'ennemi en personne.

Dans les vieilles histoires guerrières de Maman, il y a toujours des hassidim.

Il ne s'agit pas de simples altercations avec les enfants et les mères des enfants, si minuscules qu'elles sont un grain de sel sur le quotidien, mais de joutes importantes. La dernière connue tourne autour d'une construction bringuebalante érigée sur un balcon pour leur fête des Cabanes – il y a longtemps, croit se rappeler Gaby, mais si le souvenir de l'amertume persiste, c'est que cette bataille-là n'a pas dû être remportée par Maman.

Ces gens-là. Les Corbeaux. Trâlées d'enfants. Moyen Âge crasse. Ils ont peur de te regarder en face.

Celui-là ose regarder Gaby lorsqu'elle ouvre la porte. Avec un infini malaise, il est vrai, par petits bonds des yeux qui déguerpissent ailleurs aussitôt que possible.

— *Shalom aleichem*, dit-il en inclinant le torse. *Hello. Is Mrs. Boucharde?… I was told Mrs. Boucharde is… Is that true she is?…*

— *Missize* BOUCHARD *is dead*, rétorque Gaby avec une sorte de satisfaction qui l'épouvante elle-même.

L'animosité de Maman est avec elle tandis qu'elle toise l'homme en noir – c'est un homme jeune et effarouché qu'il est facile de toiser, malgré son attirail ésotérique, la redingote lustrée, les couettes bien boudinées, le chapeau à bord de fourrure et les bas blancs, coquetterie intempestive au milieu de ce viril de théâtre. Il doit arriver tout juste de la synagogue, ou être sur le point de s'y rendre. D'ailleurs, on est samedi, jour de shabbat, et le voilà regardant une femme goy et conversant avec elle : comment diable s'arrangera-t-il avec tous ces péchés qu'il est en train de commettre ?

Quelque chose de surprenant traverse le visage du jeune homme, une tristesse vraie, on dirait, à tout le moins un trouble évident, peut-être même de la révolte, et il va jusqu'à laisser ses yeux posés sur Gaby un long moment, trop long même pour elle. Il a les yeux souffrants et beaux, d'un brun plus clair que tout ce poil qui lui cerne le visage, les yeux de n'importe qui d'humain et de compatissant avec qui il serait possible de partager des chagrins. Gaby en est émue aux larmes.

— *You are her daughter ?*

Elle fait « *yes* » entre les dents, honteuse de sentir des sanglots lui altérer la voix, et il opine de la tête, en déménageant cette fois les yeux ailleurs.

— *Such an extraordinary woman*, dit-il. *A very kind woman, very kind and generous…*

Ce sont des mots étranges pour parler de Maman, courageuse et téméraire et entreprenante et disciplinée, oui, mais *kind and generous* ? Gaby se surprend à l'inviter à l'intérieur pour sonder le cœur de ces mots-là. Il dit « *No, no* » avec une fermeté un peu effrayée, mais il avance quand même d'un pas vers elle pour permettre à la porte de se fermer derrière lui.

— *I am very sorry for you. Very sorry.*

Son débit se fait de plus en plus précipité, il est maintenant moins question de la bonté de Maman que d'un colis mystérieux, d'un objet abandonné quelque part, oublié peut-être par lui, par elle, d'une transmission interrompue par sa mort à laquelle il est difficile de comprendre quoi que ce soit.

— *What are you talking about? You left something in this house?*

— *SHE, she left something,* dit-il avec véhémence.

For him, Markus Kohen.

Il répète son nom deux fois, lentement, pour que chacune des syllabes s'imprime distinctement en elle. Maman aurait laissé quelque chose pour lui, Markus Kohen, et plus il insiste, plus le visage de Gaby s'empourpre d'indignation, un petit héritage peut-être avec ça, espère-t-il dans son outrageante ingénuité? Elle n'a maintenant qu'une envie, celle de jeter dehors ce jeune Tartuffe enténébré qui a fomenté Dieu sait quelle manigance pour amadouer le cœur faiblissant d'une vieille femme – soit, Maman n'a JAMAIS été une vieille femme, mais avoir quatre-vingts ans bien sonnés ouvre peut-être des brèches dans la carapace que les malintentionnés sont les premiers à repérer.

No. Nothing.

— *Are you sure? An envelope?*

Plus la réponse est non, plus il hoche la tête avec accablement et plus il se retire en lui-même comme une huître, une huître hassidique. Elle ne saura rien de plus sur lui, car il n'y a sans doute rien de personnel à découvrir sous son *rekel* et ses *peyes*, il appartient à une tribu mue par une volonté collective qui en arrache les fins de mois et qui l'a peut-être catapulté en mission ici.

Ces gens-là. Des assistés sociaux, tous.

Il va partir, il ouvre la porte en balbutiant des excuses, mais des silhouettes qui passent à ce moment sur le trottoir le font se rabattre à l'intérieur. Deux hommes en noir, en noir comme lui. Deux de ses frères, qui ne lui inspirent pourtant aucun élan. Il tourne la tête vers Gaby avec un sourire inattendu, il pose un doigt sur ses lèvres – *chchchut!* –, l'air soudain d'un gamin déguisé en train de faire un coup pendable.

Les hommes noirs passent, et entre-temps du blanc s'est mis à tomber, des poussières de neige qui cherchent où se poser. Il ne peut pas neiger déjà, et pourtant il neige. C'est comme Maman. Elle ne peut pas ne pas être vivante, et pourtant.

Lui aussi observe un moment la neige qui brouille l'horizon, avant de franchir pour de bon le seuil.

— Neige, dit-il en français.

— Oui, neige, répond-elle.

Et c'est leur salutation et leur adieu, à Markus Kohen et à Gabrielle.

Il faut retourner dans la cuisine et tenter de reconstruire les circonstances propices. Il faut chasser les ondes étrangères qui ont perturbé l'air.

Mais l'heure magique a disparu. Même l'odeur familière semble maintenant dissipée. Gaby s'assoit à la table et mâchonne le sandwich qu'elle a apporté. Cela a un goût de morosité et d'échec plus que de tapenade au thon. Il est midi, puisque l'église du quartier égrène les coups de l'angélus. Pour la première fois, Gaby se met à écouter avec la pénétration que l'on réserve aux trésors historiques, aux reliques d'une grandeur enterrée. Qu'est-ce que c'est que ces cloches, déjà ? Que commémore-t-on ainsi depuis la nuit de son enfance ? L'ange, c'est vrai. L'ange dont elle porte le nom. L'ange Gabriel se présente devant la pauvre Marie et lui annonce tout de go qu'elle va enfanter sans avoir copulé. Tout un modèle, pour les légions de mères à venir. Le visage mécréant de Maman ricane au-dessus de sa tasse de thé. Sans compter que cet ange est suspect, on ne sait pas jusqu'où il est allé pour faciliter la divination. Le fou rire de Maman se répand dans la mémoire fragmentée de Gaby. Maman n'a jamais transmis le respect de la religion et des dogmes. Plutôt l'irrévérence, et la paranoïa.

Ça n'a pas empêché son fils aîné, Pat, de basculer dans le bouddhisme, ni son petit-fils, Laurel, de baguenauder présentement dans les ashrams de l'Inde du Sud.

Thomas et Gaby, eux, sont du côté de la paranoïa.

Allez voir qui est gagnant.

Le sandwich est avalé, ainsi que le yogourt à la vanille. Gaby se laisserait bien couler en elle-même, inerte au creux de la nourriture. Mais ce n'est pas la façon de rencontrer Maman.

Quand t'es rendue au fond, tu rebondis.

Rebondir sans cesse, agir, agir. En ce moment, Maman s'attellerait à vider les garde-robes et les tiroirs au lieu d'attendre passivement des signaux surnaturels – quand bien même ils devraient émaner de Diable en personne.

Ce n'est pas sans raison que la tâche a été repoussée

tant de fois par Gaby. Dans les garde-robes et les tiroirs se cache, embarrassante, incongrue, la part féminine de Maman.

Les chapeaux, par exemple.

Il y en a plus de cent.

Dans le garde-robe du corridor, ils sont enfilés les uns sur les autres en serpentins de couleurs vives, parmi lesquels un éclair jaune moutarde, une irruption de pourpre restituent des instantanés de Maman habillée pour sortir, pour sortir pour de vrai, parmi le monde. Le reste du temps, c'est en bonnet de laine pelucheuse ou en galurin de coton qu'on la surprend affrontant l'extérieur hostile. Jamais tête nue, c'est vrai.

Mais la plupart des chapeaux, spectaculaires dans leurs boîtes qui exhalent des vents de lavande périmée, de savon pharmaceutique et de relents de cuisine – l'odeur de Maman ! –, n'ont jamais été portés. Sous les doigts de Gaby, des plumes et des aigrettes se déploient, des voilettes de faux rubis scintillent, de vraies fourrures frémissent, tout un univers de féminitude extravagante vient au monde, l'exact contraire de Maman.

Ou sa face cachée.

Si on se place devant le miroir la tête coiffée d'une de ces garnitures de diva, si on plisse les yeux de façon à filtrer le trop-plein de lumière, si par contre on se jette sur son reflet à brûle-pourpoint de manière à le surprendre avant qu'il devienne familier, si on déploie une vision panoramique qui ne révèle que le tremblement d'une plume ou l'éclat d'une broche ou si on parvient à s'enfoncer très loin très vite de l'autre côté de la glace où réside l'invisible vertigineux, très certainement alors se révélera la face cachée de Maman.

Plusieurs heures et plusieurs chapeaux passent ainsi, à la recherche de ce qui se dérobe.

L'un d'eux, qui se retrouve sous les doigts et bientôt sur la tête de Gaby, est différent – en belle fourrure noire, de vison ou de zibeline. Mais si grand et si géométrique qu'on jurerait un chapeau d'homme.

Un chapeau d'homme hassidique.

Gaby, troublée, tourne et retourne entre ses doigts l'objet incongru, le *schtreimel* d'apparat avec lequel ils se déplacent les jours de fête, qu'ils recouvrent parfois d'une bâche de plastique pour le protéger de la pluie ou de la neige, et alors le ridicule est à son comble. La fourrure est douce. La tête de Markus Kohen surgit dans son esprit. Voilà que le trouble a maintenant une texture et un visage.

Plus on cherche un lien entre ce *schtreimel* et Maman et Markus Kohen, plus on s'enlise dans un marécage.

Par chance, c'est le moment que choisit Thomas, de New York où il se trouve, pour téléphoner à Gaby et la hisser sur la terre ferme.

— Hello, Gab. Comment ça se passe ?...

Le portable est rassurant contre son oreille, la voix de Thomas, chaude comme du caramel. C'est sa formule à lui, à la fois impersonnelle et délicate, pour s'assurer que l'on traverse à pied sec les torrents, que l'on survit aux cataclysmes : *Comment ça se passe ?*

Elle dit : *Bien, bien,* parce qu'il faudrait réfléchir longtemps avant de trouver les mots appropriés, puis elle ajoute, par souci d'honnêteté : *Pas trop mal.*

Elle parle tout de suite des chapeaux – *une horde inexplicable, savais-tu que Maman ?...* – et elle le sent qui l'écoute avec une patience irritante, il écouterait n'importe quoi pour mieux supporter la vulnérabilité des faibles, malgré son temps qui est si précieux, comme l'attestent les tintements de verres et les rires de femmes qu'elle entend en arrière-plan.

— Bah, dit-il. Des chapeaux, bien sûr. L'as-tu déjà vue autrement qu'avec un chapeau ?...

Il participe à un festival de cinéma mais il trouve le temps de s'inquiéter pour sa sœur, il fait un tabac avec son film mais il ne le claironne pas trop fort pour ne pas l'incommoder tandis qu'elle besogne dans le glauque et la mort. C'est comme ça avec Thomas, il ne vous laisse jamais l'occasion de lui en vouloir d'avoir autant de chance.

— Au fait, dit-il comme en se rappelant un fait négligeable, Laurel m'a téléphoné. Il prétend qu'il a vu Maman.

— Qu'est-ce que tu veux dire ? Où ça ?

— Quelque part près de Mumbai. Là où il se trouve. En Inde !

— Voyons, dit Gaby. Voyons donc. Qu'est-ce que Maman irait faire à Mumbai ?

Elle est en proie à une stupéfaction immense. Pas Thomas, au-dessus de la mêlée comme toujours, spectateur indifférent de l'irrationnel. Lorsqu'elle tente de lui extirper les éléments essentiels de cette *visite* de Maman – *qu'a-t-elle dit, qu'a-t-elle fait, a-t-elle parlé ?...* –, elle ne lui arrache que des ricanements sceptiques et des trous de mémoire. À la fin, pourtant, il se rappelle un élément, *désopilant,* ajoute-t-il, *lorsqu'elle est apparue à Laurel, il semblerait que, pour une fois, Maman ne portait pas de chapeau.* Ce détail-là le fait éclater de rire, à moins que ce ne soit au vin et aux femmes derrière lui qu'il commence à réagir. Il rit franchement, Gaby l'entend même qui s'étouffe dans sa salive et elle s'en réjouit profondément.

— À quelle heure c'est arrivé?...

Thomas revient à lui, revient à sa sollicitude fraternelle, à sa voix de caramel.

— Pardonne-moi, dit-il. Je manque de sommeil. À quelle heure. Il m'a appelé il y a quelque temps, quelques heures. Je pense que ça venait juste de lui arriver.

— Ce ne serait pas vers les onze heures du matin, par hasard?

— C'est bien possible, dit-il. Pourquoi?

Elle le salue et elle raccroche.

Laisse faire, pourquoi.

Elle a oublié de lui mentionner l'existence du *schtreimel* et de Markus Kohen. Tant pis, elle restera seule avec ça, tout à fait seule cette fois.

Maman ne reviendra pas pour elle.

Aussi bien se lancer carrément dans le ménage, trier et jeter le plus d'objets possible puisque rien n'est sacré, rien n'est intouchable. Maman pour se manifester a délibérément choisi le fils de Thomas, le préféré bébé Laurel plutôt qu'elle, comment s'en étonner? Au fond, c'est inscrit dans l'ordre immuable de l'univers, on ne devient pas différent parce qu'on est mort.

On ne se met pas à aimer tout d'un coup sa fille, quand on ne l'a jamais aimée.

Les chapeaux s'échappent de leurs boîtes, aigrettes et voilettes au vent, et atterrissent brutalement dans les sacs de plastique verts, tous. Pour l'Armée du salut, ce fatras de féminité compassée. Pour les pauvresses d'Hochelaga qui n'en reviendront pas de se voir proposer autant de panaches extravagants et dont l'allure générale ne se trouvera pas bonifiée, bien au contraire.

Qui a besoin d'amour posthume? Deux chats attendent Gaby chez elle, deux créatures magnifiques qui l'accueilleront avec une adoration dont aucun humain, aucune mère, n'a jamais été capable. Elle pourrait aussi se targuer de l'amour de ses élèves formidablement vivants, pour qui elle est une mentor adulée, une plus-que-mère, mais cela n'est pas nécessaire. L'action n'a pas besoin d'amour. Au contraire. Comme l'énergie du ressentiment est une énergie efficace! Comme Maman avait raison, qui carburait au négatif plus qu'à n'importe quel fuel! Comme il est facile de voyager ainsi à travers les garde-robes, les sous-vêtements, les décennies intimes d'une vie entière, sans larmes, sans apitoiement ramollissant! Gaby fait des piles méthodiques. Pour jeter : les tissus usés, les chandails trop pleins d'odeur. Pour donner : les jupes presque neuves, les bijoux, les belles robes dont celle-ci en laine mérinos mauve dans laquelle Maman l'avait reçue pour son dernier anniversaire – il y avait du saumon au menu et il était beaucoup trop cuit comme à l'ordinaire.

Dans le bahut de la salle de bain, cachées sous des serviettes, Gaby débusque soudain des poires en caoutchouc et leurs tuyaux pour s'emboucher, plusieurs ayant servi, d'autres qui s'entortillent encore dans leur emballage. Il y en a plein. Le tiroir débordant reste ouvert, Gaby stoppée net devant le spectacle de ces troublants instruments de torture, conçus pour aller se loger *là*, conçus pour artisanalement désinfecter. Les parties. Honteuses. De Maman.

Elle n'aurait jamais osé penser s'aventurer sous les jupes de Maman, et pourtant c'est là qu'elle est rendue, parmi les peurs de la maladie et la maladie elle-même, les infections sans doute à répétition et jamais révélées aux médecins, soignées en cachette, en toute humiliation, en extrême vulnérabilité féminine.

Gaby est atterrée. La femme Maman n'est pas un être crédible, la Mère-Père peut difficilement se tenir ainsi accroupie jambes ouvertes, discréditée, flétrie, infériorisée par la frayeur et la pompe vaginale, sans tomber brutalement en bas de son socle.

Elle abandonne la salle de bain, tiroirs béants, elle entre dans la chambre de Maman et s'assoit sur le lit pour tenter de se ressaisir avant d'affronter les tables de chevet. Le paysage autour du lit, même dépouillé – une patère sans rien de suspendu, une commode simplement surmontée d'un réveil qui fonctionne encore… –, est rassurant. Elle se rassure. D'ailleurs, qu'est-ce qu'elle pourrait encore trouver de pire, de plus indécent, qu'est-ce qui pourrait dénuder la faiblesse de Maman avec plus de brutalité ?

Des lettres d'amour, par exemple.

Des lettres d'amour à sens unique, des copies sur carbone de lettres envoyées et jamais récompensées de réponses, des déclamations de ferveur orphelines, des redditions sans condition dans lesquelles on donne tout, son corps surtout, *je pense à vous sans cesse… dans mes rêves… vous caresse… vous tiens contre mon ventre… contre mes seins… pardonnez-moi mon audace... j'entends votre voix... une musique pour moi seule... me transporte... m'excite... vous aime...*

Il n'y a pas de doute, c'est bien là la belle écriture racée et oblique de Maman, la même que sur les cartes de vœux où les mots s'alignent avec circonspection – *Bonne fête, ma chère Gabrielle, je te souhaite du bonheur et de la chance* –, et c'est comme défoncer les portes d'un château fort imprenable que d'imaginer Maman penchée sur sa table en train d'écrire *je vous aime* – et surtout *contre mes seins...*

Des pages et des pages de cette eau catastrophique dorment dans le fond du deuxième tiroir, sous d'autres paperasses moins compromettantes – titres de propriété, liasses de factures... –, quoique, en y regardant de plus près, c'est la même lettre qui revient avec des variantes minuscules, *m'enflamme* au lieu de *m'excite, quand je vois votre visage* au lieu de *quand j'entends votre voix...* Les dates changent, et les destinataires. Car il y a eu au moins trois destinataires à ces déclarations effarantes, à cette pacotille enflammée. Leurs noms ont été biffés – sans doute dans un sursaut de honte –, mais des morceaux d'identité dépassent et survivent : Docteur Je... Maître Vid... Monsieur A...

Il ne reste qu'à souhaiter très fort, avec l'énergie brûlante de la honte, justement, qu'elle se soit ravisée à la dernière minute, qu'elle n'ait jamais rien posté.

La dernière lettre est datée du 9 novembre 1998.

1998. Alors qu'elle avait soixante-dix ans, l'âge de la pénétration intérieure, l'âge de l'ermitage choisi. L'âge où on ménage ses battements de cœur.

Par la fenêtre de la chambre, on voit la neige tomber maintenant dru, et on entend de loin le roulement liquide des voitures. Gaby est assise droite sur le lit, pétrifiée par la détresse qui émane de ces sons feutrés, de ce début de neige éternelle. À vrai dire, ce ne sont ni la neige ni les sons qui provoquent la détresse, mais plutôt le sentiment d'en être séparée, d'être un fragment horriblement isolé dans l'univers. C'est ainsi que Maman est assise, avant de dormir, toutes ces années où elle est seule. Assise sur son lit épuisée après un autre jour de combat, dressée seule contre le reste du monde. Par moments, un désir infini d'unité surgit – ô se reposer, faire confiance, appartenir –, un désir comme un égarement passager, et alors elle fait les mauvais gestes, elle fantasme, elle se rend à des hommes qui ne comprennent forcément rien à cette reddition, du coup elle pourrait s'écrouler mais elle se reprend, elle *rebondit*, elle renonce à l'unité, elle retourne vaillamment sur le champ de bataille, seule contre tous.

Gaby pleure. Elle ne sait pas depuis quand. Elle pleure pour demander pardon, sans doute, à moins que ce ne soit au contraire pour pardonner elle-même. Sous la lumière forte du plafonnier, tout est maintenant confondu par terre, factures d'électricité et de garage, titres notariés, renouvellement d'hypothèque, copies pâlissantes d'illusion amoureuse. Il faut tout ramasser, ordonner ce qui doit être ordonné, faire ce que Maman souhaiterait qu'elle fasse. Dans le désordre, elle voit une enveloppe plus rebondie que les autres, au papier plus neuf, qu'elle n'avait pas vue encore. Elle devrait être étonnée, mais elle l'est à peine lorsqu'elle lit le nom qui apparaît sur l'enveloppe, de la belle écriture racée de Maman : *Markus Kohen.*

Il y a cinquante billets de vingt dollars dans l'enveloppe.

Rien d'autre, pas un mot, pas d'explication – ni de lettre d'amour, Dieu merci !

Renoncer à éclaircir les mystères, renoncer tout simplement et accomplir un à un les gestes qui s'imposent. Retrouver Markus Kohen et lui remettre cet argent, demain ou un autre jour, puisque c'est ce qu'il faut faire. Avant, peut-être, extirper le *schtreimel* du fatras de chapeaux à donner et le garder en attendant que se présente une raison de le garder. En attendant, partir d'ici, puisque la nuit est tombée, que le temps de manger et de vivre ailleurs est arrivé depuis longtemps, que s'est passé ce qui devait se passer, c'est-à-dire rien.

Pourtant, elle va quand même chercher dans une étagère près du lit la collection de photos qu'elle sait y trouver, une dernière image pour la route, une ultime nostalgie. Elle farfouille dans les albums anciens et les plus récents, écarte Pat, écarte Papa Marcel et Thomas avec ses femmes successives et Laurel gamin si souvent croqué sur le vif, écarte les photos de fêtes sur lesquelles ils sont tous là autour de Maman comme autour d'une souveraine, y compris elle-même, la benjamine obséquieuse et son absence de sourire. Elle ne retient que celles où Maman apparaît seule et elle les répand sur le lit.

Il y a de très anciennes photos, où Maman est à des années-lumière de son personnage redoutable, où elle porte un nom à elle, Françoise Mathieu. Françoise Mathieu est cette petite fille aux yeux vifs et aux cheveux noirs drus qui tient un ballon sur ses genoux. Françoise Mathieu est cette beauté aux lèvres maquillées et au feutre coquin juché de biais sur des cheveux relevés. Françoise Mathieu jeune femme rit aux éclats, les cheveux libres, les yeux fendus par l'euphorie, face à celui pour qui elle jettera bientôt son nom par-dessus bord. Voici madame Marcel Bouchard, floue, entre deux états d'âme et deux âges, qui glisse, glisse vers Maman. Le visage de plus en plus stratifié, le sourire comme une grimace – sous le chapeau maintenant inévitable.

Laquelle est la vraie ?

De laquelle de ces photos peut-on dire en toute assurance : la voilà, c'est elle ?

La dernière ?

Mais en quoi cette ultime apparence – abîmée, endurcie, et qui change change elle aussi jusqu'à n'être plus là... – serait-elle plus authentique que celle de la jeunesse aux lèvres peintes, de l'enfance aux cheveux drus ?

Où est-elle sur ces photos, celle qui n'est plus ?

Gaby palpe les photos, cherche, cherche, et un vertige la gagne au fur et à mesure qu'elle ne trouve pas. Maman est bel et bien perdue. Mais a-t-elle vraiment été, et à quel instant ?

Les mains de Gaby tremblent et elle observe ses mains, fascinée, comme des entités soudain inconnues. Elle sait à ce moment ce qu'elle n'a jamais su, que la solidité est un mirage, que tout appartient au mouvement éternel qui déconstruit ce qu'il a bâti, comme ses mains, qui ne sont plus les mains d'avant, d'il y a cinq secondes, comme elle au complet, dont on ne pourra dire non plus, en aucun temps : c'est Gaby, c'est enfin elle, la voilà.

L'angoisse voudrait se loger en elle, mais il n'y a pas de place pour l'angoisse. Le silence occupe tout l'espace, et la vie surgie du silence, la même vie dans tous les êtres qui se lèvent, font du bruit et puis s'évanouissent.

Sur la commode de Maman, le réveil indique onze heures onze.

L'AUTRE CÔTÉ

Rien n'est plus étrange que de traverser ainsi une frontière infranchissable, sans douaniers ni policiers, sans gyrophares ni meute de poursuivants derrière qui feraient tout pour vous retenir et qui y parviendraient.

Un seul poursuivant suffirait, à vrai dire. Ce serait une poursuivante.

Markus imagine sa mère en train de courir derrière lui et ses jambes faiblissent. Il se jure que c'est la dernière fois qu'il se permet d'imaginer sa mère en train de courir derrière lui. C'est elle ou lui. C'est eux et leur poids de millénaires de grâce divine, ou lui tout seul tout nu dans sa légèreté de paria.

Il avance, raffermi, sur la chaussée mouillée du nouveau pays qui ressemble à s'y méprendre à la chaussée du pays derrière. Il a son passeport presque neuf dans sa poche. Il l'agrippe, prêt à le tendre aussitôt qu'on le lui réclamera. Personne ne le lui réclame. Qu'a-t-il d'autre dans ses poches ? Des ciseaux. Une adresse sur une feuille de papier. Un petit gâteau au pavot. Des chandelles. Quelques pièces de monnaie. Trois cents dollars en billets de vingt, soustraits clandestinement de l'armoire de cuisine où ils dormaient entre les recettes de *kreplekh* et de *latkes*, empruntés, car il les remettra – *volés à ta mère.*

Un parc apparaît à sa gauche, un vaste carré d'herbe jaune sur lequel sont posés pêle-mêle des arbres dégingandés et des terrains de jeu entourés de grillage. Des chiens courent au loin, à l'ombre de leurs maîtres. Il n'est jamais venu jusqu'ici. Il décide de laisser le trottoir et d'obliquer dans le parc vers le premier bouquet d'arbres gris. Dorénavant, il peut décider de tout, d'obliquer vers des arbres, de courir trop vite, chaque seconde est une aventure inouïe dont le dénouement n'est pas écrit.

Dorénavant, il est seul comme il ne l'a jamais été.

Il décide que ça commence en cet instant précis de solitude, dans ce lieu précis dont le nom sera à retenir : 12 *Kislev* 5774, 15 novembre de l'année goy, parc Jeanne-Mance. Il sort les ciseaux de sa poche. *Tu ne raseras pas le bord de ta barbe ni le tour de ta tête.* Le moment est extraordinaire et laisse pourtant peu de traces : un petit monticule de boucles et de poils noirs sur le sol jonché de feuilles mortes, aucune douleur notable. Il se touche les joues, les tempes : c'est doux ici, rugueux plus bas, à peine rafraîchissant. Il sent surtout une intense chaleur à hauteur de poitrine, pour avoir trop écouté les mises en garde de Chaim, son partenaire d'études – Tu vas avoir froid !... Tu vas mourir de froid et de faim !.. –, et endossé son *beketshe* doublé de fourrure alors que le temps est tiède comme un alcool. Il enlève son chapeau, un *samet* en polyester qui le trahit autant qu'il l'étouffe, il déboutonne son manteau de gauche à droite, enfin il perçoit la vive fraîcheur du matin, la fraîcheur des commencements.

Il vient d'avoir vingt ans.

Il sait où il va. Il va vers l'est, vers les hommes qui mangent du cochon avec de la crème et les femmes qui montrent leur poitrine, mais aussi vers l'est de Hashem et de Yerushalayim, car ce n'est pas vrai que tout est séparé, ça ne peut pas être aussi étriqué que ça, Dieu, ça ne peut pas palpiter uniquement dans la piété et le renoncement, à une telle distance de lui-même.

Il va vers lui-même.

Dans la direction où depuis toujours on lui interdit d'aller se trouve aussi Hashem puisque Hashem est partout, se trouve, il en est sûr, tout un pan avorté de son âme qui a besoin du monde libre pour s'épanouir.

Plus prosaïquement, il va boulevard De Maisonneuve Est, à l'adresse qui figure sur la feuille de papier pliée qu'il a dans sa poche.

Il se remet en marche. Il a abandonné dans les toilettes de la yeshiva le *gartel* et les phylactères, il vient de couper ses *peyes* et sa barbe, il a troqué son chapeau contre un béret trouvé sur le trottoir il y a longtemps et précieusement conservé, les signes distinctifs sont en grande partie abolis. Rien ne l'empêche plus de devenir un des leurs. Le premier à le reconnaître comme un des siens lui ouvrira du même coup la porte de son identité secrète. Qui fera vers lui le premier geste d'intégration ?... Il ralentit, il regarde autour.

Justement, le voici.

Il n'en demandait pas tant, pas aussi vite.

Le premier à le reconnaître arrive en trombe vers lui avec la nette intention de le sonder sans ménagement. Il attend, stoïque. C'est une épreuve initiatrice. C'est un chien.

Là d'où il vient, les chiens existent le moins possible. Quand ils surviennent, traînant en laisse leurs maîtres étrangers, on s'en écarte avec précipitation car ils appartiennent à un univers parallèle marqué par la souillure, comme en témoignent leurs crocs perfides et leur haleine fétide.

Celui-ci ne tient personne en laisse, ce qui lui permet de galoper tout à son aise, jaune et aussi gros qu'un petit cheval, et de rugir en même temps et bientôt, c'est évident, de broyer dépecer enfourner le corps étranger – et de le digérer en un temps record grâce à sa bave acide déjà surabondante.

Il attend – en apparence. Une partie de lui s'enfuit à toute allure loin à l'intérieur – l'autre reste immobile parce que déjà morte.

Tu es un pleutre.

Voilà le premier visage de son identité secrète.

La bête gronde et trépigne à moins d'un mètre de lui. Il est si terrifié que les larmes lui montent aux yeux. *(I cried to thee, O Lord; and unto the Lord I made supplication… Hear, O Lord, and have mercy upon me; Lord, be thou my helper…)* Au milieu de sa terreur, il remarque la pureté des crocs, blancs comme s'ils n'avaient jamais servi, et les cheveux blonds frisés de poupée sur ce gros petit corps, même au milieu de sa terreur, il se dit qu'au moins il sera mangé par une jolie créature. *Mangé.* Mû par une impulsion, par Hashem lui-même puisque qui d'autre l'a incité à revenir sur ses pas dans la cuisine de *Mame* et à emporter un gâteau ? il sort de sa poche la pâtisserie au pavot et en laisse tomber un morceau par terre.

Le miracle survient. Non seulement le monstre

mange le gâteau au lieu de le manger lui-même, mais il s'assoit devant lui.

Tu es un pleutre rempli d'astuce.

Le miracle perdure puisque la peur s'effrite comme un gâteau dévoré, la peur et le monstre s'effritent en même temps, et ne restent que des yeux dorés d'une ineffable douceur qui s'enfoncent dans les siens, tandis que le poil de poupée se révèle bel et bien soyeux sous les doigts, comme est soyeuse la langue et même chaudement fraternelle la bave qui suinte de cette langue – *mange mange, mon petit être, mange!* –, et l'être-chien mange le reste du gâteau en le couvant d'un regard adorant qui se donne à jamais. Une voix d'homme résonne soudain au loin, la voix du maître négligent se réveille pour interrompre l'idylle, alors qu'elle ne se souciait guère deux minutes auparavant d'interrompre le carnage – CANDY!... Candy!... –, et l'être-Candy le quitte pour toujours et galope au loin, petit cheval blond que la joie de la vie propulse.

(Weeping may endure for a night, but joy cometh in the morning.)

Joy cometh in the morning.

C'est peu de chose, un chien menaçant qui vous effraie, c'est un modeste combat que les embûches à venir feront pâlir d'insignifiance, il le pressent, mais sa joie en ce moment est vive et toute joie est une grâce qui ne connaît pas la petitesse. Il a passé la première épreuve, les autres viendront en temps voulu. Il marche dans le contentement du nouveau-né qui ne sait rien du voyage dans lequel il s'engage. Des vélos le frôlent en ce moment sur le trottoir où il s'est mis à marcher, et il ne sait pas conduire de vélo. Il ne sait pas ce qu'annonce l'ange tournoyant majestueusement dans son marbre de l'autre côté du parc Jeanne-Mance – est-ce Gabriel, Uriel, Michel ou Asmodée enjoignant aux automobilistes de ralentir ? Un jour, il saura. Et, sous l'ange, qui est cet homme au bras sentencieusement tendu qui admoneste les foules ? Idem, un jour. Et que font les jeunes gens rassemblés autour du large socle de la statue ? Ça, il sait, et il s'arrête pour savourer ce qu'il sait. Ils font de la musique. Percussions, tam-tam, voix psalmodiant des sons étrangers. Son cœur immédiatement interrompt son rythme pour s'accorder avec le leur et lévite au-dessus de la rue pour les rejoindre. Patience. Un jour, un jour. Il est encore trop proche de son ancien territoire, il ressemble encore trop à celui qu'il était. Mais si la musique est une des langues parlées de ce côté-ci du monde, alors très bientôt sera-t-il tout à fait des leurs.

Bientôt aussi, il regardera une femme dans les yeux. Il accepte de n'envisager l'avenir que de cette façon, à petites bouchées précautionneuses : ce soir, il dormira chez un homme qu'il ne connaît pas, demain, il se trouvera du travail, mais avant il regardera une femme dans les yeux, après lui avoir aussi regardé la poitrine. C'est déjà un vaste programme, dont l'horizon au complet se trouve encombré.

En attendant, il est ici, au milieu d'une tapisserie fascinante faite de milliers de trajectoires qui se frôlent sans se nuire. Lui aussi zigzague vers sa direction unique, il est comme eux, unique comme eux, tous uniques, tous occupés à inventer leur monde, à s'en aller toucher vigoureusement leur cible. Il s'arrête, parce qu'une banderole accrochée au-dessus de la rue, avec des dates à peine périmées, l'émeut brièvement : FESTIVAL DU MONDE ARABE. Il ne sait trop comment réagir et soudain il le sait, c'est un clin d'œil du nouvel univers, un message qui lui est personnellement dédié, un message de paix. *Shalom* à tous, *Shalom aleichem* à toi, monde arabe. Il reprend sa marche en souriant. Les yeux levés, le regard offert et scrutateur. Tout ce qui voudra s'y engouffrer est bienvenu.

Rencontrer leur regard n'est pas chose facile tant ils sont affairés. Pourquoi le regarderaient-ils, lui, chrysalide informe à la livrée trop sombre, alors que tant de choses pétaradantes les sollicitent ? Il les comprend, il les connaît presque. Il pourrait être le chauffeur d'un de ces autobus 435 au long corps articulé de paquebot – il se faufilerait avec dextérité et indulgence entre les petits moteurs agressifs et guiderait ses passagers à bon port –, il pourrait être cet homme qui court vers le métro avec un portable à l'oreille et à la bouche des onomatopées de conquérant, il pourrait être ce jeune se dirigeant paresseusement vers ses cours d'informatique ou de sciences de l'environnement en partageant une cigarette avec une fille blonde au rouge à lèvres étincelant, ce boutiquier en train d'ouvrir la porte de son commerce de CD et de vinyles d'occasion, des chansons d'amour plein la tête – oh il aimerait être tous ceux-là en même temps sans cesser d'être lui, que la vie est excitante.

Il pourrait se contenter d'éplucher les vitrines où sont exposés des mannequins aux faciès avenants malgré leurs yeux de celluloïd, mais c'est à de la vraie vie qu'il veut toucher, quitte à se muer en statue de sel.

Un homme le regarde. Dans les yeux, enfin, comme

cela commençait à sembler impossible. Il s'arrête net, ému par l'expérience. *As-tu du change?* lui dit l'homme. Il ne comprend pas, il le fait répéter. Il ne comprend pas non plus ce qui circule entre eux deux, rien de clair et de direct, pas de relation d'âme à âme, mais un smog d'incompréhension, sans doute est-ce sa faute à lui, qui n'a pas appris à déchiffrer les regards. *Spare change?* s'impatiente l'homme, et alors il voit, les cheveux sales, le visage en manque, le manque gravé partout, plus vieux que lui, mais bien trop jeune pour avoir ainsi dégringolé, et il rougit de culpabilité et de honte – *Oy Gevalt!* Mon pauvre homme! Que vous est-il arrivé?...

Il lui donne deux dollars. Il lui donne aussi son *samet* – dommage qu'il n'ait plus de gâteau –, il lui donne ses ciseaux et son foulard, il ne s'arrête que lorsque l'autre l'apostrophe avec une défiance frisant la colère: *T'es-tu fou, toi?... T'as l'air d'un maudit fou!...*

Il s'enfuit, pris d'un malaise inexprimable, ne sachant où est la faute mais persuadé de sa faute.

Ce n'est que le début. Les hommes qui le regardent dans les yeux se multiplient devant lui sur le trottoir, distants d'un coin de rue à peine, suppliants et délabrés, le regard plus vide que celui des mannequins: *As-tu du change? Spare change? Please something to eat!...*, et il n'en revient pas, il donne toutes ses pièces et quelques-uns de ses billets, il est scandalisé – que font dehors ces gens misérables que personne ne vient aider? Il cherche une réponse autour, il prend silencieusement à témoin les quelques autres piétons, les nantis qui circulent comme si de rien n'était parmi les massacrés. Comment font-ils? Que faut-il faire?

Les autres, c'est simple, sont accrochés à leur téléphone cellulaire et ne regardent pas. C'est ainsi qu'il faut faire. Il faut filer en rase-mottes en ignorant les litanies de suppliques, le regard à l'intérieur comme dans l'ancienne vie où on transporte avec soi sa cargaison sacrée qu'on ne partage sous aucun prétexte. Filer vers l'est où aboutissent vraisemblablement aussi les créatures abandonnées de Dieu.

Il avance de dix pas les yeux à terre, mais tout de suite cela lui devient insupportable, comme une trahison envers lui-même. C'est justement cela qu'il a résolu d'abolir. La séparation. Comment investira-t-il l'autre côté du monde s'il refuse d'en affronter les premières rebuffades ?

C'est ainsi que la tête haute de nouveau, sur ce trottoir de la déchéance, il fait tout à coup sa première vraie rencontre.

Et ce n'est pas une femme au décolleté plongeant.

C'est un homme qui sourit, posté dans un renfoncement entre deux commerces non reconnaissables. C'est un homme qui ne sourit pas seulement des lèvres, mais de chacune des particules de son visage et même de ses deux mains nues tendues, car il quête aussi, oui, mais cette chaleur et cette joie qu'il y met font disparaître toute humiliation possible, il quête les deux mains ouvertes avec fierté, avec entrain, comme s'il offrait quelque chose au lieu de demander, comme si ce qu'il offrait était supérieur à toutes les oboles qu'on pourrait jamais consentir à lui donner.

Il s'arrête devant lui, subjugué par tant de chaleur. L'autre l'accueille avec un élargissement de sourire sans lui demander quoi que ce soit, peut-être même que ses deux mains offertes servent à dire tout autre chose

– vois comme le jour est bon, vois comme la lumière tombe de là-haut gratuitement. D'ailleurs, maintenant il rit tout à fait, débordant de joie contagieuse. Peu importe que ses cheveux très noirs soient gras, que son parka soit taché, que les pommettes saillantes dans son visage ridé luisent comme des lumignons, peu importe la vapeur d'alcool qui monte de lui en encens subtil, c'est un transmetteur d'humanité. Lui aussi se met à rire, ils restent face à face, hilares, les yeux dans les yeux, peu pressés de conclure un échange, deux étrangers en profonde connivence, aussi inquiétants l'un que l'autre pour qui s'avise de passer à côté d'eux.

Quand il lui dépose finalement dans les paumes deux billets de vingt dollars, l'autre s'esclaffe encore, un rugissement de rire, et il s'empare de sa main et la serre entre ses doigts glacés.

— Charlie ! Charlie Putulik !

Sa voix rauque commande entre eux le partage. C'est donc à son tour. Il va confier son nom, en quelque sorte le recréer, se faire oindre comme pour l'un de leurs baptêmes.

— Markus. Markus Kohen.

— *Ai* Markus ! *Sweet little* Markus ! Tu es un vrai homme, Markus !

Charlie Putulik dans son transport l'embrasse sur le front, le serre contre lui, lui communique des relents douteux d'alcool et de chair sale, mais qu'importe, qu'importe, il vient de lui ouvrir une autre fenêtre grisante sur lui-même – *tu es un vrai homme,* c'est plus qu'il n'en faut pour commencer vraiment à vivre.

— Que ta chance soit grande, *little* Markus !

Il s'arrache à lui après une dernière étreinte, il n'a

pas été étreint ainsi depuis sa très petite enfance, il s'en va en emportant en lui une euphorie incompréhensible. Avant de tourner dans la rue suivante, il jette un regard derrière, et il le voit qui a recommencé à quêter, le visage aplati par son énorme sourire, les deux mains tendues en sémaphores d'allégresse.

Mazel tov, Charlie Putulik. Bonne chance à toi aussi.

Un poids tiède et tendre s'est pelotonné dans sa poitrine, et alors il pense à Chaim, son compagnon de débat et de connaissance depuis tant d'années, cher *khevruso* Chaim, en ce moment dans la yeshiva récitant le *chaharith* en se balançant, les lèvres machinales et l'esprit encore emballé par l'effroi dans lequel il l'a laissé *(Je pars, Chaim, je m'en vais dans* Sitra Ashra, *oui, de l'Autre Côté),* et il regrette de ne pas l'avoir étreint contre lui pour le remercier de son long compagnonnage.

Mazel tov, Chaim. *Mazel tov,* tous, *Rebbe* Sander, *Mame,* Raquel la promise aux lèvres pleines qui ne sera jamais sa femme, oui, tous, *que votre chance soit grande, ne m'oubliez pas, ne m'attendez pas.*

Boulevard De Maisonneuve Est, les immeubles sont grands et sévères et les êtres stationnaires ont disparu. Il marche de nouveau le regard disponible, et de nouveau personne ne s'y précipite pour solliciter ou offrir quoi que ce soit. Il ne sait plus s'il en est soulagé ou déçu.

Il a appris l'adresse par cœur, mais il sort quand même le papier froissé de sa poche, en manière de preuve tangible. C'est ici. Une maison de dix étages en briques vertes écaillées. Engoncée entre deux immeubles de bureaux, flanquée d'un poteau électrique où pend un gros transformateur. Des cartons sales émergent d'un sac de récupération éventré.

C'est ici en principe qu'il dormira.

Chez Laurel.

Laurel Bouchard, petit-fils de madame Bouchard.

Bien sûr, il n'est pas sans anxiété, car elle lui a déjà fait faux bond, *Mrs. Boucharde.* Oh la déconvenue de ce jour-là, proche mais qui maintenant appartient à une autre ère, où il a appris qu'elle avait emporté dans sa mort le *schtreimel* et l'argent du *schtreimel* – l'unique héritage de son père, taillé dans une zibeline du Turkménistan et cousu main par des chapeliers installés ici depuis trois générations, un trésor de trois mille dollars au moins qu'il lui avait cédé pour le tiers. Son amortisseur sur la route chaotique de la nouvelle vie, sa seule fortune.

Mais ce n'est que dans sa mort qu'elle lui a fait défaut, *Mrs. Boucharde.* Dans sa vie, elle lui a ouvert sa porte et son cœur, il n'a que des souvenirs gracieux à se rappeler et une reconnaissance éternelle. *Olov hasholom* – que la paix soit sur elle. *Mangez, mangez,* disait-elle en poussant vers lui le gâteau aux fruits terriblement non cachère, *buvez !* ordonnait-elle en lui tendant l'alcool doux et doré – ça, il pouvait, et il buvait cul sec pour lui faire plaisir, et ça la mettait vraiment en joie.

La première fois, c'était la fois du gant. Il lui avait rapporté un gant qu'elle avait laissé tomber sur le trottoir, un gant de laine assez vilain qui ne valait pas qu'il enfreigne ses *mitzvot* et cogne à sa porte et la regarde droit dans les yeux. Mais est-ce qu'on sait pourquoi on agit et transgresse les interdits et on se trouve tout à coup propulsé dans une vie qu'on n'avait jamais crue possible ? Tellement éberluée qu'il se trouve là, elle avait failli lui fermer la porte au nez, mais ne l'avait pas fait. Quelque chose avait secoué ses fondations et l'avait fait transgresser elle aussi, car elle aimait l'honnêteté par-dessus tout, par-dessus même ses préjugés et ses détestations, et elle aimait ses vieux gants de laine, qui comme toutes les vieilles choses ne méritent pas qu'on les sacrifie avant leur dernier jour.

Partez, lui avait-elle dit aussi, *partez, vivez, vivez !* mais ça, c'était une autre fois, la fois qu'il avait osé pleurer devant elle après ses fiançailles avec Raquel. Jamais n'avait-il osé pleurer devant personne, surtout pas devant sa mère, et là à profusion il avait pleuré, ouvert en deux par la perspective pétrifiante de sa vie rédigée mot à mot à l'avance – dix enfants à venir aux côtés de sa femme aux lèvres inutilement belles –, ouvert en deux par le visage de Raquel, un bon visage neutre de fiancée, ses yeux pudiques, le silence de ses lèvres charnues pour rien, le silence de sa sensualité interdite.

Partez.

Sans *Mrs. Boucharde,* peut-être serait-il resté à ruminer et à tergiverser et à remettre à plus tard jusqu'à ce qu'il soit trop tard.

Voici son adresse. Il vous aidera.

Il ne sait rien de Laurel Bouchard.

La voix sur le répondeur téléphonique était celle d'un jeune homme efficace et enjoué, mais il n'a rien compris aux mots. À tout hasard, il a laissé en retour un message – qu'il viendrait ce jour-là, qu'il le rembourserait pour le gîte, qu'il était heureux, et bénie soit la mémoire de sa précieuse *Bobbe Mrs. Boucharde.*

Il a laissé un bien trop long message.

C'est sur la sixième des vingt sonnettes qu'il doit appuyer, c'est donc là qu'il appuie, et il attend, il appuie de nouveau, et il ne se passe rien. L'anxiété se colle à lui devant la porte et bientôt usurpe toute la place. Des automobiles passent avec indifférence, le transformateur électrique émet un grésillement obsédant. Il appuie ailleurs, n'importe où, sur tous les boutons en même temps. Cette fois, un timbre métallique se déclenche et la porte cède. Aussitôt qu'il entre, un homme vient à sa rencontre, hirsute, dépoitraillé, les yeux plus hallucinés qu'inquisiteurs. Il prend du temps à reconnaître, effrayé, son propre reflet. C'est lui dans le grand miroir du hall, ce mauvais déguisement de *Pourim,* cet être mal rasé au béret ridicule et à la devanture échancrée. *L'air d'un maudit fou.*

Tout ce qu'il a à offrir, c'est sa sincérité.

C'est peut-être suffisant, après tout, puisqu'un homme jeune qui sort à ce moment de l'ascenseur – un vrai autre, cette fois-ci, les cheveux roux en bataille, la veste en denim déchirée aux coudes… – n'évite pas ses yeux et le salue. Et une femme assise au fond du vestibule en train de siroter une boisson fumante lui adresse un sourire authentique.

Comme s'il était le bienvenu.

Ce vestibule n'a d'ailleurs rien d'un vestibule, il est grand comme une boutique, comme un café, surtout grâce au miroir qui décuple sa profondeur, et à l'angle où est assise la femme, il y a d'autres chaises et des tabourets devant une machine distributrice. Le sentiment d'étrangeté vient de partout, de la vocation incertaine du lieu, mais aussi des objets saugrenus suspendus aux murs et au plafond, qu'il découvre un à un et auxquels il ne trouve aucun sens. On dirait des poupées ou des totems bariolés, qui hésiteraient entre le monde animal et le monde humain, et qui émettraient pardessus le marché des sons inappropriés – raclements, brouhaha de voix, cordes frappées comme dans une répétition d'orchestre.

Un moment, il est assommé par le doute. S'il ne parvenait pas, jamais, à trouver les codes pour déchiffrer le monde moderne ?

— Aie pas peur, c'est de l'art, ça mord pas !...

C'est à lui que la femme parle, et de lui qu'elle rit sans malice, tout en faisant tinter les nombreux bracelets à ses poignets, et il s'empresse de rire avec elle, car il saisit parfaitement ce que sa posture ahurie peut avoir de comique dans la redingote débraillée et sous le béret de carnaval – sans compter qu'absolument rien de méchant n'émane de cette ménagerie de créatures farceuses, sans compter surtout que la femme a un décolleté prodigieux dont il ne parvient pas à détourner les yeux. Et puis il remarque les ridules au-dessus du décolleté et il s'aperçoit qu'il s'agit d'une femme *vieille*, plus vieille que sa mère, et il s'enfuit vers l'ascenseur affreusement gêné pour elle.

L'ascenseur, Dieu soit loué, se comporte comme un ascenseur.

Et au sixième étage, le corridor déroule son ruban beige de corridor sans surprises.

Devant la porte 61, il enlève son béret et il s'apprête stoïquement à ne recevoir aucune réponse. Il sent maintenant une fatigue bien au-dessus de son âge, il a faim, il regrette le gâteau abandonné par le pleutre entre les mâchoires du chien. Il va sonner une seule fois et puis s'étendre dans cette antichambre jusqu'à ce que le petit-fils arrive. À moins qu'il n'obéisse à cette pulsion qui rampe dans son ventre et le fait frémir, à moins qu'il ne rejoigne en bas la femme aux bracelets trop mûre pour son décolleté. *Tu es un pleutre et un dégénéré.*

Dès le premier coup du timbre, le silence est grignoté par un crescendo de piétinements et de menues foulées, et la porte contre toute attente s'ouvre.

Devant lui, ah. Une apparition aux yeux d'horizon clair et à la tête de couchant doré, une créature lumineuse tout de blanc vêtue devant laquelle il se prosternerait sans mal, et jeune. La plus belle femme qu'il lui ait été donné de voir.

Elle parle, elle accepte de parler. Sa voix lui ressemble, c'est-à-dire gazeuse, enivrante, céleste.

— Oui?...

Bien sûr que ça se gâte aussitôt qu'elle le voit mieux et qu'il reste muet, figé de ravissement. Elle fronce les sourcils, le soleil se voile.

— Non. Pas de Témoins de Jéhovah!

Elle va fermer la porte, il n'a le temps que de lancer à la volée un mot désespéré.

— Laurel!

C'est un Sésame souverain car elle ouvre grands et sa porte et son visage, elle a un sourire qui éclaire jusqu'aux tréfonds du boulevard De Maisonneuve Est et sûrement bien au-delà.

— Vous avez des nouvelles de Laurel?...

Il bredouille. Ça ressemble à un oui.

Elle l'entraîne à l'intérieur.

Il débarque dans une vaste pièce saturée de lumière,

trop blanche pour les yeux malgré les rares meubles aux couleurs violentes – quelles couleurs, il ne saurait dire, ni quels meubles destinés à quel usage, il est aveuglé par elle –, et il la suit jusqu'à ce qu'elle se pose sur le coin d'un sofa – ou est-ce un lit ?

Elle l'inonde de questions auxquelles par chance elle apporte ici et là les réponses.

— Est-ce qu'il est toujours en Inde ?... Est-ce qu'il est bien ?... C'est sûr qu'il est bien, *fucking floating* avec ses *swamis* et ses gourous pendant que je me meurs ici... Sais-tu depuis combien de temps je campe ici pour lui faire une surprise ?... *You bet* que je vais lui faire une surprise !... Ses christis de murs blancs, je vais les peinturer en noir...

Elle crache le feu et n'en est que plus solaire, une pièce pyrotechnique qui n'en finit pas d'exploser et qui s'allume du même souffle une cigarette, et il reconnaît alors l'origine de cette blancheur âcre qui imprègne intensément la pièce. D'innombrables tubes de nicotine ont été réduits en fumée ici et n'ont toujours pas dit leur dernier mot.

— C'est quoi, ton nom ?... Quand est-ce que tu l'as vu ?... Est-ce qu'il t'a parlé de moi ?...

Ses yeux violet clair sont en attente, posés sur lui, deux améthystes précieuses qu'une eau de source tout à coup fait briller, deux phalènes fragiles que le moindre mot déplacé va pulvériser.

— Est-ce qu'il t'a parlé de Maya ?... Maya... la femme de sa vie ?...

— Non, murmure-t-il.

Rien ne l'a préparé à ça, ni les innombrables débats dans le *shtibl* surchauffé à argumenter sur la kabbale, ni les discussions brillantes avec le *tsaddiq*, ni les cent mille *tfiles* psalmodiées le cœur ouvert et les pieds joints comme un seul pied d'ange, rien rien ne lui souffle à l'oreille les mots à dire en ce moment trouble où il vient de tomber amoureux d'une femme qui pleure parce qu'elle aime celui qui est absent et dont il devrait déplorer l'absence mais non. La seule certitude qu'il a, c'est tant pis pour Laurel, tant pis tant pis, tant mieux.

Dès qu'il lui effleure l'épaule, elle s'écroule contre lui de tout son poids plume, il n'a jamais fait ça et ça lui vient tout seul, il la berce tandis qu'elle sanglote et il chante, il lui chante le *Kol Nidrei* à voix basse pour la délivrer des engagements anciens et pour se délivrer lui-même à l'avance de ce qui pourrait les séparer. *Kol Nidrei... Ve'esarei Ush'vuei, Vacharamei...*

Un long temps grisant, pendant les deux tiers du chant, elle reste tiède et molle contre son épaule à renifler – c'est donc comme ça, l'amour d'une femme, c'est donc tremblant et enfumé, le paradis –, puis elle se redresse et c'est la fin, il n'ose plus chanter. La respiration encore liquide, des rigoles mouillées sur les joues, elle le regarde avec un sourire d'enfant étonnée, attendrissante avec son parfum carbonisé et la cendre de cigarette répandue partout sur ses vêtements blancs.

— Continue, continue, dit-elle. T'as une super de belle voix.

Ses yeux violets vrillés sur lui le paralysent, il rougit jusqu'à la moelle, mais au moins il la fait rire, car elle rit, plus il rougit et plus elle rit.

— T'es donc bien jeune ! dit-elle joyeusement... Chantes-tu dans un groupe ?...

Il va tout lui révéler, lui parler de sa communauté extatique et asphyxiante et, à ce moment, une musique diabolique fait irruption entre eux et elle bondit et va attraper sur le comptoir le téléphone cellulaire de l'apocalypse.

— Oui ?... Ah. Oui !... Très bien, très très bien... Oui !... Super !...

Elle est enjouée, elle crépite comme si elle n'avait jamais pleuré au creux de son épaule, jamais entendu le *Kol Nidrei* pour elle seule psalmodié. Elle est partie. Il reste assis sur le sofa, se convainquant qu'ils vont reprendre après l'appel maudit là où ils ont laissé, mais au fond de lui, il sait bien qu'elle est partie. D'ailleurs, elle fait une pause pour mieux le lui confirmer, elle tourne vers lui ses yeux – ô malheur ! –, qui ont perdu leur éclat, ou plutôt dont l'éclat ne s'adresse plus à lui.

— Bon, dit-elle, la voix courte. Je suis occupée... Ça t'ennuierait de partir ?...

Il se lève, anéanti.

— Laurel ?... murmure-t-il en désignant l'appareil.

— Non !

Elle s'esclaffe.

— Non, c'est pas Laurel, Dieu merci !...

Avant qu'il se rende bien compte de quoi que ce soit, elle s'est approchée de lui, elle l'a embrassé sur la bouche – sur la bouche la fraîcheur soyeuse de ses lèvres –, elle l'a poussé doucement vers la porte et elle a fermé derrière lui, et voilà qu'il est debout dans le corridor, étourdi, son parfum carbonisé sur les lèvres.

Il n'a même pas pensé à regarder sa poitrine.

Il se met en marche lentement, lentement pour éviter que ne se fracasse le colis friable qu'elle lui a déposé dans le cœur.

Il est content de ne croiser personne dans le hall, surtout pas la femme décolletée qui altérerait de sa vulgarité la pureté gazeuse de Maya. Seules les poupées-totems qui sont de l'art lui adressent des grimaces sonores en passant, et il leur répond de même sans se laisser démonter.

Sur le trottoir, il se rend compte que le jour est déjà en train de tomber et qu'il fait froid. Il se ressaisit complètement, il empoigne les urgences pragmatiques de sa nouvelle vie. Se trouver un toit. Manger. Avec trois cents dollars en poche, en s'alimentant frugalement de pain, de soupe et d'un peu de viande, il peut loger dans une des modestes *tourist rooms* qu'il a croisées sur la route et tenir dix jours, ou sept, le temps de se trouver un travail.

Il a une pensée affectueusement ironique pour *Mrs. Boucharde* : faux bond du début à la fin, excepté, éternellement, l'impulsion du départ.

Il a une pensée, celle-là soucieuse, pour son pécule. Quarante dollars semés ici, un ou deux vingt abandonnés là, combien au juste lui reste-t-il ?...

Poche de droite : l'adresse froissée de Laurel et les chandelles. Poche de gauche : rien.

Il revisite attentivement le tout en refusant de céder à la panique, palpe, retourne les poches vides, enlève son manteau pour en sonder la doublure, tâte son pantalon, se déshabille presque.

Rien, rien, rien.

Ne pas céder à la panique, faire lentement tourner

le film dans sa tête, car il y a un film dans sa tête où sont imprimées depuis le début les images de ses moindres déplacements du plus infime de ses gestes à condition que la panique ne vienne enrouer le mécanisme, précautionneusement calmement les images à reculons défilent : chez Maya, lumière soleil et fumée, il n'a même pas enlevé son manteau, Maya collée contre lui les mains sur ses adorables genoux, non, pas chez Maya, il recule encore, se voit zigzaguer dans la rue à la rencontre des pauvres hères l'argent bien glissé dans son passeport, deux billets de vingt au Transmetteur d'humanité qui rit, après les deux billets de vingt de nouveau le passeport bien enfoncé au creux de sa poche, mais l'étreinte longue, oh l'étreinte et les mains fraternelles qui descendent dans son dos et le serrent et le palpent et affectueusement le dépouillent.

Charlie Putulik.

Il marche vite, les poings serrés sur sa violence pour empêcher qu'elle se dilapide dans l'air humide, il va le retrouver, quitte à remuer de ses dents les entrailles puantes de l'est de la ville, il va le retrouver et le tuer. Maintenant que la haine étincelle en lui, les regards des autres le reconnaissent avant de le fuir avec respect, alors qu'ils l'ignoraient totalement quand il était amour et paix, très bien, il ricane de ruse désenchantée, très bien, c'est donc ainsi qu'il apprendra à être et à briller. Même les misérables encore répandus sur les trottoirs le laissent passer sans l'interrompre de leurs plaintes tant est puissante sa trajectoire de justicier. Il marche dans l'informe, dans l'obscurité, à la rencontre d'une noirceur plus grande, les yeux brandis comme des miradors omnipotents pour débusquer Charlie le Rat rieur. Il sent des choses pointues et bruyantes éclater sous ses semelles et il marche sans baisser le regard, et quand il finit par le baisser, il voit la vitre cassée sur le trottoir. Des vitrines ont été défoncées, à moins que ce ne soient des automobiles vandalisées – ou peut-être la force dans sa poitrine, la force de la violence sur le point d'éclater. Il s'arrête, effrayé. On ne marche pas impunément sur de la vitre cassée.

La vieille image le foudroie, novembre, *Kislev,* le mois de l'obscurité, le mois des pogroms et des vitrines fracassées, la Nuit de cristal où se répandent comme des rats dans la rue sur les fragments de vitre éclatée ses arrière-grands-parents et sa lignée maudite poursuivis par la peur. L'image l'engloutit, se noie avec celle de ses frères actuels oscillant sur leurs jambes dans la tranquillité de la prière, tous si loin, si loin et pour toujours inaccessibles.

Que fais-tu là, Markus Kohen, carbonisé par la haine, la même haine qui a fait courir jusqu'à la mort ta famille éloignée, car il n'y a qu'une haine ? Comment survivras-tu de l'Autre Côté, si déjà en quelques heures tu as attrapé la folie de la haine ?

Il est à jamais englué sur le trottoir jonché de verre historique lorsqu'un bras amical vient soudain lui entourer les épaules : « *Ai, little* Markus !… *Ai,* petit frère !… »

Lui, entre tous les hommes. Charlie Putulik, plus coloré et chaleureux que jamais, dans son parka sale et son hypocrisie hilare. Il continue de lui secouer innocemment l'épaule, ingénu jusqu'à la stupidité, ou au contraire si avide et dégénéré qu'il s'imagine pouvoir encore arracher des plumes au pauvre pigeon jeunot. Il voit rouge sang, il le saisit à la gorge, il serre de toutes ses forces :

— Voleur ! *ROSHO !*... Sale voleur !

L'autre ne se débat pas, se laisse aller contre le mur, à demi suffoqué, ses yeux dans les siens demeurant imperturbablement purs, et patients, attendant que ça finisse, persuadé que ça finira à un moment ou à un autre, même si c'est dans la mort et l'asphyxie. Et ça finit, puisque Markus Kohen ne sait pas comment on fait pour être violent jusqu'au bout et qu'il le relâche.

— Mon argent ! Mon passeport ! Voleur !...

Charlie Putulik tousse, écroulé contre le mur. Comment niera-t-il, avec quels mots et quels rires d'emberlificoteur angélique ?... Il retrouve son souffle, il l'enveloppe de ses yeux purs et navrés, authentiquement navrés, et il ne nie rien.

— Tout va bien, petit frère... Je l'ai, ton passeport !... Regarde... Je ne l'ai pas vendu !...

Il sort bel et bien de sa poche crasseuse le passeport, et Markus s'en empare et l'ouvre et n'y trouve bien sûr plus rien, plus un seul billet.

— Attends, attends... De l'argent, oui, il y en a encore. Ne t'en fais pas.

Il fouille de ses doigts gourds et rougis dans ses autres poches.

— Tout va bien. J'aurais pu vendre le passeport, je ne l'ai pas vendu. Je connais quelqu'un qui nous donnerait cent dollars pour ton passeport. Et l'argent, tiens, un vingt et puis un autre vingt... Deux vingt ! Nous sommes riches. Veux-tu boire de la bière, petit frère ?... Veux-tu un bon gin fort ?... As-tu faim ?... Tiens, prends prends...

Markus considère fixement les billets sans les prendre, accablé. Qu'est-ce qu'on peut faire avec quarante dollars, comment on peut recommencer sa vie ? Il prend par contre le sandwich informe que lui tend Charlie Putulik et le dévore – viande de porc et produits laitiers, au milieu de succédanés non reconnaissables. Il n'a tellement plus rien contre quoi se battre qu'il abandonne, épuisé. Tout à l'heure, il allumera les chandelles, peu importe où il se trouve, il allumera les chandelles et il chantera le *Ma'ariv*, et il entendra sa mère chanter avec lui. En attendant, tout est ainsi, tout est déterminé et inévitable, y compris de manger à côté de celui qui l'a spolié et de tolérer sa main sur son épaule et même de le suivre, finalement, sur les trottoirs parfois neutres et parfois chargés de détresses en l'écoutant parler, en le laissant parler et sourire et émettre de la chaleur peu importe l'improbable destination.

— As-tu encore faim ? Viens. Tu es fatigué ? Tu vas voir, j'ai un campement près d'ici et du gin chaud et des couvertures, les hommes sont bons et ils savent partager, tu es comme moi, petit frère, tu aimes l'espace, un homme ne peut pas dormir dans un enclos comme un animal, viens, ce sera presque comme à Kangiqsujuaq, je t'emmènerai à Kangiqsujuaq un jour, je t'emmènerai là-bas, les plus grands arbres sont des poteaux électriques, l'espace est si large qu'on vit dans le ciel et les phoques viennent dormir comme des bébés devant nous…

VOUS ÊTES ICI

Nous n'existons pas, Framboise. Quelle histoire. Tous ces trémolos du cœur, ces rages, ces déhanchements de reins, toutes ces angoisses et ces sueurs au-dessus d'un corps de fille ou d'une page blanche, et les stratégies sans cesse rabibochées pour venir à bout d'avoir un peu de fric, et les projets fiévreux pour bâtir un monde honnête, sans parler de la chaleur sur le tarmac quand tu viens d'atterrir dans un nouveau pays, de la docilité parfumée du frêne quand tu le planes avec ta scie ronde, de l'aphrodisiaque des promesses d'amour…

Du rêve, tout ça.

Nous rêvons aussi dur éveillés que lorsque nous rêvons endormis.

Quelle histoire.

Maintenant tu sais sûrement de quoi je parle et tu en rigoles ferme peut-être, mais songe un peu, Framboise. Songe au temps d'avant, quand toi aussi tu avais un corps gourmand que tu bichonnais à ta façon rugueuse et des trucs survoltés dans la tête qui te faisaient bondir en avant tellement tu y croyais.

Il n'y a personne sous notre peau dont aucun des

satanés atomes n'est stable, personne derrière le magma de pensées fumeuses qui nous tient sous hypnose. Personne, ah merde, personne. Mais quelque chose, oui.

Je sais que quelque chose d'immense tout ce temps m'englobe mais m'échappe, m'échappe maintenant. Là-bas à Tiru, au pied du mont Arunachala et de Mooji, j'étais ce quelque chose d'infini et je savais à jamais que je l'étais.

Je l'ai perdu, Framboise, ça m'anéantit.

Depuis mon retour ici, je sais que je ne suis pas Laurel, mais j'ai perdu qui je suis.

C'est un no man's land insupportable, la traversée de limbes d'une horrible insignifiance, surtout en décembre à Montréal au cœur de l'inexistence mouillée et du sous-froid abyssal d'avant la neige. Je ne me rappelais pas cette humidité sournoise, cette absence d'odeurs et de couleurs, ce gris ontologique. Par-dessus le gris, et bien pires que lui, clignotent ici et là des rennes aux nez rouges, des pères Noël gonflés à l'hélium, des décorations affreuses piquées de lumières *cheap*. Aucune fragrance d'illumination ne peut aspirer à voir le jour dans un terreau pareil. Je passe mes journées à marcher et à grelotter, et à marcher encore plus vite pour arrêter de grelotter. Je m'échoue de temps à autre au Café Céleste ou au Sumac devant un chai archi-sucré et je te sors de ma poche, Framboise. Je ricane en disant ces mots et toi de même, c'est certain, comme si tu pouvais tenir dans une poche, toi la Gigantesque, mais c'est ainsi qu'on fait les choses au royaume des mortels affrontant l'Immortel. On t'a brûlée en mon absence et on m'a conservé un tapon de tes cendres dans une minipyramide sur laquelle ton nom s'étage en faux or : Françoise Mathieu Bouchard, 1928-2014. Je te sors de ma poche et je t'installe devant moi pour te tenir au courant de mes petites affaires sans attendre de réponse, note bien, quoiqu'une apparition dans ta robe mauve me ferait beaucoup d'honneur. De temps à autre aussi, au café et dans la rue, nous nous trouvons dérangés par le iPhone que Thomas m'a offert en guise de laisse, mais je ne prends ses appels que lorsque je me sens assez en forme pour mentir. *Oui, ça avance. Oui, justement, tu me déconcentres, j'étais en train d'écrire furieusement.*

Furieusement, sans rire.

Ce n'est pas moi qui mens puisqu'il n'y a personne ici dedans.

Je te le dis, Framboise : je ne crois pas pouvoir m'y faire. À tout, à Montréal au complet, son gris nucléaire, ses artifices pré-Noël, son asepsie joviale, ses kilomètres de trottoirs désertiques, sa santé Nautilus, sa litanie de festivals, et les gens qui attendent l'autobus dans une placidité de veaux qu'on aurait branchés sur des iPod, et les humoristes qui performent à tous les coins de rue comme des prophètes de nullité.

Je te le dis et tu peux me croire sur parole : revenir est bien pire que de ne pas partir.

Il me semble pourtant que j'ai aimé un peu cette ville, déjà. Au point de lui consacrer plusieurs années d'écriture et tout un livre, sans blague, dans une vie ancienne.

Sans blague.

Ô Montréal c'est toi ma Fille pardon ma Vile.

Je pense que je vais vomir.

Ne t'en fais pas, ce n'est qu'une illusion qui passera, on est malade même quand on n'est pas, ce n'est qu'un vieux restant de gastro indienne que j'ai rapportée jusqu'ici et que je chéris tendrement comme un souvenir du voyage où j'ai bien pensé renaître pour de bon – alors que c'était toi qui pendant ce temps en profitais pour le faire.

Sacrée Framboise.

Je peux bien te l'avouer maintenant : j'ai eu la chienne quand je t'ai aperçue perchée sur ma chiotte à Tiruvannamalai.

Bien sûr, il n'y a pas de lieu plus favorable aux miracles, une ville sainte au pied d'une montagne sacrée aussi bondée d'Éveillés que d'humoristes ici, et le soir on y court les *satsangs* plutôt que les spectacles afin d'attraper la Vérité au lieu d'une quinte de fous rires. Bien sûr. Mais de là à y croiser à onze heures du soir au-dessus de W.-C. douteux le fantôme de sa grand-mère en chair et en os – et en robe de laine mauve…

C'était toi et ce n'était pas toi, on s'entend, si ça avait été complètement toi, tu m'aurais regardé dans les yeux avec cette gaieté copine qui était notre marque de commerce, alors que là tes yeux étaient posés ailleurs comme si tu étais préoccupée et que c'est moi qui étais allé te surprendre. Pour le reste, bravo, la reconstitution était parfaite, ton dos cambré de conquérante et le petit foulard de soie autour de ton cou, tes cheveux un peu trop noirs pour être naturels et ce grand collier de perles hippie sur ta belle robe mauve à la folie distinguée – quoique si tu veux mon avis la robe était une erreur question crédibilité car aucun être humain enveloppé de laine mérinos ne peut survivre deux secondes à Tiru.

Et puis tu avais oublié ton chapeau.

Mais bon. On ne va pas chipoter sur les détails.

Ton fantôme ou toi, c'est égal dans l'état de forme vide où nous nous trouvons tous, et passé les premières secondes de stupeur paniquée, j'ai ri et j'ai pleuré, mais je ne t'ai posé aucune question, rappelle-toi, pour ne pas perturber le mystère qui t'avait téléportée jusqu'à moi.

Il ne s'est rien passé. Sans bouger d'un iota, le regard toujours tranquillement posé ailleurs, tu es devenue de plus en plus vaporeuse jusqu'à ce qu'on voie presque au travers de ta robe, et puis à la fin il n'y avait plus personne dans ma minuscule salle de bain et je crois bien que je me suis rendormi. Là-bas, à Tiru, les consciences s'éveillent comme on s'allume une cigarette, les ego sont tout seuls à mourir et il n'y a finalement rien de foncièrement anormal à ce que ta grand-mère incinérée flotte dans l'air en regardant ailleurs.

Mais ici, c'est autre chose.

Ici, quand je repense à toi dans ma salle de bain, le mystère me donne la chair de poule et les questions explosent. Je les ravale avec mon chai. J'ai au moins retenu ça, de ces six mois passés à mariner dans la chaleur extrême et la promiscuité des sages : investigue et ferme-la.

Investigue.

En ce moment, je tremble de froid et de fièvre intestinale, et la vie semble *ininvestigable.* Autour de moi, cinq ou six humains sont éparpillés dont je n'ai pas une fois rencontré le regard, personne ne communique sauf avec le bidule techno sur lequel ils sont chacun branchés comme des grabataires en perte d'autonomie.

Je donnerais tout ce que j'aurai un jour, Framboise, pour que tu m'apparaisses encore une fois, juste une, au-dessus ou en dessous du comptoir ou même dans les chiottes du Sumac si c'est là que tu préfères, et que tu me regardes dans les yeux pour me rappeler qui je suis.

Finalement, oui, j'écris.

J'écris, mais ça ne fait pas de moi quelqu'un d'officiellement écrivant. J'écris pendant trois heures les cinq ou six séquences commandées par ton fils, et puis je m'affale et je dors, aussi peu écrivain que l'oreiller qui m'accueille, que la mouche égarée qui perturbe mon sommeil. De nouveau, quand Thomas fait irruption, il faut rebâtir l'image qu'il a de moi, accepter ce miroir qu'il me tend et dans lequel je ne reconnais rien de ce qu'il voit. *C'est excellent, Laurel. Faudrait juste que tu te magnes le cul, tu es lent comme une slow motion.*

J'ai dit oui à Thomas, oui à son offre d'écritures payantes et insensées, des scénarios de télé, moi qui n'ai même pas de télé, mais il ne faut pas croire. Il ne faut pas croire que tout va bien dans le meilleur des mondes, ni que demain j'y serai attelé, ou dans l'heure qui vient, à chaque instant son fardeau volatil. J'empoche l'argent, j'oublie immédiatement l'écriture et Tobias Crow, ce personnage farfelu, imbibé, aveugle et autodestructeur que Thomas a inventé et autour duquel il a bâti un film entier, reçu comme un événement dans le petit monde de la double illusion. Maintenant, il a des projets d'expansion télévisuelle et il souhaite étirer la sauce, pour que plus de doigts goulus puissent y tremper leur bout de pain.

Je n'ai rien à redire à propos de ton fils. Il a endossé son uniforme de chic type et il ne l'enlève pas, même quand je lui multiplie les occasions de péter les plombs. Quand je ne livre pas la marchandise à temps, il écrit à ma place, même si c'est la nuit et à la dernière minute. Il me bourre de protéines et de potions ayurvédiques pour me tranquilliser les tripes. Il m'emmène jouer au tennis et me félicite de me faire battre à plates coutures. Il me pose des tas de questions sur l'Inde, sur l'Advaita, avec dans l'œil ce frémissement qui indique qu'il est déjà en train de penser à autre chose tandis que je commence à répondre. Mais par moments, je te jure, je vois luire dans ce même œil qui me regarde une sollicitude réelle. À force de s'exercer à jouer son rôle de père, il commence à y croire pour de bon.

N'empêche que ce serait bien de lui trouver une copine, même si je ne crois pas que cela soit de ton ressort, toi qui n'as jamais blairé tes brus – tes *brutes*!... –, ni certainement du mien, si peu doué pour les simagrées avec les filles. Mais tant pis, il faut engager un marieur, une marieuse, il a en ce moment trop de temps libre sentimental qu'il me déverse en déluge sur les épaules et ça me noie.

Entre autres sirops, il n'arrête pas de me parler de ses aventures d'un soir, pour mieux tenter de me faire dégorger les miennes.

Hier soir chez lui où nous avions abusé de son porto, il a osé me demander abruptement ce qu'il était advenu d'Elle – la question big-bang. J'ai réagi comme il se doit, explosivement, je l'ai renvoyé à ses propres échecs, je crois même dans mon débordement avoir mentionné le nom de son ancienne flamme encore si brûlante qu'il a été réduit en cendres et n'a plus dit un traître mot, et ça a sonné le glas de nos épanchements émotifs.

Ça lui apprendra à touiller les plaies.

Je pense que je vais vomir.

Je te jure que j'ai complètement cessé de penser à Elle pendant les six mois de ma quasi-lucidité.

Maya Maya Maya.

T'ai-je dit qu'en mon absence Elle avait peinturé la totalité des murs de mon appartement en noir ?

Je pourrais te remettre dans ma poche puisque je parle d'Elle, l'unique objet de nos divergences, celle avec qui la sortie de ton corps physique ne t'aura même pas pacifiée, c'est entendu.

C'est entendu qu'Elle est folle.

Mais nous sommes tous fous, tu en conviendras avec moi.

Et bien peu de fous sont aussi beaux qu'Elle.

Je reste confondu par la beauté, toute beauté, les lueurs pâmées de l'aube et du crépuscule, un petit enfant, un petit chat, un *sâdhu* couvert de cendres, la mère en train de laver sa grande fille nue sur l'accotement de la rue principale de Tiru... Tout, une femme, une montagne, une fleur, ce n'est pas d'hier qu'elle me fait ça, la beauté, qu'elle me tisonne, qu'elle me met en transe, rappelle-toi les heures que je passais à contempler, pour tout dire adorer, une seule de tes pivoines roses magistralement ouverte sur ses dédales parfumés – ou peut-être étaient-ce des minutes vu qu'à cinq ou six ans on est libres du temps – et à la fin bien sûr je la mangeais.

C'était amer et farineux, pour tout dire dégueulasse.

Mais je recommençais.

C'est là que ça achoppe, bien sûr que je le sais, j'ai beau avoir grandi, me tenir loin des hosties consacrées et des dieux comestibles, ah merde je n'arrive pas à l'adorer à distance, la beauté, à la laisser scintiller sans tenter de m'en emparer, de faire corps avec elle, de la dissoudre en moi.

Et l'amertume suit fatalement.

Puisque c'est de Maya qu'on parle.

Quand je l'ai revue, dorée blanche et azur comme une crème glacée trois couleurs, avec son sourire à faire saigner les statues, six mois d'amnésie ont été balayés en une seconde. Il était onze heures du soir. Elle se tenait droite devant ma porte après avoir sonné de toutes ses forces comme s'il était onze heures du matin.

Je viens repeindre tes murs, elle m'a dit.

J'ai tout ce qu'il faut : des gallons de blanc, des rouleaux, des pinceaux, deux bouteilles de merlot.

Je suis venue t'attendre tous les jours.

J'ai cessé de fumer.

Je reste dans un appartement hanté.

Crois-tu à ça, les fantômes ?

Oh Laurel, Laurel.

M'aimes-tu encore ?

La Beauté s'avançait vers moi en incendiaire et je me répétais que rien de tout ça n'existait pour de vrai, que je la rêvais, que quelque chose en moi nous rêvait tous les deux et rêvait cette douleur qui se propageait dans mes veines et me brûlait. Et dans ce rêve déchirant que je connaissais par cœur, la joute entre nous se déroulait sans moi, Elle s'apprêtait à s'emparer du territoire, mais bientôt une phrase à la pesanteur familière tombait hors de ma bouche et la clouait sur place.

Couches-tu encore avec tout le monde?

Des mots grossiers dont j'aurais pu avoir honte si j'en avais vraiment été l'auteur, mais non – ils appartenaient à ce paquet de conditionnements névrotiques qui mitonnent leurs idioties à notre insu. Oh se rencontrer au moins une fois hors de nos personnages et de nos fabrications, se rencontrer pour de vrai.

Son beau visage, plutôt que d'arrêter de sourire, s'est lentement transformé en masque railleur.

Bravo, a persiflé le masque. *Bravo, tu n'as vraiment pas changé!*

C'est comme ça, Framboise, que ça s'est terminé. Elle est partie illico.

Tu dois être contente.

Elle est partie, mais la douleur est restée.

Et noirs sont restés mes murs noirs.

Car je n'ai pas cédé aux avances de ton fils, qui m'offrait gratis des peintres professionnels, terrifié, je le sais, de me voir entreprendre le travail moi-même et du coup tarir mon lait de vache productrice dans les remugles du latex et de la térébenthine. Je l'ai rassuré: je ne ferai rien ni ne laisserai quiconque faire quoi que ce soit.

Le statu quo noir me déplaît de moins en moins.

Quand j'ouvre les yeux le matin, il fait nuit comme si je les avais encore fermés. Quel rappel plus puissant me dirait que de cet état de veille aussi je dois me réveiller?... Et le soir, quand j'allume mes lampes, elles trouent la pénombre à la manière souffreteuse d'étoiles naines en panne de gaz, et la claustrophobie que je ressens alors est celle du Neandertalien traqué dans sa caverne et incité à découvrir le feu au plus sacrant s'il veut sortir de l'insupportable.

Ne t'en fais pas, Framboise, je vis aussi dehors, je bois du vin au resto et je mange des huîtres, je regarde les filles qui me regardent et je soupèse mes chances de tirer un coup, j'ai des amis avec lesquels je parle et dont je ne te parle pas parce que je ne peux pas te parler de tout.

Par exemple, lorsque j'en ai assez des cafés remplis de zombis accros à l'ordi, je m'installe dans le *showroom* de ma maison, au rez-de-chaussée. Ma maison, où tu n'es jamais venue, a dix étages et abrite entre autres des artistes organisés en centrale, qui s'emparent à tour de rôle de l'entrée et du vestibule pour y semer un chaos réjouissant. On les reconnaît dans l'ascenseur à leur matériel encombrant et aux odeurs industrielles qu'ils dégagent, parfois aussi à leurs belles têtes libres qui se fichent du regard des autres. Je suis jaloux. Ça ne m'empêche pas d'avoir noué des liens avec certains d'entre eux – il m'arrive de manger des *inyamas* et des bananes salées avec Otto, qui vient d'Haïti et qui est sans surprise l'auteur des corps sanguinolents qui rampent en ce moment dans le vestibule, et de boire de la tequila dans le lit de Léna qui compose des symphonies pour téléphones cellulaires. Mais je suis jaloux d'eux. Je les envie d'offrir comme réponse aux questionnements immatériels leurs formes spectaculairement matérielles. Je les envie d'évoluer à l'aise dans la surprise et la provocation, libérés de l'establishment de la beauté. Je te signale qu'en ce moment la beauté est *out*, Framboise, comme sont *out* les tableaux que tu appréciais tant de ton vivant. En ce moment, pendant que je fais semblant d'écrire sur mon portable tandis que je te parle dans ma tête, vrombissent autour de nous les installations luminescentes et dégoulinent de vrai sang les mannequins traités à l'acide triphénylique – un stabilisant fabriqué en Chine qui empêche le rouge de dérougir. La semaine dernière, les murs étaient tapissés d'écrans sonores montrant des lapins en train de se faire dépiauter, et juste avant il y avait on m'a dit une jungle de petites créatures caquetantes réagissant au simple regard un peu appuyé – mais cette œuvre-là ainsi que les précédentes, je les ai ratées, je me trouvais alors à Tiru pagayant à contre-courant pour retrouver le silence primordial.

Je ne sais pas pourquoi j'aime m'asseoir ici, à l'ombre d'œuvres bruyantes qui ne me plaisent pas particulièrement.

C'est comme si je sentais un lien entre nous.

Oui, il y a forcément un lien entre ces explosions de créateurs traquant ou dénonçant quelque chose d'innommé, et moi sur cette chaise incapable de me rappeler qui je suis.

Comme il y a un lien avec toi rassemblant tes atomes dispersés et surmontant ton dégoût des voyages – et des toilettes nauséabondes – pour venir te jucher devant moi.

Plus qu'un lien : une même substance, une seule substance.

Framboise, je tiens là quelque chose.

Cette conviction que tout est cousu malgré l'apparente discontinuité me semble soudain si exigeante en oxygène que je dois sortir d'ici pour nous ventiler.

Vite, ramasser le portable, te glisser dans ma poche, nous emmitoufler tant bien que mal en prévision d'une éventuelle altération de température, contourner les mannequins sanglants tout en les emportant avec moi puisqu'ils sont imprimés dans mes rétines, m'apercevoir dans le grand miroir de l'entrée sans me reconnaître et ouvrir la porte, vite, tandis que rien fondamentalement à l'intérieur de moi ne bouge.

Rien ne bouge.

Quelque chose marche mais rien ne bouge.

Aïe. Je pense que je vais vomir.

Jusqu'à cette pensée-là, jusqu'à cette appréhension de me répandre en bile sur le trottoir qui vient de m'être retirée à l'instant comme si elle n'avait jamais été à moi, merde ah merde, tout ce qui monte est regardé de loin avec indifférence comme s'il s'agissait de mauvaises tirades débitées par un mauvais acteur, je ne sais plus qui marche et pourtant quelque chose marche en continuant de se répéter avec panique que quelque chose va non seulement être malade mais aussi très très mal finir.

Partout, c'est blanc.

Ça ne va pas, Framboise, ça ne peut pas être ça, ce sommet vers quoi tendent toutes les quêtes depuis tous ces millénaires, l'*illumination* parfaite ne peut pas ressembler à ça, c'est bien trop inconfortable et impersonnel et blanc pour y loger autre chose que de la folie dure, et il faut certainement à l'instant même prendre l'appareil qui est dans une poche destiné aux « Au secours ! » et taper à toute vitesse 9-1-1 pour héler des brancards et des brancardiers et des dispensateurs de drogues fortes qui redonneront un corps à ce qui n'en a plus et qui va si mal.

Au bout des doigts ce n'est pas le iPhone qui apparaît, mais la pyramide, ta pyramide pleine de cendres, mais sans clavier ni rien d'utile, sauf la faculté de remplir complètement la main et de déchirer un peu la paume de son arête pointue. Quand même : la tenir si fortement que la peau brûle et bientôt se fend apporte un soulagement, comme un ancrage, et ça se calme un peu, ce qui était *Je* et qui n'est plus rien se calme un peu et regarde autour.

Rien ne va si mal. D'abord, le blanc partout est de la neige. Simplement de la neige.

Et de un.

Reconnaître la neige pour ce qu'elle est montre avec certitude qu'une intelligence est toujours en service, et de deux, rien ne va donc si mal, la même intelligence dirige les pas sur le blanc du trottoir au lieu de les inciter à danser dans le blanc des rues, tout va bien, les automobiles reconnues comme telles peuvent ainsi déraper sur le blanc qui leur est dévolu en toute autonomie sans que rien s'entrechoque de ce corps et du leur, tout va parfaitement bien.

Et ce blanc est de la beauté pure.

De la beauté sans commencement ni fin, Framboise, comment en dire davantage ?... Même toucher les formes qui se présentent au fur et à mesure en laissant transparaître leur fonctionnalité éventuelle – clôture, métal, vélo, tronc d'arbre, plastique, borne-fontaine, pare-chocs... – ne change rien à l'affaire qui est une affaire d'harmonie extrême et de fraîcheur inouïe. Et de ravissement. Le ravissement déborde sans qu'on sache ce qui le provoque ou est provoqué par lui, devient de l'exultation quand à travers le blanc jaillissent pour rien des lumières vives, tombées du haut des arbres, gravissant les escaliers, dégringolant des fenêtres et des balcons en couleurs folles, divines.

Lumières de Noël.

Ah ah.

On se tait, à bout d'arguments.

On laisse parler la neige, ou quoi que ce soit qui réclamera la parole.

Tiens, là, devant, par terre. *Spare change? As-tu du change?* La parole est lancée, elle attend une réponse. La parole vient d'une sculpture vivante, un bas-relief à même le trottoir muni d'une tête jeune couverte de neige, comme est couvert de neige le chien brun fondu dans la sculpture. Beauté pure.

Pas de *change* dans les poches, mais ceci fera l'affaire. La tête couverte de neige émet des grésillements de bonheur – *Aye, merci, man!...* – tandis que la main quitte le chien pour s'emparer du iPhone.

Autres formes vivantes debout plus loin, moins blanches, mais tout aussi éclatantes dans leur vigueur : quand on s'approche d'elles, on voit qu'elles rebondissent l'une contre l'autre dans ce qui pourrait ressembler à une danse virile si les pas étaient mieux assortis sur une autre musique – cris, bruits de coups – *Crisse de voleur!... Ostie de chien sale, crisse de voleur!...* – et puis l'une des deux formes tombe, sur laquelle l'autre continue de frapper avec les pieds.

L'harmonie n'est pas perdue pour autant, l'harmonie est un espace ouvert pour que d'autres gestes surviennent. On n'a pas à se demander ce qu'il faut faire. Le film se déroule exactement comme il doit se dérouler : celui qui frappe avec les pieds est à son tour frappé, celui qui était tombé est relevé. Celui qui frappait s'éloigne chargé de rage empêchée – *C'est un voleur, crisse!... Un crisse de voleur!...* –, tandis que celui qui se relève saigne de la bouche et du nez.

On le reconnaît. Il rit sous le sang qui pisse. Il se fourre un vieux mouchoir sous le nez et le sang arrête de pisser. Il semble habitué d'arrêter le sang, de stopper toutes les hémorragies. Il rit de tout son corps, secoué comme un arbre. On reconnaît ce grand rire qui cavalcade souvent boulevard De Maisonneuve, on reconnaît ce visage espiègle de vieil enfant inuit. The Laughing Burglar. Le saluer en lui serrant les épaules avec chaleur, sans pour autant se laisser embrasser par lui – à moins de tenir fort dans ses mains ce qu'on tenait dans ses poches.

À Tiruvannamalai aussi, les mendiants brûlent ceux qui les touchent.

Le souvenir de Tiruvannamalai est traversé comme un gaz transparent et s'évanouit ici, exactement ici. Et la montagne qui surgit dans l'horizon neigeux a beau s'appeler le mont Royal, elle est de même consistance que toutes les autres montagnes, pétrie de la même substance sacrée que l'Arunachala. Où est la frontière entre l'espace dans lequel on avance un pas après l'autre et celui que l'on se trouve à quitter au même moment ? Où s'arrête le mont Arunachala et où commence le mont Royal ?

Il n'y a nulle part en dehors d'ici.

Merde ah merde. Nul ailleurs, nulle frontière, nul temps qui cloisonne, que de la liberté et de la jubilation, on s'accroupit par terre tellement le rire est dévastateur et la réalité désopilante, il n'y a qu'une seule et unique substance sans coutures et sans divisions et dire qu'on pensait l'univers tout malingre et recroquevillé dans de petites boîtes étiquetées – touche pas à ma peau mon Oldsmobile mon coffre-fort ma langue mon pays mes gisements miniers mes cacas adorés, touche pas à mon infinitésimal morceau de cauchemar.

On rit on rit, on se transporte tout enneigé et hilare jusqu'à la statue de l'Hôtel-Dieu, et puis on s'arrête pile.

On la connaît, la statue de l'Hôtel-Dieu, on a traîné bien des fois dans son aval et son amont en marchant vers tes quartiers, Framboise, on connaît cette vieille statue bien plus vieille que le jeune Laurel qui représente une héroïne de livre d'école, une aventurière-infirmière débarquée dans la ville bien avant qu'il n'existe de ville – ou de rue Saint-Urbain, ou de parc Jeanne-Mance on s'entend.

C'est un choc.

Devant, derrière, il est tout à fait possible de voir dans le blanc de l'espace une jungle, une jungle d'arbres sauvages ondoyant à l'infini au-delà du mont Royal, rien que des arbres et du ciel, et des corneilles à la voix de crécelle, et le vent qui rue et roule sans obstacles, et par moments dans cette musique débraillée une longue plainte glaiseuse comme arrachée aux profondeurs, oui on l'entend tout à coup, cette clameur royale sûre de son territoire, on entend le mugissement d'un orignal en chaleur qui appelle dans les *muskegs* humides du mont Royal.

Tout à coup c'est ici qu'on est, ici sur le sol vierge juste avant qu'il ne soit foulé par l'héroïne-aventurière-infirmière ployant sous sa mission de civilisée. L'air est si pur qu'il brûle tout ce qui n'est pas de l'abandon.

Et puis on revient. On retrouve le paysage de quadrilatères de béton et d'autos pétaradantes, le sillon discipliné des trottoirs et des boulevards, le gris qui grignote le blanc inexorablement, même en prime les premiers élans du mal de cœur familier qui nous rappelle qu'on peut vomir – *ô Montréal, c'est toi ma Bile*...

On regarde de nouveau la statue.

C'est un choc.

Elle, cette femme saluée par les livres d'histoire, cette femme à la tête inclinée vers un homme qui agonise, cette femme et son visage qui regarde ailleurs...

Françoise Mathieu Bouchard, cette fois-ci il faudra que tu t'expliques.

Que fait ton visage sur le visage de pierre de Jeanne Mance?

LE BIEN NE FAIT PAS DE BRUIT

Un autre instant mémorable est celui où elle les voit pour la première fois. Ceux qui constituent la raison même de cette entreprise démesurée, les privés de Dieu avec qui ils créeront une communauté sainte, les créatures abandonnées à l'errance et à l'ignorance qu'ils instruiront de leur civilisation exemplaire. Les Sauvages. *Cette première fois, ils sont une vingtaine à s'approcher prudemment de leur installation, maintenant enceinte fortifiée dotée d'une maison longue et de cabanes de rondins. Ils sont plus étonnants encore que ce que les écrits du jésuite Paul Le Jeune avaient annoncé dans ces âpres* Relations *qu'on s'arrachait de main en main à Paris.*

Ils sont peinturlurés de couleurs vives et luisantes comme des masques de carnaval, certains ont le nez bleu, les paupières noires, le reste du visage rouge. D'autres n'ont qu'une balafre sombre qui leur traverse les joues. Elle a lu que ces peintures étaient leur élégance suprême pour rencontrer des visiteurs d'importance, mais elle n'en est pas moins saisie. Leurs cheveux sont noirs, longs, graissés et attachés en arrière de la tête. Ils sont harnachés dans des vêtements de peaux mal raboutis qui laissent voir leurs épaules et leurs bras nus. Les femmes, par-dessus tout ce bazar, portent aussi des pierres colorées et des plumes en guise de bijoux.

Voilà la première image, effarante, des Canadiens. *Car c'est ainsi, de plus en plus, qu'il faudra les nommer.*

Même en ce début de rencontre, le masque de carnaval montre vite qu'il n'est qu'un masque. En dessous, les sourires sont francs, les dents sont très blanches, les regards croisent directement ceux des étrangers, sans échappatoire. Ils parlent un à la fois sans s'interrompre, leur langue est gaie et chantante, même si elle prendra quelques années avant d'en attraper les rudiments. Les enfants sont confiants et beaux comme tous les enfants, en dépit des escrouelles et des vilaines gales qui leur parsèment la tête – déjà elle songe aux onguents qu'il lui faudra inventer pour ce premier mal flagrant. Elle sait que les autres maux dont ils souffrent sont innombrables, s'ils ne sont pas aussi apparents. Car ces pauvres créatures, comme le lui ont appris les Relations des Jésuites, *sont* sans Dieu, sans loi, sans Roi, sans domicile et sans terre même, puisqu'ils n'ont ni l'expérience ni le pouvoir de la cultiver, sans usage des douceurs de la vie puisque sans meubles, sans lits, sans linge ni pain ni sel ni vin, sans repos puisque perpétuellement agités en quête de nourriture *et en effet mourant parfois littéralement de faim,* sans arts sans lettres ni métier ni police ni médecine, si privés de tout qu'il n'y eut jamais dans le monde connu de nation aussi dépourvue.

D'où vient alors que ces misérables dénués de l'essentiel qu'on s'attendrait à trouver squelettiques et geignards aient au contraire le corps grand, costaud et bien fait, bien plus que celui des Européens, et l'esprit invariablement porté vers la gaieté ?

Elle apprendra bientôt à allonger la liste de ce qu'ils n'ont pas.

Car Dieu, qui veille sur ces dits Sauvages sans qu'ils s'en doutent, les a faits aussi sans inquiétude, sans impatience, sans colère, sans ambition ni avarice ni luxure – autrement dit, sans misère psychologique, qui est peut-être la plus redoutable de toutes.

Rien donc n'est aussi sombre qu'annoncé. Ne reste finalement de préoccupant que leur âme, en qui l'éternité doit être instillée.

Les premiers mois sont sources de promesses et de joie. Au contact de la petite fratrie exemplaire de Ville-Marie, deux Hurons, Atondo et Ohukouandoron, sont prestement convertis et baptisés. Le célèbre Sagamo Pieskaret et le Borgne de l'Isle, autre grand chef algonquin, réclament le baptême des mains des Montréalistes plutôt que de celles des Robes noires de Kebecq. Quand un dispensaire est finalement aménagé à même l'installation du Fort, un Sagamo ouendat du nom de Pachirini y est soigné le premier – avant que son âme, tout de suite après, y trouve le salut futur par la médecine du baptême.

Elle apprend l'algonquin avec un truchement arrivé de Kebecq, le sieur Lemoine. Elle apprend que les Algonquins l'appellent Nandokônînîkwé, celle qui a l'art de soigner les malades.

Ils disent souvent Chibiné : prends courage. Ils ne se fâchent jamais, car ils soutiennent que la fascherie amène la tristesse, et la tristesse, la maladie. Leur phrase favorite, pour se moquer d'Ononthio, les Français en général, est Mana irinissou ou Nama khitirinisin : il n'a point *d'esprit, il se fasche. En leur langue, les mots* vertu *et* péché *n'existent pas. Ils ne peuvent supporter qu'on châtie un enfant. Ils prisent l'éloquence et se rendent à tout quand on sait les convaincre. Et ils adorent manger. Ils adorent la sagamité des Blancs, ce potage chaud de maïs, de pruneaux et de viande qu'on leur offre, et ils adorent la graisse animale – rien n'est meilleur pour eux que de mordre dans un morceau de graisse figée comme on mord dans une pomme. Ils mangent tout animal qui s'ébat sur terre, y compris les rats et les souris, qu'ils trouvent succulents. Ils mangent aussi leurs propres poux, non pas tant par gourmandise qu'en manière de représailles contre ce qui les tourmente. Car ils se vengent avec force – avec cruauté, disent les Français –, ils torturent tous à mort leurs prisonniers, mais il s'agit bien davantage de rituels que de cruauté.*

Et certains parmi eux connaissent très bien le sol. Ils enseignent aux Montréalistes à semer les trois sœurs, *blé d'Inde pois courge,.à planter du tournesol pour l'huile, du tabac pour les pétunoirs. Ils savent soigner la Maladie de la terre à l'aide de décoctions d'écorce, rôtir sous la cendre l'oignon des grands lis martagons, choisir les pousses terminales comestibles de certaines fougères, reconnaître les fruits délicats que sont les gadelles, les aubépines, les atocas, les pourpiers sauvages, l'ail des bois.*

Il ne leur suffirait donc que de se sédentariser près de ces prometteuses cultures pour se retrouver délivrés de leur condition précaire, enfin libres de se consacrer à leur âme.

Une exaltation s'empare d'elle, si réservée de nature, lorsqu'elle pressent leur complémentarité. Ils semblent bel et bien en train de semer cette cité idéale rutilant sous les feux de Dieu, cette nouvelle fratrie pure emmêlant les Canadiens et les Français en une même communauté de cœur, aussi parfaite que les communautés christiques d'avant la dégradation.

Paul de Chomedey offre à tout Sauvage baptisé un lopin de terre défriché près du Fort et une arquebuse.

Jamais ne sera-t-on venu si près de réaliser le grand rêve.

Paul de Chomedey. Il convient maintenant d'arrêter l'image sur Paul de Chomedey, une image puissante de ce temps télescopé, une série d'images puissantes, à vrai dire, puisqu'il n'en finit plus de se montrer éblouissant.

Éblouissant avec humilité, car ce jeune homme de huit ans son cadet a aussi abandonné tout ego et toute idée de jouissance personnelle loin derrière, en Champagne. Bien que maintenant gouverneur officiel de Ville-Marie, il reste d'une simplicité franche avec ses hommes, les tutoyant avec affection, leur faisant partager les vivres de sa table, les assistant dans les labeurs les plus ingrats. Elle se rappellera toujours ce premier Noël de pluie sur l'Isle de Montréal, où les eaux de la petite rivière menaçaient d'engloutir leurs installations nouvelles. Paul a fait un serment, priant pour que la crue les épargne. La crue s'est arrêtée pile le 24 décembre et, seul à porter une lourde croix sur l'épaule, Paul de Chomedey a gravi lentement les sentiers sinueux du mont Royal pour la planter au sommet, fidèle à son serment. Longtemps la croix de bois gardera à son faîte cette médaille, un cadeau de sa sœur aînée Louise, qu'il y avait fixée en talisman : Pure Vierge au cœur royal, gardez-nous une place en votre Montréal.

Au milieu des incessantes perturbations, autant cli-

matiques qu'humaines, elle ne l'a jamais vu se départir de sa souplesse et de sa patience. Dès le début, il ne vient que misères et vexations de Kebecq et de ses gouverneurs, irrités des ambitions démesurées de ce qu'ils ont baptisé avec dérision la Folle Entreprise. *Emprisonnement du canonnier de Paul, qui a osé lancer une salve en l'honneur de son anniversaire, tentatives d'extorsion sur les sommes et les recrues destinées à Montréal, retranchement brutal de ses appointements, imposition des denrées, menaces diverses, mesquinerie générale qui trouvera des formes sans cesse inédites à la faveur des gouverneurs qui se succèdent à Kebecq : Monsieur de Montmagny, Monsieur de Lauson, Monsieur d'Argenson, Monsieur de Mésy, Monsieur de Tracy… Plus les officiels changent, plus l'hostilité reste la même, quand elle ne s'accroît pas. Cette* place qui fait tant de bruit et qui est si peu de chose *(Pierre de Voyer d'Argenson) a beau ne pas jouer sur le terrain rentable de la traite des fourrures, a beau bannir toute activité lucrative, a beau adopter un idéal monastique qui n'a son pareil dans aucune colonie connue, cela n'apaise en rien Kebecq, et peut-être l'irrite davantage.*

Paul de Chomedey reste courtois sous les attaques, répondant aux assauts par le sourire et l'humour, encaissant avec équanimité ce qu'il n'est pas en situation de changer. Il n'en reste pas moins maître de son royaume, où ses talents de stratège militaire et d'administrateur ont sans cesse l'occasion de se déployer. Dans le domaine de la moralité, il ne craint pas de se montrer intraitable. Il interdit à Ville-Marie sous peine d'amende, de bannissement ou de prison : l'alcool, le blasphème, les jeux de hasard, l'adultère, les inconduites avec les Sauvagesses… Un certain sieur de La Barre l'apprend tôt à ses dépens, qui se voit chasser de Nouvelle-France pour avoir engrossé une Canadienne. Et plus tard, le riche traiteur Jean Aubuchon est condamné à six cents livres d'amende et au bannissement perpétuel pour avoir séduit l'épouse du chirurgien Étienne Bouchard. Plus tard encore, Paul condamnera l'auteur d'un viol à la peine capitale, qui se verra réduite par Kebecq en condamnation à la galère, qui se verra elle-même transmutée en poste de bourreau, faute de galères en Nouvelle-France.

Elle est d'accord avec la moindre de ses décisions. Et réciproquement. C'est merveille de constater à quel point leur duo est harmonieux, qui ne s'est pourtant pas choisi. En principe, il s'occupe des choses du dehors – défricher les terres, construire, assurer la défense et la justice – et elle assure celles du dedans – les finances, la gestion, le soin des âmes et des corps. Mais hyperactive et efficace comme elle l'est, il n'est pas rare qu'elle empiète sur son territoire et se trouve à coordonner les hommes qui lui demandent son avis. Il lui laisse tout l'espace qu'elle veut prendre. Au milieu de la sauvagerie et du début du monde, Paul de Chomedey réinvente chaque jour la notion de parfait gentilhomme.

Le soir, elle l'entend qui joue du luth, retiré dans ses appartements.

Parfois, ils se croisent au milieu de leurs tâches respectives, et leurs regards s'accrochent un instant, porteurs de la même ferveur éberluée. Ils n'en reviennent pas de ce qu'ils sont en train de faire.

UN GOÛT DE VIANDE CRUE

Les hommes sont bons.

Chaque journée est occupée comme il se doit à rechercher de la nourriture, et chaque journée voit survenir des hommes qui lui donnent de la nourriture. Parfois c'est à la toute fin de la journée, alors que la lumière a basculé dans la nuit et que l'estomac est rétracté par le vide. Même en toute fin de journée, il faut garder vivante la confiance que les hommes sont bons. Des histoires circulent qui prétendent le contraire, racontées par des esprits mélancoliques, et ceux qui les écoutent deviennent à leur tour mélancoliques et perdent la confiance. C'est une grande chance de savoir que les hommes sont bons et qu'ils aiment partager. La survie est là, dans la simplicité de se tenir à proximité des hommes plutôt que d'errer seul dans les stationnements glacés.

Par exemple, ce matin, l'horizon était bas et n'augurait rien de bon, la pluie durant la nuit avait crevé la fenêtre de son abri et mouillé son anorak, les poubelles avaient déjà été vidées de leurs reliefs utilisables, un vieil élancement dans la poitrine menaçait de se réveiller. Rien de bon, et pourtant il n'a eu qu'une centaine de pas à faire dans les grandes rues encore désertes pour tomber sur leur campement, l'un des plus beaux campements jamais rencontrés de mémoire d'homme – plus beau qu'à Salluit, près de Kangiqsujuaq, où on maîtrise pourtant l'art de les construire.

Ils avaient dû l'ériger durant la nuit, car le jour précédent il était ici même à pister les pièces de monnaie tombées et à faire sourire les gens d'affaires aux mines souffrantes, et rien d'autre que des îlots de terre durcie n'affleurait entre les marées de voitures, les réclames des banques et la statue titanesque de la reine anglaise.

Aussitôt qu'il a pénétré dans leur campement, ils lui ont offert du thé et du porridge chaud. Ensuite du pain grillé et même du fromage. Tout ça sans rien lui demander, sans qu'il demande rien. C'était inattendu, mais en même temps si cohérent avec la solidarité de son ancienne vie qu'il a osé réclamer en plus une cigarette, qu'ils ne pensaient pas à lui offrir.

Ils lui en ont donné deux.

Ils : des jeunes gens, tous, des *Qallunaat* aux visages lisses éjectant à toute allure des flots de rires et de paroles, parmi lesquels pourtant il s'est senti tout de suite à l'aise. Ce qu'il a compris de leurs discours, pendant qu'ils s'interpellaient d'un bout à l'autre de leur campement, c'est qu'ils étaient à échafauder un événement capital, un tremblement de terre qui ferait tomber l'iniquité et la cupidité, mais maintiendrait debout tout le reste, une insurrection non-violente où seule périrait l'immoralité du 1 % face à la liberté des 99 %.

C'était véritablement un campement magnifique.

Eric Rachel Peter Simon ou Jonas lui ont montré la bibliothèque, la cinémathèque, la cuisinette, l'hôpital et l'abri communautaire où les tentes alignaient leurs couleurs joyeuses, et ils lui ont déclaré à quelques reprises qu'il n'était pas du tout le minoritaire qu'il était persuadé d'être, mais tout à fait comme eux, exactement de ces 99 % comme eux, Eric Rachel ou Jonas ou Simon, qu'il ne parvenait pas à distinguer les uns des autres, car ils parlaient souvent en même temps avec des expressions semblablement enfiévrées et personne ne semblait le chef de personne.

Son nom à lui, ils l'ont retenu tout de suite car la mémoire des jeunes est fraîche quand elle n'est pas altérée par la soif, et à partir de ce moment et pendant tout le temps de leur campement ils ont pris l'habitude de le claironner avec chaleur à chacune de ses apparitions – *Ai,* Charlie ! Salut, Charlie ! Comment ça va, Charlie ? Jamais de sa vie n'aura-t-il entendu son nom émerger aussi souvent de la cacophonie que durant ce temps de leur campement, et juste ça, s'entendre exister si fort pour les autres, être accueilli comme un homme par des hommes, juste ça aurait suffi à faire lever en lui une impérissable gratitude.

Mais il y eut aussi Tobi.

Ce premier jour, il a contemplé Eric John Samuel Rachel Jonathan en train de préparer allégrement leur tremblement de terre, il a partagé encore une fois la richesse de leur cuisine – soupe chaude aux lentilles, riz et poulet… –, mais quand est venu le temps des palabres dans leur place du Peuple, le temps de la soif est aussi venu et il s'est éclipsé en douce vers son propre campement. Alors qu'il marchait dans la nuit noire et qu'il levait la tête pour mieux boire, contre toute attente il l'a vue, juchée déjà haut dans le ciel et occultant les lumières artificielles, *Niqirtsuituk* la Brillante, l'Immobile, la farouche ennemie de la ville, si constante là-bas dans son ancienne vie mais si absente depuis. Le ciel nocturne est un pays, et les étoiles sont les trous par où descend ce qui arrive aux hommes, et il ne fait aucun doute que c'est par *Niqirtsuituk* cette nuit-là que Tobi lui est advenu.

Le deuxième jour, il est retourné vers les lieux de leur campement sans trop y croire, car comment ne pas se rappeler que toute chose disparaît sans qu'on n'y puisse rien, et qu'un campement comme le leur en plein cœur du carrefour sérieux où s'inquiètent tant de gens d'affaires tient bien davantage du mirage que de la réalité raisonnable, et pourtant non seulement ils étaient encore là, mais ils étaient dix fois plus nombreux, dix fois plus fourmillants. La grande statue de la reine anglaise avait été masquée et enveloppée de banderoles, les tentes avaient poussé plus dru que les fleurs sauvages, des rires et des parfums de fête montaient dans l'air comme après la capture d'un béluga que l'on s'apprête à partager. C'est exactement dans son village qu'il s'est senti, un jour festif où l'on vient de trancher la peau du *qilalugag* savoureux en fines lanières à déguster par tous, dehors dans l'air vif et libre et non pas encabanés dans des structures de bois où on crève d'asphyxie, et il s'est mis à rire sans pouvoir s'arrêter. « Paix et pouvoir », disaient les banderoles, et aussi : « Le monde n'est pas une marchandise » et « Soyons le changement que nous voulons voir dans le monde »... Quelque part dans la fête, on a crié son nom pour l'accueillir – *Ai,* Charlie ! Salut, Charlie !… – et il a crié en retour pour les saluer, ces jeunes aux visages semblables et au cœur chaleureux : *Ai,* Jonas Peter Eric Rachel ou Jonathan !

Il n'y avait toujours pas de chef parmi eux, ce qui est la vraie preuve de la liberté, et l'un d'entre eux lui a proposé d'aider au ménage tandis qu'un autre le sollicitait pour accrocher des écriteaux, finalement un troisième a tranché en lui fourrant un balai entre les mains. Il s'est activé tout de suite en riant, tout cela était réjouissant au possible, chaque coup de balai voyait augmenter son appartenance aux 99 % et son travail était d'ailleurs partout accueilli par des sourires, sauf à la toute extrémité du campement, où arrivé devant une grande tente rouge nouvelle on ne l'a pas laissé poursuivre le nettoyage.

Quelqu'un lui a enlevé rudement le balai des mains tandis qu'un autre le haranguait à voix forte, et qu'un autre dans l'embrasure de la tente l'examinait sans rien dire, trois hommes qui n'étaient pas des *Qallunaat* souriants et qui ne semblaient pas contents d'être là tout en y étant pourtant. Celui qui criait a continué de crier : *What the fuck are you doing, man ? Are you their fucking slave, or what ?…* Les lettres de la banderole surplombant leur tente, *NATIVES OCCUPY,* se sont mises à danser sous l'effet du vent, ou de la menace, et celui qui se tenait immobile à l'entrée de la tente s'est alors avancé lentement vers lui, très lentement, grand et tout de noir vêtu comme un chevalier de l'enfer, des miroirs en guise de regard, et à ses côtés est apparu un monstre, chien ou loup aussi noir que lui et les yeux rouge braise semblablement terrifiants, homme et bête soudés dans leur noirceur apocalyptique avançant du même pas vers lui tandis que les deux autres s'éclipsaient derrière, insignifiants.

— Comment t'appelles-tu? lui a demandé l'homme noir, d'une voix trop douce pour ne pas être inquiétante.

Quand il lui a dit son nom, la même douceur frémissante est revenue dans la voix.

— Salut à toi, Charlie Putulik, de la Onzième Nation. Es-tu avec nous, ou avec eux?...

Natives Occupy, Amérindiens indignés. Les banderoles sur la tente rouge disaient clairement de quelle nature était ce Nous qu'il fallait choisir, et il pouvait reconnaître sans peine dans l'homme sculptural qui se tenait devant lui sans ôter ses verres de soleil réfléchissants un Mohawk, les mieux bâtis en corps parmi les Nations, et les plus belliqueux aussi. Le temps s'est arrêté. Même le chien semblait attendre sa réponse en montrant le lustre de ses crocs. Mais entre ceux de même sang que nous et ceux qui ont la générosité de nous offrir leurs différences, on ne peut pas choisir. Les hommes sont tous des hommes, tous fabriqués pour être bons, même quand ils ne le savent pas. Alors, plutôt que de choisir, il a fait la seule chose qu'il savait faire quand il avait peur ou quand il n'avait pas peur, il a sorti son arme de paix. Il a ri, il a ri sans répondre.

Un autre que Tobi lui aurait peut-être sauté à la gorge. Ça n'aurait pas été la première fois. Les hommes sont parfois sidérés par le rire, ce n'est pas leur faute, ils ont appris bien davantage à déchiffrer l'arrogance et le fiel.

Mais celui-là, cet homme impérial qui ne s'était pas encore présenté comme étant Tobi de la Cinquième Nation et du clan du Loup, cet homme-là a pris la peine de bien écouter le rire, de tout son corps on aurait dit, pour se pénétrer de son authenticité, et puis il a approuvé, il a tendu la main pour happer celle de Charlie.

— Vous êtes comme ça, les Inuits. Toujours à part des autres.

Et en lui étreignant l'épaule, il s'est esclaffé :

— Tu pues. Ça fait combien de temps que tu ne t'es pas lavé ?

C'est ainsi que ça a commencé, aussi naturellement qu'un passage de nuage dans le ciel. Quelqu'un derrière eux a crié *Dehors, les Sauvages !*, mais il s'est vite fait rabrouer par les jeunes, avant même que Tobi et les autres aient le temps de réagir, et d'ailleurs ce n'était qu'un pauvre itinérant aviné, connu dans la rue sous le nom de Téflon, qui s'était infiltré là sans aucun poids moral.

Il peut le dire, maintenant. Tout ce que Tobi lui a demandé de faire, il l'a fait, même en n'en ayant pas l'air sur le coup, même des mois plus tard. Quand on a la chance de rencontrer sur son chemin un être de cette stature, un *angakkuq* qui a ses antennes dans l'invisible et qui s'offre comme guide, on ne peut que bénir sa vie et obéir. Même avec du retard.

La première chose que Tobi lui a demandée, c'est de se rendre à dix-huit heures à la place du Peuple, là où se tenaient les assemblées générales. Par chance, il avait justement prévu le coup, une petite bouteille bien nichée dans chaque poche, et il a ainsi pu assister de loin aux palabres, désaltéré, et ne rien manquer du triomphe.

Les jeunes *Qallunaat* aiment parler et jeter sans cesse des combustibles dans les braises de leurs mots et ainsi faisaient Eric, Stephen, Barbara, Jonathan à tour de rôle, sans que la pétarade de leur discours semble jamais vouloir se tarir, mais alors est survenu Tobi qui s'est emparé du micro, son chien-loup collé au flanc. Il y a eu un silence dense, le fumet de la guerre a semblé se lever. Tobi n'avait pas enlevé ses verres de soleil malgré l'obscurité du jour, sa longue silhouette noire brillait comme une flamme arrogante. Puis il a prononcé les paroles rituelles : *Nous demandons de rester conscients, durant cette réunion, des conséquences qu'auront nos décisions sur les sept générations à venir.* Déjà, le silence qui a suivi était de texture différente, mouillée telle une bruine rafraîchissante. Il a ensuite parlé comme parle quelqu'un de patient et d'audacieux, si lentement que mille fois on aurait pu l'interrompre, il a parlé d'injustice plus ancienne et plus digne d'indignation que toutes les autres injustices, mais le plus extraordinaire, c'est qu'il a paru parler de lui sans expressément le nommer, et l'émotion s'est mise à couler dans la gorge de Charlie en même temps que l'alcool, et alors ces jeunes et leur visage beige peu marqué par la souffrance se sont soulevés d'un bloc, pas pour le chahuter ou lui lancer des cailloux, mais pour l'applaudir.

Plus tard, Eric Jonathan Stephen Debra Paul et Tobi ont fumé ensemble le même tabac en guise de cause commune, comme s'ils signaient une seconde Paix des Braves bien plus significative que la première Paix, déshonorée par les vieillards capitalistes, mais cela, c'était plus tard et il n'en a su que des bribes le lendemain, car il s'était éclipsé vers son campement avant que les jambes lui fassent défaut. Mais le plus important, il ne l'avait pas manqué, les applaudissements et le triomphe, un beau triomphe sur lequel il a dormi comme un enfant, sans un seul rêve triste ou nauséabond.

La deuxième chose que Tobi lui a demandée, c'est de se laver.

Sans qu'il se doute de rien, la journée nouvelle avait débuté au frais sur un banc dehors à proximité de leur place du Peuple, sous la caresse encore vaillante du soleil, et soudain Tobi lui a fait l'honneur de s'asseoir à ses côtés, bien sûr en compagnie du chien aux yeux rouges et à l'haleine forte. Mais en même temps que l'honneur de cette présence altière à lui seul accordée, il a senti monter l'anxiété, la prémonition sous forme d'anxiété qu'un honneur comme celui-là ne le laisserait pas indemne, ne le laisserait plus jamais tranquille. Tout était intimidant dans la présence de Tobi, ses cheveux luisants noirs attachés en torsade dans le dos, le cuir cher de ses vêtements, son osmose avec une bête, sa silhouette racée venue d'un monde disparu, ses yeux surtout, sempiternellement masqués par le miroir des verres et qu'il ne tournait jamais vers Charlie tout en lui donnant pourtant l'impression de le percer de fond en comble. Et bientôt, certainement, des questions rouleraient vers lui. Il n'avait jamais su que faire avec les questions, combien de temps les garder à l'intérieur pour faire monter une réponse juste, quoi donner quand on ne comprend pas la demande, comment ne pas décevoir irrémédiablement. Pas des questions comme : De quel village es-tu ? pour lesquelles la réponse existe toute prête, mais les autres, les embrouillantes, les marécageuses : Que fais-tu ici ? Pourquoi tu ne retournes pas chez toi ? Et surtout : Pourquoi tu bois ?

Tobi n'a posé aucune question. Simplement, le temps est venu où il s'est levé et a dit : *Viens avec moi* sans se tourner vers Charlie, de telle sorte qu'on aurait pu penser qu'il s'adressait à son chien, mais le chien était déjà debout, engoncé dans un harnais qu'il n'avait pas remarqué avant, comme il n'avait pas remarqué qu'au bout du harnais Tobi suivait le chien et non l'inverse, et cela lui a donné un choc, un tremblement de respect et de frayeur. Tobi marchait lentement, avec abandon, en faisant corps avec le sol et le chien, Tobi était aveugle.

Viens avec moi. Il s'est levé sans hésitation, ils ont suivi le chien. Tout naturellement, Tobi a pris le bras de Charlie.

En marchant, Tobi lui parlait, mais c'étaient des mots enlevés qui ne demandaient pas de réponse, il parlait de l'espoir et de la beauté des jeunes, pendant que les voitures les frôlaient et que le soleil tiède naissait et disparaissait entre les édifices, il parlait de spectacles majestueux qu'il était le seul à voir, de la mirifique tempête qui soulèverait de son socle puant le monde établi et le replacerait ailleurs sur un sol de velours où tous pourraient avancer sans écorchures et sans misère et, quand il cessa de parler, c'est que le chien aussi s'était arrêté.

De tous les endroits où le chien de Tobi aurait pu les conduire, celui-là était le moins prévisible et le plus détestable, une maison étouffante que Charlie connaissait assez pour ne jamais s'y rendre, une mission de charité forcée où s'entassent les corps des hommes qui ne sont réclamés par rien ni personne. Parmi les zombis aux visages ravagés qui fumaient et stagnaient devant la façade, il reconnut Téflon justement, et Castor Hors-Bord, qui ricanèrent en le reconnaissant aussi et grommelèrent des amabilités telles que « Pas l'ostie de voleur » et « Maudits Sauvages ». Mais Tobi raffermit sa poigne sur son bras et ils franchirent le seuil et il ne lui resta que son arme de patience infinie puisque la fuite n'était pas possible. Il se mit à rire, et en riant il suivit Tobi et le chien dans les bureaux derrière tandis que son cœur explosait dans son ventre et que ses jambes se liquéfiaient, en riant il perçut le brouillard de la voix de Tobi disant qu'il n'y avait pas de honte à fréquenter cet endroit, que lui-même avait déjà eu besoin d'y aller et qu'il y avait noué des amitiés. Puis une femme aux cheveux gris et au visage lunaire fut devant Tobi, qu'elle embrassa dans le cou et gratifia d'un sourire immense, *Sister* Virginie Hébert, que Tobi appelait par son petit nom et elle de même, et sans qu'il sache comment, toute cette amitié débordante le fit aboutir sans vêtements et sans défense dans la douche, un moment atroce où son rire fut noyé sous les gallons d'eau bouillante.

Il peut le dire maintenant. Avec l'eau bouillante sont parties des saletés, mais aussi des morceaux de lui glacés et rocheux qui le tenaient entravé, tout en le maintenant ensemble. Ça n'a pas paru tout de suite. Tout de suite après, il était apparemment le même sous de nouveaux vêtements amidonnés par le savon, heureux d'être de nouveau dehors, presque soulagé de voir partir Tobi et le chien de leur côté. Il s'est installé en avant de la grande statue maintenant masquée et a recommencé à tendre les mains pour réveiller avec bonne humeur la bonté endormie des hommes. Ce qui s'est réveillé, ce sont de vieilles images et leurs vieilles odeurs, comme émanant de ses vêtements trop propres, des images par exemple de Hilla s'enduisant avec bonheur de savon sans prendre la peine de se rincer complètement, des images et des senteurs fraîches de peau de bébé, la douceur suave des petits pieds des petites fesses parfumées de poudre et la question est arrivée plus drue et imposante que lorsque posée par les autres et l'a assommé par terre aux pieds de la reine. *Qu'est-ce que tu fais ici, Charlie Putulik?*

Pour la première fois, il n'a pas répondu aux salutations joyeuses de Steve Gabriel Jonathan Caroline, ni à leurs salutations inquiètes beaucoup plus tard, il n'a pas bougé et a devancé considérablement l'heure de la soif en éteignant une à une les petites bouteilles nichées dans ses poches en prévision de la soirée. Quand Eric Stephen Paul ou Debra se sont délicatement accroupis près de lui pour lui dire qu'il ne pouvait pas boire dans leur campement, ni violence ni alcool, c'était leur règlement, il a acquiescé en riant, mais il s'en souvient, pour la première fois lui est venu, comme une violence précisément, le goût de leur cracher au visage.

Puis Tobi s'est matérialisé à ses côtés.

On dit qu'un chamane digne de ce nom se déplace la plupart du temps avec un esprit auxiliaire, un *tuurngaq* qui prend la forme d'un animal monstrueux pour intimider les forces mauvaises, et ce chien-loup noir aux yeux rouges était sans contredit l'esprit auxiliaire de Tobi, celui qui lui donnait ses yeux et lui permettait de se diriger dans le noir. C'est ainsi que Tobi a pu se matérialiser à ses côtés, le chien-esprit ahanant contre son flanc. Tobi lui a offert une cigarette. Il n'a pas dit : Tu es soûl. Il n'a rien dit, et dans l'ampleur de son silence est née naturellement la place pour répondre à la question, à toutes les questions broussailleuses entendues et refusées.

La réponse à toutes les questions est la même. La peur. La peur a beaucoup de visages, a répondu Charlie. La banquise peut s'ouvrir soudain pour avaler celui qui chasse, les aurores boréales peuvent trancher le cou des hommes qui les regardent. Il y a tant d'hostilité dans la nature que l'homme n'est jamais certain de pouvoir manger et vivre. Pour se nourrir il doit tuer, et en tuant il s'expose aux représailles des animaux qu'il a tués. Les forces invisibles se tiennent prêtes à bondir sur celui qui commet la moindre erreur, a répondu Charlie. Même un homme qui travaille à la mine Raglan, qui passe douze heures par jour enfermé, qui accepte de se faire humilier par les patrons *qallunaat*, n'est pas préservé pour autant. Un homme peut un jour avoir une femme et deux enfants, et le lendemain ne plus rien avoir du tout, sans jamais comprendre l'erreur qu'il a commise. Un jour, a répondu Charlie avec une voix si basse que Tobi a dû se pencher contre sa bouche pour entendre, un jour, Hilla sourit en se frottant avec du savon, Aïda gazouille en se mordillant les orteils, Masiu traîne par terre son petit cul potelé. Le lendemain, Aïda et Masiu sont endormis sous le pergélisol avec leurs petits membres adorables durs comme de la roche, et Hilla court dans les collines, insomniaque et folle.

C'était une longue réponse à moitié marmonnée dans la mollesse de l'alcool, mais à force d'écouter la tête penchée sans être distrait par le regard, Tobi a semblé avoir tout compris. En tout cas il n'a réclamé aucun détail supplémentaire.

Et aucune larme de sympathie n'est apparue au coin des miroirs qui lui couvraient les yeux. Au contraire, au bout d'un moment, un sourire satisfait s'est installé sur son visage tandis que Charlie osait le dévisager, dégrisé par le chagrin.

— Voilà une bonne chose de faite, a dit Tobi en souriant. Tout ce qui est sorti là ne pourra plus jamais revenir.

Ensuite, il s'est levé d'un bond et a demandé à voir le campement de Charlie – *voir*, précisément, c'est le mot qu'il a employé.

Une grande joie s'est emparée de Charlie. Ce campement était depuis longtemps pour lui en même temps source de fierté et de déception : peu d'hommes avaient pu le partager jusqu'à maintenant – le dernier était le jeune Markus, qui n'y avait résidé que deux nuits et, depuis, aucun être véritable ne s'était assez approché de lui pour y accéder. À quoi sert de posséder des biens estimables, si on ne peut les élever à leur pleine dignité en les partageant ?

Ils marchèrent, le chien accordé pour une fois avec ses pas à lui, Tobi le tenant par le bras, et il se disait que ce moment-là où il se trouvait investi du rôle de guide était un moment important, peut-être la secousse annonçant le tremblement de terre triomphal promis par les jeunes. Arrivé au pied de la montagne, il eut une hésitation, car son abri était niché plus haut, au bout d'un trajet rocailleux pouvant se muer en obstacle majeur pour quelqu'un d'ordinaire privé de ses yeux, mais justement. Celui à ses côtés privé de ses yeux n'était pas une personne ordinaire, il en eut la révélation flagrante à ce moment, quand Tobi se mit à inspirer l'air avec délectation et à tâter des pieds les cailloux pour en apprivoiser les contours.

— Le mont Royal. Oui. Très bien.

Ils s'avancèrent donc parmi les souches et les rochers émiettés, au travers des arbustes qui leur zébraient les jambes, Tobi à peine plus lent que lui, et ne trébuchant que deux ou trois fois dans les accrocs du sol. Même à deux mètres de la destination, sur un terrain à peu près droit, l'abri niché dans les arbres et recouvert de branches de sapin demeurait quasiment invisible aux yeux inexpérimentés – c'était là le point culminant de sa fierté, mais difficile à transmettre en l'occurrence.

— Décris-moi les lieux, lui demanda cependant Tobi. Décris-moi tout.

Il fit asseoir Tobi sur la pierre plate – son banc – devant le grand sac en plastique – sa porte –, et il nomma les arbres plus loin dont il ne connaissait pas l'essence, mais qui étaient hauts et dénudés en ce moment, mais qui bientôt se molletonneraient de blanc, la falaise de roche abrupte contre laquelle on pouvait se reposer du vent ou parfois faire un feu en plein jour, des roches partout surtout, des *grands-pères* avisés ayant gardé la mémoire et les enseignements de la vie, et un chemin plus loin à éviter totalement, car c'était le territoire des coureurs et des marcheurs et des curieux.

— Et ton campement? insista Tobi.

Il nomma les bâches de toile recouvertes de sapin, les piquets de bois, le foin emprunté à la Ville qui le gaspille autour des arbres, le papier journal récupéré, les sacs de couchage trouvés, la fenêtre en sac en plastique, la chambre d'ami, et deux trésors : un coffre, et un fanal au propane qui pourrait donner de la chaleur si ce n'était le risque de s'asphyxier et surtout d'attirer l'attention. Quand Tobi, alléché par cet étalage, voulut s'immiscer à l'intérieur, il s'esclaffa parce que l'intérieur au complet avait les dimensions de deux corps couchés très près l'un de l'autre – voilà pour la *chambre d'ami*. Mais Tobi ne se moqua pas vraiment, il se montra au contraire impressionné et admiratif devant l'emplacement, et pour manifester son estime, il sortit de ses poches du tabac et des herbes expressément conçues pour purifier. Charlie ne crut pas utile d'ajouter qu'à vrai dire il n'avait pas souvent le temps de grimper jusque-là, la torpeur de l'alcool lui fauchait parfois les jambes en chemin et l'endormait directement sur la terre sale, d'où il se relevait malade et courbaturé. Mais pourquoi entacher la joie? C'était une belle fin de journée encore tiède, les oiseaux pépiaient dans les branches, et le chien-esprit de Tobi, bien qu'encombré par sa sangle, était en train de redevenir un vulgaire chien heureux que les écureuils surexcitent. Charlie sortit son meilleur gin de dessous les sacs de couchage pour célébrer le partage, mais Tobi eut une façon si nette de refuser l'alcool qu'un malaise serra le cœur de Charlie et s'intensifia le moment suivant.

— Décris-moi ce que contient ton coffre aux trésors, venait de lui demander Tobi.

On ne cache rien à un *angakkuq*, surtout quand il est en train de procéder à une séance de *smudging* destinée à déraciner les esprits maléfiques.

Trois montres, un bracelet en argent, des lunettes et leur étui, douze paquets de cigarettes, neuf portefeuilles encore pleins, une pipe ayant contenu de l'herbe enivrante, trois trousseaux de clés, deux téléphones portables, une boîte de condoms...

Il ajouta humblement que le coffre était en réalité une boîte en carton dur.

Tobi avait émietté des feuilles dans un réceptacle en forme de coquillage, promené longuement la flamme de son briquet au-dessus, et maintenant il soufflait sur le monticule sec pour activer les braises. Aucune réaction, aucun froncement de sourcils ne trahissait quoi que ce soit, y compris qu'il avait bien entendu ce qu'il venait d'entendre. Charlie se sentit encore plus perturbé par cette absence de réaction, comme s'il était laissé seul face à un miroir dans lequel il ne pouvait échapper à son propre reflet. Il n'était pas fautif, seule fautive était cette société de *Qallunaat* qui avait oublié le sens de la solidarité et du partage, il était un redresseur de générosité, voilà pourquoi les objets des autres atterrissaient dans son abri avant d'être redistribués à d'autres, et plus les justifications montaient et bataillaient en silence en lui, plus son reflet dans le miroir devenait tordu et dérangeant, car son reflet savait bien qu'il oubliait de distribuer les objets subtilisés, que les objets finissaient échangés contre de l'alcool à lui seul destiné. C'est ce moment que choisit

Tobi pour lui intimer l'ordre de présenter sa tête au-dessus de la fumée, d'abord la face et puis tout le crâne. Il s'exécuta, à genoux, et tandis que l'âcre odeur de végétation brûlée envahissait ses poumons et le faisait tousser, la voix de Tobi lui parvenait aussi comme une fumée abrasive. *Ce n'est pas la façon de faire*, disait Tobi. *Ce n'est pas du tout la bonne façon de faire.* Alors il s'écroula – il n'était pourtant plus ivre –, il s'écroula en larmes sur les genoux de Tobi et il plaida l'alcool, cette fois à voix haute et hoquetante, il plaida sa grande misère et son immense malchance d'avoir attrapé, il ne savait plus quand même s'il savait pourquoi, d'avoir attrapé cette maladie contagieuse inguérissable qu'est la soif.

Redresse-toi, lui dit aussitôt Tobi rudement, *redresse-toi et cesse de larmoyer, tout ce qui a été commencé peut être arrêté, moi aussi, moi-même déjà, regarde ta soif au lieu de lui obéir, regarde-la monter et s'agiter et puis disparaître au lieu de la suivre tout de suite en tremblotant, es-tu un homme ou bien un esclave?*

Et en même temps qu'il prononçait ces mots durs, il avait posé une main sur sa tête et il lui caressait les cheveux.

Puis le soir tomba, une masse d'air froid leur encercla les épaules, le chien en pleurnichant vint se coller contre Tobi, mais Tobi avait disparu derrière ses verres opaques. Quand finalement il demanda à s'en aller, Charlie somnolait par terre, épuisé par la soif non étanchée et peut-être surtout par la fumée purificatrice. Il faisait si noir qu'ils descendirent par le large chemin des promeneurs à cette heure déserté, et rien dans l'innocence fraîche de la nuit ni dans la torpeur des arbres ne laissait présager que c'est aux enfers qu'ils étaient en train de descendre.

Car arrivés au campement du centre-ville, Tobi décréta qu'ils n'étaient pas arrivés à destination.

L'antichambre des enfers peut ressembler à l'un de ces autobus immenses et lumineux qui traversent la ville de part en part pour arracher les hommes à leurs points de repère, et c'est dans l'un d'eux qu'ils se retrouvèrent, le chien et Tobi assis tranquillement comme des habitués, Charlie le cou tordu dans la fenêtre pour tenter de réduire à une ligne simple les images infinies du dehors, car sinon comment retrouver son chemin par la suite ? Tout en paniquant, il riait fort, mais Tobi avait déjà appris à percer à jour ses camouflages.

— *Keep quiet,* lui dit-il à voix basse.

Même si l'autobus était peu peuplé, ils se trouvaient pour l'instant au centre des regards, et ces regards n'étaient pas amènes. Charlie abandonna son rire, sans savoir qu'il l'abandonnait pour le reste de la nuit. Le périple sembla durer longtemps, puis ils furent de nouveau dehors dans l'univers obscur à suivre le chien de Tobi jusqu'à la porte sombre d'une façade sombre où deux grands gaillards noirs comme des cigares bloquaient l'entrée, puis s'écartaient pour leur plus grand malheur, et c'était comme un cauchemar débouchant sur un autre cauchemar même si Tobi lui entrait le coude dans les côtes en rigolant : *Change de tête,* man, *je te vois comme si je te voyais.*

De l'autre côté, il y avait un autel et des lumières tamisées, des fleurs qui exhalaient des parfums de soufre, des bruits de tambours, et quelque chose de glacial dans l'air malgré la chaleur. Tout le monde était noir de ce côté du monde, sauf lui et Tobi, qui l'était à moitié grâce à ses vêtements, tout le monde était noir et bougeait et dansait, et il reconnut tout de suite un rituel de *qilaniq* même si accompli par des Noirs plutôt que par des Inuits, un de ces rituels magiques qui ne sont pas faits pour les hommes ordinaires, qu'ils rendent fous ou qu'ils tuent.

Reste ici et ferme les yeux, lui ordonna Tobi en l'abandonnant sur une chaise près de l'entrée, à côté de démons noirs qui lui souriaient pour le séduire, mais il ne les regarda pas ni ne leur sourit, la terreur dans l'âme et les yeux fermés, il devina que Tobi et son chien s'en allaient rejoindre des diables supérieurs devant et le laissaient seul à la merci de ce que personne n'a le droit d'affronter.

Les tambours avaient pris possession des lieux et de sa tête, il reconnaissait les trois, cinq, sept, neuf coups lancinants de la numérotation sacrée, et bientôt la voix des danseurs s'élèverait, sourde et néanmoins violente, les torses et les membres se plieraient et s'allongeraient dans des gymnastiques impossibles, des transes de possession s'empareraient des corps en sueur et au son de ce gigantesque battement de cœur s'ouvriraient grandes les portes qui séparent le visible de l'invisible.

Les yeux fermés si dur que des larmes de tension lui coulaient sur les joues, Charlie se laissait traverser par le vacarme, celui des tambours et des corps projetés sur le sol, celui des respirations rauques au milieu des chants saccadés, celui de son propre cœur lui éclatant dans les veines, et tout à coup le vacarme bascula en arrière-plan et il y eut en lui un silence complet, un silence de neige.

Neige aussi derrière ses paupières, brouillard pacifique comme lorsque dense et douce la neige tombe et remplit l'écran du monde, et dans cette fraîcheur retrouvée résidait une richesse totale, il était de nouveau riche de tous les mots avec lesquels la neige existe là-bas chez lui – *aniu, apijuk, masak, qanik, aputi, aniugavinik*… –, tandis qu'un délicieux goût de béluga cru s'était logé dans sa bouche et remplissait de joie ses papilles. Au milieu de cette poudrerie bienveillante, il aperçut tout à coup un homme encapuchonné dans son parka de phoque qui s'avançait rapidement vers lui, et l'image de son père était si claire et réelle qu'il laissa échapper un cri et ouvrit les yeux.

Il y avait bel et bien de la neige devant lui, flottant entre deux courants d'air et remontant parfois vers le ciel au lieu de tomber, un début de neige contre les arbres gris et sur le sol où sa tête reposait, tandis que le reste de son corps était allongé au chaud dans son campement. C'était le crépuscule ou l'aube, et il n'y avait plus de tambours ni d'autel ni de danseurs, un trou noir avait engouffré l'espace dans lequel son corps avait voyagé. Il chercha du regard Tobi et le chien et ne les trouva pas. Il palpa sa tête, qui n'avait pas la lourdeur de l'ivresse, il huma son haleine contre sa paume : aucune trace d'alcool, rien qu'une vague réminiscence de fumée, et une trace charnue, oui, de béluga sur la langue. Par terre à un mètre de son abri, il trouva le coquillage dans lequel un petit amoncellement carbonisé achevait de se recouvrir de neige.

Pendant quelques minutes intenses, il eut peur, et presque aussitôt, comme une ombre qui suit une autre ombre, il eut soif. La bouteille était fraîche sous son sac de couchage, et miraculeusement pleine. Il la leva pour la porter à ses lèvres, et quelque chose arrêta son geste et le laissa en suspens, quelque chose d'important que lui avait dit Tobi et qui le sauverait à jamais s'il s'en souvenait. Mais il ne s'en souvint pas, pas cette fois, et il but le contenu de la bouteille, et le goût du béluga disparut de ses papilles.

Quand il descendit au centre-ville, plusieurs heures s'étaient écoulées, ou plusieurs jours.

Il eut un choc en constatant que le trou noir avait là aussi englouti l'espace connu, et qu'il ne restait rien du campement des jeunes, ni tentes ni banderoles ni jeunes. La place était traversée de nouveau par les hommes d'affaires au pas pressé et aux mines soucieuses, la statue avait recouvré la presque totalité de sa majesté impeccable – ne restait sur son torse en lettres flamboyantes que le mot *liberté*, que des employés de la Ville s'affairaient à effacer. Il ne s'approcha pas, car les policiers étaient nombreux, et les policiers sont des hommes bons que leur travail ardu rend oublieux d'eux-mêmes.

Le premier choc passé, il y avait un calme à constater la familiarité de l'expérience. Toute chose disparaît sans qu'on y puisse rien. Pourquoi s'assombrir et en vouloir à la nuit qui succède au jour ?

Soudain, quelqu'un cria son nom – *Ai Charlie !...* –, et bientôt lui tapa sur l'épaule.

C'était Steve Jonathan ou Eric, qui l'embrassa avec effusion, et lui de même, et ils restèrent un long moment à s'étreindre en riant, puis le jeune se rappela les déboires de la vie, qu'il se mit à commenter amèrement. Même si les *chiens* avaient tout démoli de leur campement et que le maire les avait trahis, ils transporteraient ailleurs leurs germes de révolution et jamais ils ne lâcheraient, car le monde a soif de justice et d'équité plus que de n'importe quelle marchandise, et bientôt, très bientôt... *Une tempête soulèverait de son socle puant le monde établi et le replacerait sur un sol de velours où tous pourraient avancer sans écorchures et sans misère.*

C'étaient les mots de Tobi, et ils apparurent juste à ce moment dans la tête de Charlie expressément pour qu'il les donne au jeune, qui les reçut avec une émotion sans borne. Il embrassa Charlie plus fort, de l'eau plein les yeux, la voix hachurée de larmes : *Take care, Charlie. Lâchons pas. Joyeux Noël. Joyeux Noël.*

Il s'en allait en faisant sans fin le V de la victoire, suivi par le rire inextinguible de Charlie car, à côté du tragique, le comique des choses marche en le tenant par le bras. Tel ce *Joyeux Noël* final, burlesque comme un pet.

Joyeux quoi et pour qui ?

Il se tourna vers le nord et contempla longtemps le ciel où ne luisait pas *Niqirtsuituk* la Brillante.

On porte en soi ce qui est là, et ce qui a cessé d'être là. *Niqirtsuituk* la Polaire, et Tobi, et son père agile dans son parka de phoque, mort depuis si longtemps, ils étaient tous en lui et ils lui disaient tous la même chose. Rentre chez toi. Rentre chez toi.

RETIRE-TOI

C'est du nord, maintenant, que tout arrivait : le vent, la neige, les cumulus ronds serrés flanc contre flanc. Et l'étoile annonciatrice, l'étoile de la légende, celle qui avait mené des hommes simples et rugueux vers l'étable sacrée, c'est au nord qu'elle se lèverait cette nuit.

Il aimait le nord, le concept même du nord : une austérité vaste perchée sur le faîte de civilisations ramollies par la tiédeur, si désinfectée par le froid que seule la vie intérieure pouvait y croître.

Bien entendu, ce n'était qu'un concept, contredit comme tous les concepts par la réalité. Au nord pas moins qu'aux tropiques, il y avait surtout des vies extérieures agitées par l'égoïsme et l'avidité, puisqu'au nord aussi bien qu'aux tropiques il y avait des humains.

Guillaume sifflotait tout en pensant aux humains fatalement courtisés par le Mal, il sifflotait et il marchait d'un pas joyeux dans la neige installée, aspirant avec délectation de longues bolées d'air frais. Ce serait enfin un Noël blanc, et les gens en sortant de l'église demain soir se disperseraient recueillis dans un paysage d'enfance magique au lieu de cavaler comme des souris affolées sur le verglas et sous la pluie. Il suffisait de bien peu pour altérer l'esprit humain et lui faire perdre sa sérénité – deux degrés Celsius, par exemple. Ou dans un autre ordre d'idées, une vaguelette de peur – qui devenait un maelström si on abdiquait devant elle. C'est ce qu'il avait dit au téléphone à la jeune fille à la voix effondrée : *N'ayez pas peur. Cessez d'avoir peur.* Mais elle était déjà emportée par le maelström, l'esprit et la raison les quatre pattes en l'air.

C'est vers la jeune fille qu'il marchait maintenant, et marcher tout en sifflotant dans l'appréciation totale de la blancheur de la neige ne l'empêchait pas d'ébaucher mentalement trois ou quatre arguments pour son homélie de demain soir, car il était passé maître dans l'art de touiller plusieurs marmites à la fois et de les déverser presque en même temps dans les innombrables bouches réclamantes. *Insupportablement efficace,* disait de lui Virginie, quand elle était de bonne humeur.

Quand elle était de mauvaise humeur, comme depuis quelque temps, elle ne disait rien.

Il parlerait des joies de la pauvreté dans son homélie de demain soir, et il verrait s'agiter d'inquiétude les nantis de son quartier descendus en touristes à la messe de minuit avant d'aller écluser leur bouteille de champagne, il parlerait de la haute noblesse de la pauvreté en faisant exprès de retarder les nuances qui leur apporteraient un soulagement temporaire, car Christ était né sur la paille, leur martèlerait-il, et pourquoi donc Christ était-il né sur la paille plutôt que dans un quelconque Hilton de l'Antiquité si ce n'était pour clamer l'urgence du dénuement total ?... Ce qu'il ne dirait pas du tout, c'est que la Bible et les Évangiles étaient truffés de métaphores et que Christ n'était pas né un 25 décembre ni certainement dans une auge à cochons, mais mollo mollo avec la vérité et pas question d'anéantir les métaphores qui étaient là pour ouvrir le cœur des êtres constipés par trop d'aisance, et ce qu'il ne dirait pas tout de suite, mais dirait tout de même, après avoir laissé mariner ses auditeurs dans ce malaise glauque qui précède parfois les essentielles illuminations, c'est qu'il était surtout question de pauvreté d'esprit dans le message de Christ. Bienheureux les simples d'esprit, c'était là le message de fond, absolument, et ces pauvres d'esprit n'étaient pas des fous débiles psychopathes et autres schizophrènes, mais des sages profonds, des sages tel Maître Eckhart s'étant départis des agitations et des doutes de leur esprit, départis assez d'eux-mêmes pour n'avoir besoin de rien ni ne vouloir rien, voilà la véritable pauvreté noble à revendiquer, conclurait-il sans ajouter, mais n'en pensant pas moins, que se goinfrer de foie gras arrosé de champagne alors que beaucoup dans Montréal manquaient de l'élémentaire était quand même une indécence.

Il était arrivé. La jeune fille habitait le haut d'un triplex dans le quartier Côte-des-Neiges, riche tessiture bigarrée qu'il commençait à connaître dans ses parties intimes pour l'avoir visitée plusieurs fois. En dépit de l'éminence joufflue de l'oratoire Saint-Joseph et des vestiges maintenant sanctifiés du frère André, force était d'admettre que ce quartier-là requérait plus souvent que les autres ses fonctions particulières.

Ses fonctions d'Exorciste.

Il ne monta pas tout de suite au troisième étage.

Parfois, le noyau dur ne se trouvait pas où on pense, émanait d'un autre appartement, d'un autre immeuble, et simplement absorber les mouvements et la texture de l'air pouvait vous mener directement à la source. Parfois ce noyau dur se retrouvait sous forme de table de oui-ja malfaisante, de bibelot ensorcelé, ou de party enfumé d'ados imbéciles s'adonnant au satanisme comme on s'adonnerait au poker. Mais la plupart du temps, et cela était le plus difficile à gérer, il n'y avait pas d'objet central, rien qu'un flux de méchanceté bien orchestrée qui s'abattait sur un lieu ou une personne infortunée.

Guillaume ne parlait de cela à personne – sauf à l'évêché, bien entendu, quand celui qu'il appelait facétieusement Monseigneur le Boss lui en faisait la requête. Personne à vrai dire parmi ses confrères de clergé les plus fervents et les plus amicaux, pas même Virginie, qui le connaissait depuis trente ans, personne ne prenait l'exorcisme au sérieux. Personne d'intelligent ne pouvait admettre que les forces du Mal puissent se concrétiser de façon si vulgairement spectaculaire et endosser les minables entourloupettes d'un film de dixième ordre.

Et pourtant.

Cette fois-ci s'inscrivait dans la norme, il n'y avait rien de perceptible au bas de l'escalier sauf l'humidité de la neige en train de s'infiltrer dans ses pieds et sa colonne vertébrale, demain ses jointures et ses reins refroidis lui feraient la vie dure, mais en attendant aussi bien profiter de la souplesse relative de son corps pour monter les marches quatre à quatre et sonner chez la jeune fille, puisqu'il était déjà en retard.

Elle ouvrit tout de suite, elle devait avoir trépigné d'impatience derrière la porte après l'avoir guetté par la fenêtre.

Pauvre petite, elle n'était pas en bon état. Depuis qu'il l'avait rencontrée au Grand Séminaire pour la questionner et bien jauger le sérieux de l'affaire, il constatait qu'elle avait sérieusement dégringolé la pente astiquée par ces miteux sortilèges. Insomnie évidente, perte de poids, frayeur extrême, épuisement. Bientôt dépression éventuelle, voire idées suicidaires plus ou moins mises à exécution.

— Père Guillaume !... lâcha-t-elle dans un soupir.

Et au lieu de prendre la main qu'il lui tendait, elle choisit de s'effondrer contre sa poitrine en sanglotant. Il la laissa un moment mêler l'eau de ses larmes à celle de la neige fondant sur son paletot, puis il décida que c'était assez et il se mit à lui tapoter vigoureusement le dos comme on fait avec un bébé pour qu'il régurgite.

— Allons allons allons, dit-il avec un rire joyeux qui contredisait tout affaissement et le rendait ridicule.

Cela marchait à tous coups et elle se redressa, ranimée. Elle offrit d'aller suspendre son manteau trempé, elle s'enquit d'une voix d'hôtesse presque normale de ses désirs immédiats – voulait-il boire un thé ou un verre d'eau, ou un jus de fruit, et manger un beignet à la cannelle, car elle venait d'en faire cuire une douzaine ?

Il ne voulait rien, sauf accrocher son manteau, mais il la félicita de son initiative de pâtissière – agir normalement et légèrement était exactement l'attitude à adopter.

— Mais je n'y arrive pas du tout, voulut-elle protester. Je veux dire à agir normalement et légèrement, comme vous dites... Ce sont des beignets précuits congelés !

Et comme elle était sur le point de fondre de nouveau en larmes, il lui demanda de s'asseoir et de se taire si possible pendant qu'il examinait les lieux.

À vrai dire, aussitôt qu'il était entré, il avait senti l'*infestation* bien plus que l'odeur des pâtisseries – cette lourdeur glaciale qui plombait la température ambiante, cette sorte de trou noir siphonnant l'énergie... Maintenant, il s'agissait de détecter d'où irradiait la merde diabolique et, comme dans une ludique chasse au trésor – *Tu brûles ! Tu brûles !...* –, il s'était mis à arpenter l'unique grande pièce avec une précise désinvolture, renversant une chaise pour en examiner la bourrure, farfouillant dans le cul d'une lampe, ouvrant et refermant des tiroirs en sifflotant, et il sentait sur sa nuque le regard interloqué de la jeune fille tandis qu'il manipulait les objets en jovial brocanteur bien plus qu'en Exorciste pétri de solennité. La solennité viendrait à son heure.

— Dites-moi, Maya... Avez-vous reçu ou acheté des bijoux ou des bibelots exotiques ?... C'est bien Maya, votre nom ?...

— Oui, Maya, confirma-t-elle lugubrement. Qui veut dire en sanskrit *illusion cosmique.* Ou *Satan...*

Il déplaça ses lunettes rondes pour mieux la dévisager. À vrai dire, malgré les cernes et la pâleur, elle était jolie comme un cœur avec ses traits délicats, ses yeux floraux et sa chevelure de madone.

— C'est évident, dit-il avec grand sérieux. Dieu merci, le sanskrit n'est pas une langue officielle au Québec.

Un début de gaieté vint agiter la commissure de ses lèvres roses, excellent, et sa voix retrouva du tonus, excellent excellent, pour préciser qu'elle ne se rappelait pas bien au sujet des objets exotiques, avec ce cauchemar permanent, elle avait perdu la mémoire et toute forme d'intelligence, la seule chose dont elle était encore sûre, c'est qu'elle rangeait tous ses bijoux précisément dans les tiroirs qu'il venait de visiter, et que les bibelots visibles étaient les seuls bibelots existants. Par acquit de conscience, même si son idée était faite, il palpa de nouveau le contenu des tiroirs, il refit une ultime déambulation dans la vaste pièce, puis il vint s'asseoir en face d'elle et enleva ses lunettes pour les nettoyer. Elle épiait tous ses gestes avec une avidité d'affamée.

— Vous avez un joli studio, dit-il en replaçant ses lunettes. Et oui, il est infesté.

— Infesté!...

Le mot faisait toujours son effet, on pensait à une invasion de rats ou à la peste bubonique, ce qui n'était pas si éloigné de la réalité. Elle s'enflamma au contact de cette confirmation – enfin elle n'était pas folle et elle n'était plus seule, elle avait toujours cru aux fantômes même si elle ne comprenait pas pourquoi ils la persécutaient... Il l'arrêta net.

— Je n'ai pas parlé de fantômes. Il n'y a pas de fantômes.

— Ah non?... Mais qu'est-ce que c'est, alors?

Ses yeux violets se déposèrent dans les siens avec stupéfaction – mais surtout avec un complet abandon, nota-t-il. Pendant un moment, il sonda la transparence de son regard, il tâta la racine de ses forces intimes pour savoir jusqu'où il pouvait aller dans les révélations. Elle était plus costaude qu'elle ne paraissait, sa fraîcheur lui tenant lieu de colonne vertébrale. Elle était innocente, ça il le lisait. Bienheureux les innocents, autant que les pauvres d'esprit.

— Le diable... ? chuchota-t-elle. *Satan?...* Oh *my God.*

Elle pâlissait à vue d'œil, et il se fit énergique et enjoué pour contrer toute descente vers la peur : pas le diable avec une queue fourchue et des cornes, pas cette sorte de diable cinématographique crachant du feu comme un dragon et luisant noir comme un fond de chaudron, mais le diable en tant que Malin, oui, le diable en tant que Mal tout court... À vrai dire, chaque massacre, chaque violence, chaque percée de haine était une actualisation du Diable, et il n'y avait pas de raison au fond d'être plus effrayé devant le concept du Diable que devant le téléjournal et ses abominations quotidiennes.

— Oui, dit-elle avec un frisson, mais le téléjournal n'arpente pas mon corridor, ne ravage pas mes tiroirs, ne cogne pas dans mes fenêtres, ne démarre pas mon système de son à trois heures du matin et ne vient pas piétiner mon lit...

Elle lui raconta les dernières frasques de l'Invisible Horreur : la nuit dernière, alors qu'elle était allongée, elle avait senti très distinctement une bête traverser son matelas en marchant de chaque côté d'elle...

— Ah ! Le coup des « petites pa-pattes » !... Un classique !

Le ton de Guillaume était badin, sincèrement badin car, à force de fréquenter le répertoire – tableaux dégringolant des murs, pas dans le corridor, tiroirs qui claquent… –, il le trouvait navrant de banalité. Ah, rencontrer un ensorcelé capable d'éclater de rire devant la pauvreté de l'arsenal déployé! Mais cet ensorcelé capable par miracle d'en rire ne serait justement pas ensorcelé.

Ce qui était moins badin et commandait une réponse ferme, c'était la présence indéniable du Mal modulée sous ces formes indigentes. Quelqu'un, quelque part, avait de la haine pour la jeune fille au regard pervenche et à la beauté peut-être insupportable. Quelqu'un de passionnément hostile avait appelé les Forces obscures pour que survienne cette sinistre éclosion.

— Dites-moi, Maya…

Il s'enquit, sur le ton de l'intimité affectueuse, de ses relations avec les autres, de leurs éventuels ressentiments, et il finit par lui parler brutalement de haine, car on n'y échappait pas, la haine constituait le cœur du Mal, de tout mal. Il vit presque immédiatement l'eau pâle de son regard se troubler et s'échapper vers le sol.

— Oui, dit-elle après un long moment, oui, c'est bien possible.

Il la vit lutter un moment contre les larmes, puis abdiquer, car il ne s'agissait pas d'une petite averse extérieure provoquée par la peur, mais de quelque chose de plus enfoui et de plus grouillant dont la digue venait de sauter.

— Quelqu'un me hait, c'est possible, c'est même sûr. C'est même possible que plusieurs me haïssent, c'est probablement le cas… Mais je vous jure, je vous jure…

Elle s'empara de sa main, qu'elle broya pour le convaincre.

— Je vous jure que moi, je ne hais personne!... Je ne hais personne!...

Il répondit à sa pression, avant de délicatement libérer ses doigts.

— J'en suis certain, dit-il avec douceur.

C'était excellent, les larmes lui sourdaient du nez autant que des yeux sans que la coquetterie s'en mêle, excellent excellent, la source chaude de la confession s'épanchait de tous côtés hors d'elle, sans qu'il ait eu à la provoquer.

— Je ne hais personne, mais je suis... mauvaise, mauvaise... Je ne veux pas être mauvaise, je ne veux pas faire de mal, mais je suis mauvaise, c'est sûr, puisqu'ils finissent par me haïr, ceux qui m'aiment, ils finissent par me haïr tous...

Il l'écoutait avec un demi-sourire compatissant, et en même temps il sentait contre sa hanche la vibration de son téléphone le rappeler à l'ordre serré de sa vie et de son horaire, il fallait que ce soit une urgence puisqu'il n'autorisait aucun appel pendant les exorcismes. Discrètement, tandis qu'il imaginait Maya aveuglée par ses larmes, il jeta un regard sur l'appareil, et il constata avec agacement que l'appel provenait de Virginie. Mais Maya avait précisément choisi ce moment, cette microseconde, pour lui poser une question, et il dut la faire répéter.

— Est-ce que c'est vraiment mal, ce que je fais?... demandait-elle d'une voix misérable. Est-ce que je suis noire et méchante?...

La tentation était grande de procéder et de lui donner vite fait l'absolution, car que pouvait concocter de véritablement malicieux cette petite créature transparente ? Mais par pur perfectionnisme, il lui demanda de développer.

— Je couche avec des hommes, dit-elle avec une candeur qui le laissa sans voix. Je couche avec plein d'hommes, pas nécessairement les mêmes, d'ailleurs rarement les mêmes…

— Contre de l'argent ? rétorqua-t-il plus sèchement qu'il ne l'aurait souhaité.

Elle lui jeta un regard indigné, et pour le coup asséché de toute larme.

— Bien sûr que non !

— Pourquoi alors ?…

— Parce que… parce que… ça leur fait tellement plaisir… C'est tellement facile de leur donner ainsi du plaisir, et la plupart des hommes ont des vies si ternes, si mesquines…

En proie à une irritation profonde, il la considéra en silence, ruminant les commentaires vitrioliques qui se pressaient dans son esprit. Il n'émit que le dernier, lorsqu'il le jugea suffisamment débarrassé de son fiel.

— Ce n'est pas de plaisir que les hommes ont besoin ! gronda-t-il. Certainement pas de cette sorte de plaisir qui donne la soif plutôt que de l'étancher ! C'est de paix que les hommes ont besoin, c'est de manque de joie durable qu'ils se meurent !

Elle le regardait en acquiesçant, écrasée d'humilité, sans tenter d'essuyer le filet de morve qui se frayait un chemin luisant jusqu'à son menton. À la fin, il ne put s'empêcher d'éclater de rire, la faisant tressaillir.

— L'un de vos « bénéficiaires » aura trouvé le plaisir de trop courte durée et en aura voulu davantage. C'est bien dangereux, bien inutilement dangereux, ce que vous faites là. Vous promenez non pas une allumette, mais une torche enflammée sur du pétrole !

— Ah, excusez-moi, je veux dire, pardonnez-moi, pardon, pardon. À qui faut-il que je demande pardon ? Y a-t-il moyen de me faire pardonner ou est-ce trop tard trop grave trop ignoble ?

— Bien sûr qu'il y a moyen, dit-il en souriant. C'est pour ça que je suis ici.

Il ouvrit son sac, en sortit les sacramentaux – l'eau bénite, les cierges, le crucifix... – ainsi que l'étole violette, dans laquelle il se drapa.

— Vous allez m'exorciser ? chuchota-t-elle respectueusement.

— Mais non, je ne vais pas vous exorciser, ma pauvre petite ! dit-il avec bonne humeur. Vous n'êtes pas possédée !... Vous êtes juste un peu idiote !... Nous allons prier. Nous allons prier ensemble, simplement.

Elle ne savait aucune prière, confessa-t-elle humblement. Mais au moins elle avait été baptisée – baptisée par inadvertance, comme beaucoup de cette génération, mais qu'importe. Tout baptisé devenait un Exorciste par le fait même de son baptême, l'assura-t-il, donc déjà protégé en partie des illusions effrayantes produites par Satan.

Elle n'aima pas le mot *illusions*, semblable en cela à tous les autres ensorcelés qui tenaient mordicus à la réalité de leur expérience, et il n'insista pas. Il ne lui dit pas que ces phénomènes abracadabrants étaient bel et bien des illusions puissantes s'adressant à l'esprit, que personne en réalité n'était tapi dans son appartement pour la terroriser, que tout était affaire d'ondes maléfiques enclenchées par quelqu'un de très malintentionné – qui avait peut-être engagé un professionnel de la sorcellerie, ou plus simplement fait le travail lui-même, de nos jours, il suffisait de deux trois incantations sataniques glanées sur Internet et enluminées de bougies noires et hop, le pacte était dans le sac. Le Diable n'était pas regardant sur les moyens, il avait visiblement pris le virage technologique.

Tenant le crucifix d'une main et le goupillon de l'autre, il aspergea la pièce d'eau bénite, et ils prièrent. Elle répétait les mots après lui. Il ne s'étonnait plus qu'elle ignore tout des élémentaires *Pater noster* ou *Ave Maria,* mais il apprécia dans sa voix les inflexions touchantes de ferveur et de sincérité pour marquer les temps forts – *Délivrez-moi du Mal, oui, délivrez-moi du Mal,* suppliait-elle… –, et même plus tard quand il récita les prières spécifiques de délivrance – … *Je bénis ce lieu et je demande à mon ange gardien et aux anges de Dieu de l'habiter… Bénis sois-tu, Seigneur, pour l'ange que tu envoies et qui bloque le voyage astral… Bénis sois-tu, Esprit saint, pour la lumière que tu mets dans nos vies et l'amour, qui est plus fort que la Mort…* –, elle s'enfouit le visage dans les mains en gémissant d'émotion.

C'était le meilleur moment, empreint de douceur et de miel, quand les êtres bardés de barbelés se défaisaient d'eux-mêmes et devenaient ce qu'ils étaient déjà sous leur armure d'orgueil : des créatures de l'amour, des phalènes attirées par la lumière. Quand Maya se tourna vers lui, son visage avait la pureté sereine des icônes, et les mots de Maître Eckhart fleurirent dans l'esprit de Guillaume : « *Notre Seigneur dit à la jeune fille "Lève-toi!" et, par cette unique parole, Il nous enseigne comment l'âme doit se lever de toutes les choses corporelles...* »

Dans la pièce, la température avait perceptiblement gagné deux degrés, et une netteté dans l'air qu'il ne fut pas seul à reconnaître. Spontanément, Maya lui prit la main et l'embrassa.

— Oh, père Guillaume... Merci. Comment vous remercier?... Je me sens déjà revivre...

— Si « revivre » pour vous signifie reprendre vos pittoresques habitudes de vie...

— Non non non!... protesta-elle avec énergie. C'est fini, je vous jure, fini!...

De nouveau, il sentit la vibration du téléphone contre son aine. Il jeta un coup d'œil : ça venait cette fois de l'Évêché en personne. Ça attendrait quand même. Il rangea les sacramentaux dans son sac, prit le temps de laisser à la jeune fille une médaille de la Vierge, des bougies consacrées et de l'eau bénite à disséminer dans la pièce ainsi que le texte de deux prières, à réciter chaque matin... Tout de suite, elle entrouvrit sa blouse pour enfiler la médaille de la Vierge sur la fine chaîne qu'elle portait au cou.

— Voulez-vous dire que ça pourrait revenir? s'enquit-elle, une ombre dans les yeux.

— Oui, dit-il en souriant. Dans lequel cas, je reviendrai aussi.

Il enfila prestement son paletot, et elle le retint par le bras sur le pas de la porte.

— Est-ce que c'est... un obstacle... si je ne crois pas vraiment aux anges?... Dans vos prières, il est question des anges... J'aime mieux être franche...

— Les anges s'en fichent, dit Guillaume, sardonique. Ils sont là, les bons comme les mauvais, que vous y croyiez ou non.

Tout à fait rassérénée, elle voulut l'embrasser sur la joue en guise de salutation – *Je vous aime*, déclara-t-elle avec une simplicité charmante –, mais il l'esquiva et lui tendit plutôt la main.

— Ne donnez donc pas votre amour si facilement, lui conseilla-t-il, non sans rudesse.

Et il s'en fut, car le téléphone maintenant n'arrêtait pas de vibrer dans sa poche.

C'était une urgence.

Après les effluves acides de l'infestation, marcher dans la meringue de la neige aurait été comme un dessert gastronomique, mais il sauta dans un taxi pour revenir vite au presbytère. Des secousses sismiques menaçaient d'ébranler les fondations du diocèse, à en croire les messages exaltés de Virginie et même ceux d'ordinaire longanimes de Monseigneur, Monseigneur le Boss.

Virginie l'attendait dans son bureau. Elle ne lui posa aucune question sur le lieu et les travaux dont il sortait, fidèle à son scepticisme chronique, mais ses yeux querelleurs n'en disaient pas moins qu'il aurait pu, pour une fois, contrevenir à la règle et prendre ses appels. Elle commença, comme à regret, à dévider l'écheveau de cette urgence devant laquelle elle se trouvait aux premières loges, pour ainsi dire, l'ayant découverte elle-même au petit matin.

Elle avait très peu dormi, comme d'ailleurs bien des nuits précédentes, ce qui fait qu'à six heures, bien qu'il fît aussi noir qu'à minuit et encore plus humide, elle était déjà lavée habillée restaurée et disposée à se lancer dans la décoration de l'autel puisque les tâches pastorales lui tombaient toutes sur les épaules en cette veille de Nativité, comme si elle en avait eu cinq paires, d'épaules, mais qu'importe, qu'importe. Les bras chargés de lis blancs et de poinsettias rouges et de mimosas jaunes, elle était entrée dans l'église par la porte arrière et elle avait commencé à disposer les fleurs sur la balustrade et de chaque côté du chœur en constatant une fois de plus qu'il n'y en aurait pas assez et qu'on avait encore une fois lésiné sur la beauté au nom de Dieu sait quelle avarice cléricale, lorsque soudain soudain, elle avait été atteinte par une vague de froid intense, assez intense pour se convaincre qu'elle avait laissé la porte ouverte, et juste après une autre vague l'avait balayée, celle-là nauséabonde comme un encens de très mauvaise qualité que l'air froid aurait charrié, et puis soudain soudain, elle l'avait vu.

Chère Virginie. Elle faisait exprès de retarder le *punch,* elle aurait souhaité qu'il la houspille et s'impatiente et l'interrompe pour mettre de l'huile sur leur feu, mais il n'en faisait rien et, bien qu'il fût totalement irrité, il attendait avec un sourire accueillant qu'elle daigne enfin lui faire partager l'information capitale dont elle disposait. Alors, sa colère tomba d'un coup – car elle était en colère depuis des semaines – et elle lui livra tout en vrac avec la concision qui était d'ordinaire sa marque de commerce.

— Il s'appelle Zahir Ramish, il parle pachtoune, et un peu anglais. Il s'est réfugié dans l'église depuis deux jours. Il dit qu'il n'en bougera plus, tant qu'on ne lui délivrera pas un passeport. Il a entamé une grève de la faim. Et, Guillaume ! il est recherché par l'Immigration, et la GRC.

Il garda le silence et nettoya ses lunettes, le temps que ce fardeau se dépose dans son esprit et révèle davantage ses parties constituantes.

— Des journalistes ont déjà téléphoné au presbytère. Un car de télé est parqué devant l'église. Et je ne te cache pas ce que tu sais déjà : Monseigneur tremble dans ses culottes.

— S'il te plaît, Virginie.

Ce n'était pas une vraie remontrance qui pointait dans sa voix, mais un peu de fatigue, car Virginie Hébert, par ailleurs le cœur immense, l'amitié loyale et le dévouement tous azimuts, était atteinte depuis des semaines de sédition totale contre le clergé, et ce qu'il avait d'abord pris pour une poussée hormonale de ménopausée devenait un état permanent. Mais cela était un autre dossier à traiter en des temps opportuns, et il le referma.

À vrai dire, un détail dans l'affaire, quelques mots de l'envolée lyrico-fielleuse de Virginie étaient restés dans son esprit et s'agrandissaient en flaque.

Vague de froid intense, puanteur. C'est ce qu'elle avait dit avoir senti, juste avant d'apercevoir l'homme couché sur un banc.

Ça n'allait pas. Il continuait de nettoyer ses lunettes, maintenant immaculées, faute de pouvoir désembuer la tache qui obscurcissait sa vision interne. Froid et puanteur, deux symptômes de choix de présence satanique, qui ne pouvaient pourtant pas se retrouver dans l'église, dans la maison même de Dieu. Il fallait que ce soit autre chose : du vrai froid, car l'église était peu chauffée hors des périodes de pointe, et une vraie puanteur, tout à fait légitime en présence du corps mal lavé d'un pauvre homme en cavale. Pourquoi alors un malaise tournoyait-il en lui, rameutant des flopées de pensées glissantes ?

— Allons voir ce monsieur Ramish, décida-t-il en remettant ses lunettes.

— Ne vas-tu pas d'abord rappeler Monsignore, avant qu'il se tape un infarctus ? Ce n'est pas que ce serait une catastrophe...

— Tais-toi, coupa Guillaume.

Égayée par sa pointe de curare, elle se penchait vers lui avec son rire des bons jours, son rire gloussant de jeune fille, et ce n'est pas elle qu'il vit soudain inclinée ainsi, mais l'autre toute jeune, celle dont le nom en sanskrit signifiait *Satan*, la toute jeune beauté ouvrant sa blouse devant lui pour enfiler la médaille à son cou, et elle ne portait pas de soutien-gorge.

Il se leva d'un bond pour assassiner la vision, ce qui fit s'enfuir Virginie hors du bureau.

— Tu n'as plus aucun sens de l'humour, grommelait-elle.

Un long corps drapé dans un coupe-vent matelassé gris, une tuque bleue enfoncée sur la tête, des boucles sombres rejoignant les sourcils broussailleux, Zahir Ramish avait l'air du dernier Roi mage, celui qui est noir et qu'on ne sait où placer dans les crèches, et il dormait comme on gît, les mains nouées sur le ventre. Le lit de camp était trop court pour lui, la lumière des néons, aveuglante, et le coin de sous-sol où Virginie l'avait installé semblait déjà trop encombré pour le recevoir, mais envers et contre tout il dormait. Guillaume l'étudia un long moment, vit la crasse sous les ongles et dans les ourlets des vêtements, vit l'épuisement incrusté dans chacun des pores de la peau, vit le vieux papier journal dont les pieds aux bas troués étaient enveloppés, vit qu'il s'agissait d'un journal anglophone et même américain, mais il ne vit rien d'autre. Il lui mit la main sur l'épaule quand il décida qu'il était temps de le réveiller, et l'autre se réveilla aussitôt, les yeux noirs pleins d'une épouvante qui n'avait visiblement pas dormi.

Guillaume le regardait sans sourire, mais Zahir Ramish reconnut assez de bienveillance dans ce non-sourire pour se redresser et puis se prosterner, une main sur le cœur, *Manana, manana,* répétait-il, et sa voix était étouffée comme celle d'un homme qui a désappris à parler.

— Il dit merci, spécifia Virginie – et en réponse au regard perplexe de Guillaume, elle ajouta : C'est le seul mot de pachtoune que je connaisse.

Il demanda son nom à Zahir Ramish, en anglais, puisqu'il fallait bien commencer quelque part. Pardessus tout, peu importe le contenu, il voulait réentendre cette voix et touiller le fond des yeux noirs pour ramener ce qui s'y trouvait, à côté de la peur.

L'homme répéta ce qu'il avait d'abord livré à Virginie – passeport, grève de la faim, injustice... Il jetait les mots à la façon de cailloux, un à un, sans savoir les lier, et il compensait leur petit nombre en les martelant avec vigueur... *Me, peace, me, peace,* répéta-t-il intensément à Guillaume, qui lui demandait pourquoi il était ici, pourquoi on le recherchait et, finalement, avec une candeur étudiée qui précipitait souvent la sincérité, s'il avait quelque chose à confesser...

— *Me, peace, me, peace.*

En même temps il brandissait des V forgés de ses deux mains en y mettant la même ferveur anxieuse pour s'assurer qu'au moins ce mot-là était décrypté sans faute.

— OK, OK, l'apaisa Guillaume.

Il lui offrit de l'eau, même si une pleine bouteille reposait par terre à côté du lit, et il en but aussi, en manière de partage. À vrai dire, le brouillard s'épaississait au lieu de se lever. Virginie les avait laissés seuls dans la pièce, mais il l'entendait qui fourrageait à côté par touches discrètes, sa manière de rappeler sa présence si jamais elle était requise.

D'une part, Zahir fuyait ostensiblement son regard, ce qui n'était pas bon signe. La plus bénigne des hypothèses disait qu'il y avait un trou dans la transparence – mais qu'espérer d'autre d'un réfugié plongé jusqu'au cou dans l'illégalité ? La plus grave hypothèse marchait main dans la main avec les températures qui chutent et les odeurs pestilentielles : jamais en effet n'avait-on rencontré un possédé capable de regarder un Exorciste dans les yeux.

Mais aucun symptôme satanique n'émanait en ce moment de cet endroit et de cet homme.

Au moment même où il se faisait ces réflexions, Guillaume reçut dans le nez une odeur aigre, très forte, une odeur connue et lointaine pourtant, et certainement inopportune. Il s'approcha de Zahir, l'odeur ne déviant pas de sa trajectoire, ni plus intense ni plus faible, provenant en apparence de toute la pièce. Il commença à prier à haute voix à côté de Zahir, et celui-ci ferma les yeux comme sous le coup de la piété. Mais à brûle-pourpoint, quand il le bénit à l'aide de son crucifix, il le vit distinctement tressaillir. Il lui demanda s'il était croyant, et l'autre acquiesça vigoureusement, puis se referma comme une huître.

— *Muslim ?* insista Guillaume, et il vit la frayeur revenir dans les yeux de Zahir, mélangée à une roublardise furtive tandis qu'il niait de la tête ce qui était l'évidence.

Un flot de compassion submergea Guillaume, qui ne voyait pas pire souffrance que celle de renier ce qu'on était vraiment, et il enterra l'idée de la possession, et il parla avec douceur à Zahir, lui recommandant de se reposer, de se calmer, de se sentir chez lui – demain c'était Noël, et toute créature terrestre était une créature divine qui avait droit à l'hospitalité et à la joie le jour où Christ était né.

L'homme recommença ses prosternations de gratitude – *Manana, manana* –, jusqu'à ce que Guillaume lui parle de manger, du repas qu'on allait lui apporter, car il n'était pas question de jeûner sous le toit de l'église. S'il n'avait pas tout compris, ces mots-là, il les comprit, car Zahir Ramish se troubla fortement, et se mit à protester – en pachtoune – et il alla même jusqu'à brandir le bras en direction de Guillaume, qui recula de quelques centimètres, mais c'était pour lui montrer sa chair nue sous la manche relevée, sa chair ravagée de brûlures et de cicatrices.

Cette fois, il plongea dans les yeux de Guillaume, longuement, le désespoir calcinant tout au fond de ses prunelles, et il lâcha à plusieurs reprises comme une sombre promesse :

— *Me die. DIE ! DIE !*

À Virginie qui l'attendait dans le corridor non sans fébrilité, Guillaume jeta ces quelques directives – *Apporte-lui des vêtements propres. Qu'il se lave dans la douche sous la chapelle. Essaie de trouver un interprète* –, qu'elle approuva immédiatement, comme si elle les avait formulées elle-même.

Par contre, aucune approbation ne se manifesta lorsque enfin il eut le Boss au bout du fil.

Monseigneur était un prélat brillant et sentencieux, qui aimait les débats et les échanges scolastiques, qui professait l'ouverture et la curiosité. D'ordinaire. D'ordinaire, leur complicité était rapide et enjouée – Vous autres, les Sulpiciens ! ironisait Monseigneur, jésuite de cœur et de formation, quand de temporaires divergences demandaient à être pacifiées.

Monseigneur, cette fois, se montra foudroyant. Un, il ne tolérerait plus que Guillaume ne le rappelle pas illico, quand il lui en faisait si explicitement la demande. Deux, cet homme réfugié dans l'église devait en sortir le plus tôt possible pour être livré aux policiers. Après cette éruption d'autorité, que Guillaume reçut en silence, ils purent dialoguer et Monseigneur retrouva du liant dans la voix pour sembler tâter avec sympathie les arguments contraires – oui, fort évidemment, la fête de Noël et son illuminante fonction de rassemblement et d'amour, bien entendu nos traditions d'asile depuis l'Antiquité, certes nous comprenons la compassion et l'humanité plus que quiconque... Guillaume naviguait avec habileté entre les récifs, mû par il ne savait quelle pulsion de vie ou de mort qui lui faisait défendre l'indéfendable, car « *enfin,* asséna ultimement le Boss, *nous nous trouvons en état de désobéissance civile, et même criminelle, puisque selon la présomption il s'agit d'un criminel, présomption simple peut-être, mais qui sommes-nous pour décider si un homme est criminel ou non du moment qu'il l'est aux yeux des autorités? D'ailleurs d'ailleurs, il s'agit d'un musulman...* »

Il ne poursuivit pas sur ce terrain pentu – *il s'agit d'un musulman et pourquoi ne se réfugie-t-il pas dans une mosquée?* –, et Guillaume lui en fut obscurément reconnaissant, quoique ébranlé par le simple fait que Monseigneur eût pu penser à l'énoncer, car ils savaient tous deux que les mosquées de Montréal sont de simples maisons souvent délabrées converties en temples de fortune dont l'inviolabilité est nulle aux yeux d'autorités blanches occidentales – déjà réticentes à respecter l'impunité de leurs propres églises...

Le point final fut quand même présenté avec l'humour dont Monseigneur était capable, et la conversation se termina dans un presque sourire.

— Guillaume, occupez-vous donc de transiger avec le Diable, et laissez-moi régler les affaires humaines.

Le presque sourire était du côté de Monseigneur. Guillaume éteignit son cellulaire, les doigts tremblants. La colère faisait un bruit de ressac dans ses veines, et en s'amplifiant elle prenait une facture historique, universelle : Vous autres, les Sulpiciens ! disait Monseigneur, avec une jovialité qui bien entendu était du mépris. Le mépris fleurissait depuis le début : c'était Dollier de

Casson, le premier sulpicien de la colonie, écrasé par la mesquinerie de Monseigneur de Laval, jésuite jusqu'au cou comme celui-ci, c'était Jean-Jacques Olier, l'admirable fondateur de l'ordre et le saint initiateur de cette Folle Entreprise appelée Montréal, qui cent fois aurait dû être béatifié, pour ne pas dire canonisé et ne le serait jamais, alors que tant d'autres inférieurs, des portiers serviles et des Iroquoises pâmées, et récemment ce même Monseigneur de Laval pourtant plus avare qu'un économe, avaient reçu la consécration suprême…

Vous autres, les Sulpiciens.

La colère roulait en hémorragie brûlante, et pourtant il fallait vaquer avec un semblant d'efficacité aux tâches nécessaires, annuler sa participation au comité ecclésiastique, déménager la rencontre de pastorale qui devait se tenir au sous-sol de l'église, chasser sans ménagement les journalistes répandus sur le parvis comme des vendeurs du Temple… Et entrer dans la joie dans la célébration de la Nativité. Dans la joie !… Alors que cela commencerait par l'éviction honteuse d'un pauvre homme.

Guillaume laissa tout en plan et alla s'enfermer dans sa chambre. Il ouvrit au hasard le livre des sermons de Maître Eckhart, y pigea une phrase : *L'homme extérieur est la porte battante, l'homme intérieur est le gond immobile.* Comme les mots se dérobaient devant lui, il ferma les yeux pour prier et, tout de suite, la solution lui apparut, lumineuse et si simple.

Il n'allait pas chasser Zahir Ramish de son église.

Il n'allait pas le chasser, et il n'allait permettre à personne de le faire.

Personne ne violerait le droit d'asile de son église, dût-il se clouer à la porte pour bloquer de son propre corps les forces policières, les agents de l'Immigration, Monseigneur en chair et en os et le Vatican lui-même... – le Vatican aveugle à la détresse contemporaine, selon les mots de Virginie, qui avait de plus en plus raison.

Guillaume arpentait la pièce maintenant plongée dans la pénombre, et il ne répondait pas aux coups frappés respectueusement sur sa porte, aux appels s'entassant sur son cellulaire réduit au silence ni aux grondements de son estomac vide, il marchait comme sur une allée royale même si c'était en rond dans sa chambre fermée, soulevé par l'exultation.

C'était une terrible décision à prendre, à la fois simple et héroïque, car elle lui vaudrait sa part de tourmente, et il se voyait atteint par les feux croisés des journalistes et de l'autorité ecclésiastique, il se voyait réprimandé humilié jeté par ses supérieurs, privé de ses charges et, qui sait ? de son ministère, mais un vertige d'euphorie continuait de le porter, car ceux qui comptent étaient avec lui, seraient avec lui, le peuple ordinaire écrasé et Virginie qui applaudirait de ravissement – *Enfin tu mets tes culottes !...* –, et sans transition il vit aussi la jeune fille, la toute jeune beauté qui se tournait vers lui pour l'embrasser, nue sous sa blouse, tandis que ses doigts le brûlaient et que ses lèvres parfumées disaient *Je vous aime*, sans transition non plus l'odeur prégnante se retrouva dans la pièce, ce relent écœurant d'acidité et d'amidon qu'il avait senti flotter autour de Zahir Ramish, alors que c'est autour de lui que ça flottait, et il s'affala dans un fauteuil, les jambes cotonneuses. Il ne savait plus si c'était une véritable odeur ou le souvenir d'une odeur, mais il la reconnaissait complètement maintenant, cette odeur de faiblesse qui errait en lui côte à côte avec l'image importune de la jeune fille.

Une odeur de sperme.

Guillaume ferma les yeux, mais le tumulte était pire derrière ses paupières. Tout un monde grouillant et combatif pulsait en lui, dont il était le justicier et le héros, et il parvenait même dans son invincibilité batailleuse à repousser la jeune fille et l'odeur de la tentation, puisque le combat se déroulait à une échelle supérieure, contre les pontes et les esprits étroits de l'Église au complet… Et soudain il vit que tout cela était comme un film, il vit le film projeté dans son esprit sans qu'il y soit vraiment et sans pour le moment qu'il puisse l'interrompre, et il se contenta de le regarder, privé de silence et de contrôle, de se regarder, mauvais acteur de plus en plus caricatural, se pavanant dans ses bottes lustrées de Don Quichotte et terminant ses pirouettes dans un couac magistral, car le film ne pouvait exister s'il n'y croyait plus.

Il eut un rire bref. Il venait de reconnaître l'empreinte de l'adversaire.

Quelle ingéniosité, quand même, quelle mystification parée de vertu et enrubannée de colère sainte, sous laquelle ne vivotait que cette petite carcasse vide : l'orgueil. Il admirait presque l'Adversaire, pour l'avoir entraîné jusque-là. *Je t'ai vu, tu en fais vraiment trop,* Lui dit-il en touchant la croix sur sa table. *Je t'ai vu, retire-toi maintenant.*

L'orgueil se retira.

Le silence revint.

Dans le vaste espace du silence, sans mirages et sans effets spéciaux, palpitait l'humanité douloureuse.

Il ne dormit pas de la nuit, car il fallait dire oui à tout, à l'humilité sans éclat, à l'obéissance grise, et cela n'était pas facile. Demain, au lieu de Monseigneur le Boss, il affronterait Zahir Ramish et son désespoir, il affronterait Virginie et son mépris outragé – vil serviteur, penserait-elle. Serviteur, oui, acquiescerait-il. Il n'était rien qu'un peu d'air compatissant, sur lequel quelqu'un d'autre soufflait. Toute la nuit, il regarda l'homme extérieur se débattre et souffrir, et il resta avec l'homme intérieur, immobile et patient.

Quand le matin se leva, c'était presque Noël, et il pleuvait des cordes sur la belle neige bafouée. Le premier appel qu'il prit provenait justement de Côte-des-Neiges.

— Il est revenu cette nuit, lui annonça Maya de sa petite voix défaite.

— Je sais, répondit-il.

LE BIEN NE FAIT PAS DE BRUIT

C'est maintenant une image d'été, en principe, puisque le vert profond des arbres en imprègne les contours, mais le centre de l'image évoque davantage l'enfer que l'été.

Les cris sont pétrifiants. De l'intérieur du Fort où tous les Français ont dû trouver refuge, on n'entend qu'eux, enveloppés par l'âcre odeur de poudre et la chaleur de juillet, la clameur terrifiante de deux cents guerriers agniers lancés à l'assaut de ce qui reste de Ville-Marie. De la fumée monte encore du dispensaire plus loin, qu'ils ont tenté d'incendier.

Il reste de Ville-Marie seize hommes armés retranchés derrière les palissades, et une trentaine de réfugiés à l'intérieur – dont elle… –, qui redoutent le pire.

Le combat dure depuis six heures du matin. Aussi brusquement qu'ils étaient survenus, les guerriers se retirent à six heures du soir. On ne sait plus grand-chose, en ces temps incertains et terribles, mais on sait infailliblement qu'ils reviendront.

Sur les cent cinquante colons qui s'étaient établis au fil des années sur l'Isle, cent dans les derniers mois ont été massacrés.

Il semble que ce ne soit qu'une question de temps avant que le nettoyage soit total.

Les Agniers constituent l'une des cinq Nations confédérées sous la bannière des Iroquois. On dit d'eux qu'ils sont belliqueux et fins stratèges, on sait qu'ils sont armés de mousquets par la Nouvelle-Hollande en échange de fourrures. Les autres Nations iroquoises sont les Goyogouins, les Onontagués, les Onneiouts et les Tsonnontouans. Les Cinq Nations sont en guerre depuis des décennies avec les Algonquins, les Hurons, les Ériés, les Pétuns, les Neutres…, tous ceux-là qui ont aussi accessoirement bâti des ponts avec les Français. La raison du conflit se perd sur l'écran irréel du temps. Il serait peut-être question de revendication de territoire, de la giboyeuse vallée du Saint-Laurent jadis occupée par les Iroquois et que les nouveaux trocs de fourrures rendraient alléchante. Peut-être. L'écran du temps est filtré dorénavant par l'œil et l'esprit des Blancs, d'où l'impossibilité d'une perspective parfaite.

Les Montréalistes, installés à flanc de mont Royal et pactisant avec leurs ennemis, font sans doute aux Iroquois une double offense.

Elle se dit malgré tout que c'est miracle qu'on les ait épargnés si longtemps.

Elle se rappelle maintenant le premier avertissement, que personne parmi eux n'a pu décrypter. Au moment où ils étaient si près de réaliser le grand rêve de créer une colonie franco-indienne, leurs alliés canadiens se sont évaporés. Plus un seul Algonquin, plus un seul Huron ne les a approchés, comme si les Français étaient pestiférés, et ils l'étaient, puisque les Iroquois venaient de les déclarer tels. Ça s'est su, vraisemblablement, parmi toutes les Nations. Ça s'est su que la guerre s'en venait fondre sur l'Isle de Montréal et que mieux valait s'en éloigner.

Elle ne sait rien de ces stratégies menaçantes qui enflent autour d'eux, et le saurait-elle qu'il n'y aurait pas de place en elle pour le doute. Elle songe même un temps à déplacer la colonie en plein pays ouendat, dans la Huronie, pour aller vers les Sauvages si eux ne viennent plus à eux, mais bientôt il n'y a carrément plus de Huronie. Les Iroquois commencent là-bas leurs travaux de guerre et d'élimination. Et s'en viennent, s'en viennent.

De premières escarmouches surviennent, une épisodique guérilla tenue à distance par Paul semble mourir dans l'œuf, un semblant de paix s'établit pour mieux se rompre, des rumeurs de massacres se confirment – après les pères Lalemant et Brébeuf, le poète jésuite Isaac Jogues et le donné *René Goupil seraient morts sous la torture, et puis un matin d'été le séisme frappe.*

Quarante Agniers font irruption en plein jour, tuant trois hommes, enlevant Catherine Messier et son mari Jean Beaudart, et laissant à demi mort derrière Michel Neveu, dit Chicot, scalpé et sanglant.

Ce sera le premier scalp qu'elle apprendra à soigner – bien loin du dernier.

Car bientôt, il n'y a plus de trêve dans les attaques, et la violence devient l'âpre pain quotidien.

Jusqu'à ce jour de juillet, massif et déterminant, qui à six heures du soir les laisse épuisés et près du découragement.

Ils tiennent ce soir-là, Paul et elle, un conciliabule consterné dans les appartements privés du gouverneur, comme cela leur arrive de plus en plus souvent. Il y a dix ans, Paul lançait ce qui était une boutade au gouverneur de Kebecq voulant freiner leur entreprise : J'y monte, *disait-il,* quand bien même tous les arbres de cette isle se devraient changer en autant d'Iroquois.

Voilà que la boutade a acquis une sinistre réalité.

Pour la première fois, elle l'entend parler d'abandonner Montréal.

Elle l'entend, mais cette fois elle ne peut être de son côté, du côté du découragement. En elle, le doute ne trouve toujours pas d'assise. Ville-Marie est l'œuvre de Dieu, qu'Il accomplira, même s'ils n'ont en ce moment aucune façon de connaître la manière.

Elle a cette idée.

Vingt-deux mille livres dorment en ce moment à Paris, données par la Bienfaitrice anonyme pour édifier l'hôpital de Montréal. Elle a l'idée de détourner cet argent pour lever une petite armée de cent hommes, l'idée de sauver le tout par cette partie.

Après avoir obtenu l'accord de la Bienfaitrice, dont le nom doit rester inconnu.

Elle a cette idée qui lui vient d'un espace plus vaste, comme viennent toutes les idées qui comptent, et par cette idée sans le savoir elle est en train de sauver la colonie en même temps que la présence francophone en l'Isle de Montréal. Elle est aussi en train de se préparer une fin bien amère, mais comment pourrait-elle se douter, elle qui s'est dissoute pour l'avènement de Ville-Marie, que plus tard on n'en finirait plus de l'accuser de vol et de détournement de fonds ?

Le temps est un tapis déroulant jonché de chambardements qu'il vaut mieux ne pas connaître à l'avance.

Paul de Chomedey, maintenant sieur de Maison-

Neufve depuis la mort de son père, s'embarque donc pour la France avec la mission de ramener du secours.

Il mettra deux ans à revenir.

Que dire de ces deux années en l'Isle de Montréal ?

Sur l'écran global, ce sont des points infinitésimaux qui se perdent aux côtés d'autres rebondissements plus spectaculaires.

Dans l'enceinte fortifiée de Ville-Marie, ce sont des jours éternels de claustrophobie et de terreur.

Personne n'est autorisé à sortir. Lambert Closse assure la défense en l'absence de Maison-Neufve, et galvanise la bravoure de sa maigre cohorte face aux assauts incessants. Les Agniers diront des Montréalistes : « Ce sont des démons quand on les attaque. »

Désormais, il n'y a que ça : la défense, et la survie.

La petite troupe est réduite à se nourrir de ce qui pousse dans les minuscules jardins de l'enceinte, à rogner sur ce qu'ils ont salé et mis en conserve. Interdites, les forêts giboyeuses où l'élan et la perdrix s'affaissent à la moindre balle, les eaux de la petite rivière regorgeant de truites, interdits les petits fruits rouges l'été dont ils deviennent au loin les fourrés alourdis. Parfois, comme un cadeau de Dieu, une volée de tourtes vient s'attarder près du Fort et les sauve de la disette.

Confinée dans ses petits appartements, elle entrevoit la croix au sommet de la montagne et se demande quand donc il sera possible de déambuler de nouveau jusque-là, le long des beaux sentiers ombragés, pour aller s'y recueillir sous la médaille de la Vierge. Et puis un jour elle ne voit plus la croix, car les Agniers l'ont incendiée.

Pendant ces mois qui stagnent comme des siècles, une barque venue de Kebecq mouille un jour à distance du fort de Ville-Marie, et repart avec la conviction qu'il n'y a plus personne de vivant en l'Isle.

Que les Montréalistes ne soient pas tous exterminés demeurera longtemps un sujet d'ébaudissement dans les autres postes de la Nouvelle-France.

Et puis un jour de la fin août 1653, le cauchemar prend fin. Maison-Neufve est de retour avec les effectifs promis, et plus encore. Il y a sur le bateau le premier chirurgien de l'Isle, Étienne Bouchard, il y a Marguerite Bourgeoys, une laïque de Champagne comme elle, de quatorze ans sa cadette, qui se montrera tout aussi ardente et qui vient accompagnée d'une douzaine de filles à marier, et il y a une armée de cent hommes.

C'est la première fois qu'on la voit pleurer. Mais c'est de joie.

LE RETOUR DE L'HOMME INVISIBLE

Une plume dans son pare-brise. C'est ainsi que la journée extérieure de Thomas commence.

Une plume noire coincée derrière l'essuie-glace, peut-être par un agent de stationnement facétieux qui estime qu'il a déjà payé plus que sa part de contraventions à la Ville. Ou alors glissée là en guise de publicité intrusive pour annoncer l'ouverture d'un club de danseuses qui s'appellerait Corneille, pourquoi pas. Car ceci est vraisemblablement une plume de corneille, corneille pigeon et moineau étant les seules bêtes à plumes avec lesquelles sa vie citadine l'a rendu à peu près familier, et encore, il lui semble que les moineaux ont beaucoup changé depuis son enfance. Quoi qu'il en soit, Thomas tourne la plume entre ses doigts avant de la confier au vent qui s'en empare et la fait disparaître. Il s'engouffre dans sa voiture, il file vers son rendez-vous hebdomadaire avec la frustration.

C'est un beau début de journée de janvier, un pâle soleil se coince à moitié entre les nuages, attendant de s'éclipser pour de bon sous la neige qu'on annonce abondante. Thomas a déjà eu le temps d'écrire deux heures, d'avaler trois cafés courts, et maintenant il est dans son élément favori, il sautille et virevolte sur le court comme une bête à plumes justement, et s'il parle, c'est qu'il tente d'emmener son partenaire dans cet espace de bonheur léger où il se trouve.

Laurel mon vieux tu es un bloc, ton épaule et ton bras un seul bloc, Épaulebras, regarde, Épaulebras s'en va loin derrière pour créer l'élan primordial l'élan originel le père de tous les élans, Épaulebras frappe la balle et continue GLISSE pousse SUIT la balle loin devant, aussi loin devant qu'il a été derrière, formidable c'est exactement ça, mais autre chose si tu permets, ta raquette…

Et ainsi, pendant près d'une heure. Thomas se dit toujours après coup qu'il aurait mieux fait de se la fermer et de jouer et de laisser Laurel jouer pour le pur plaisir de jouer, même si Laurel ne proteste pas ni ne montre aucun signe d'impatience – ne montre JAMAIS aucun signe de quoi que ce soit, en fait, raison pour laquelle l'un des deux, qui est invariablement Thomas, doit prendre en charge le dynamisme de la relation sous peine de la voir choir dans la platitude. Ou pis, dans le silence.

La frustration est celle-ci : Laurel, bombardé de directives, les assimile immédiatement comme un humus fertilisé et commence à donner des fleurs spectaculaires. Mais tout de suite après ça se déglingue, sans prévenir un processus de désertification se déclenche en profondeur et fatalement l'humus se mue en sable ingrat dans lequel toutes les satanées fleurs se mettent à dépérir. Et on ne parle pas uniquement de tennis.

Maintenant que le match est terminé et la douche prise et qu'ils se trouvent assis côte à côte comme deux copains à l'heure de l'apéro, la frustration de Thomas pourrait suivre l'exemple de ses muscles dégonflés et lâcher prise, mais ce n'est pas ce qui se passe. Il regarde Laurel du coin de l'œil et il se demande dans quelle partie du réservoir le fuel fuit, d'où vient cette panne d'intérêt à un âge où d'ordinaire l'on brûle et se calcine de passion – lui-même a-t-il jamais été pris à court de flamboiement ? – et pourquoi cet irritant petit cul sabote tous les talents que le destin a commis la bourde de lui confier. Joueur de tennis imbattable, scénariste à succès, ébéniste raffiné, il n'aurait qu'à piger dans un chapeau pour être triomphalement ce que ses virtuosités lui proposeraient, mais non, il choisit avec une tranquille obstination de devenir un raté pacifique.

— T'as quel âge, déjà ?

La question se veut innocente, mais Laurel n'est pas dupe, il prend le temps d'avaler une longue gorgée de Pepsi – du Pepsi !... pourquoi pas du lait ?... – avant de décocher à Thomas une salve ironique.

— Exactement vingt-cinq ans de moins que toi, papa.

Une autre façon de faire serait de poser la main sur l'épaule de Laurel suffisamment longtemps pour que leur chaleur se confonde et que les mots soient des compresses plutôt que des poignards : *Qu'est-ce qui va pas ?* Mais ce n'est pas ce qui surgit.

— Quand je t'appelle sur ton iPhone, dit Thomas avec une bonne humeur excessive, c'est une drôle de voix qui répond...

— Une drôle de voix ?...

— Oui... Un type bizarre... beaucoup plus bizarre que toi...

— Ah !...

Un hennissement de joie s'empare de Laurel et le secoue un moment, mais au lieu de partager avec Thomas les raisons de son hilarité il se calme tout seul et ne laisse flotter derrière lui que son éternel sourire de sphinx. Thomas sent l'irritation gagner du terrain, un bidule d'une centaine de dollars quand même, il y a des limites à dilapider les prodigalités des autres.

— Tu l'as perdu. Bon.

— Tout va bien, Thomas.

Tout irait beaucoup mieux s'il laissait tomber ce sourire téflon qui donne envie d'égratigner.

— Je n'en aurai plus besoin, de toute façon. Je me retire d'*Invisible Man*...

— Est-ce que j'ai l'air surpris ? soupire Thomas.

Le fait est qu'il ne l'est pas. Laurel vient de lui livrer son heure de télé la plus époustouflante, où au milieu de dialogues mitraillés le héros Tobias Crow se dénude de toutes ses illusions et descend en enfer – on le suit les entrailles en feu, on suffoque, on se délecte de suffoquer. Dans la logique laurélienne, que Thomas commence à connaître par cœur, c'est le moment parfait pour saboter le produit puisqu'il est excellent.

— Tu t'es trouvé un job ailleurs ? demande-t-il sans y mettre de raillerie.

— J'ai recommencé à écrire.

Il veut dire : écrire pour de vrai, car la scénarisation que professe Thomas est pour lui une sorte de caca avec lequel il a accepté de jouer un temps, question de revivre un peu de sa phase anale, peut-être, tout en engrangeant des salaires d'une ampleur qu'il n'est pas près de revoir. Cette fois, ça s'appelle de l'amertume, ce qui envahit Thomas.

— Et qu'est-ce que tu écris ? demande-t-il avec le plus de neutralité dont il est capable.

— C'est pas par dédain, ou jugement de valeur, comprends-moi bien… Il est très *correct*, ton personnage… Mais je reste sur ma faim… Tu m'as ouvert l'appétit, tu vois, et maintenant il faut que je me cuisine ma propre bouffe…

— Formidable !…

Ces métaphores alimentaires sont d'une mièvrerie à lever le cœur, et Thomas, comme chaque fois qu'il se sent happé par des émotions rugueuses, fomente immédiatement des résolutions : 1) carrément cesser de s'en faire pour ce post-ado qui est plus un adulte incompatible qu'un fils, 2) conséquemment fermer le robinet des finances de ce post-ado qui continue de le siphonner comme un fils, 3) s'assurer que Claire est disponible pour une bonne baise aussitôt qu'il rentre à la maison, 4) rentrer à la maison.

Thomas avale d'un trait le reste de son macchiato et s'empare de l'addition – car il est naturellement celui que l'on s'attend à voir régler les deux consommations, mais pour l'ultime et dernière fois, se jure-t-il. À vrai dire, c'est le mot *correct* qui continue de palpiter en lui comme après un coup en bas de la ceinture – *il est correct, ton personnage…* : pourquoi au moins ne pas avoir eu le courage de dire les vraies choses : il est nul à chier, ton personnage ?

— … il n'y a pas d'évidence au sujet de son cœur… il a brûlé selon toute vraisemblance, mais pourquoi ne pas imaginer qu'on l'a sauvé in extremis de l'incendie et enterré quelque part sous le sol de Montréal, et que c'est lui qui continue de pulser en dessous de nous et de nous inciter à la transcendance au dépassement sous n'importe quelle forme même déviée comme le casino ou le hockey ou l'amour… tu vois…

Thomas lève sur lui des yeux ahuris. Pendant tout ce temps d'introversion amère, Laurel s'enflammait de son côté et galopait vers une apothéose de ferveur dont il ne se rappelle pas avoir déjà été témoin, et dont il a complètement loupé le pourquoi du comment. Ça gravitera vraisemblablement autour de ce néo-projet gastronomique de cuisiner de la vraie écriture.

— Pardonne-moi, je t'ai perdu. Le cœur de qui ?… De quoi parles-tu ?…

— Jeanne Mance !… Le cœur de Jeanne Mance !

— Tu veux écrire un livre sur Jeanne Mance !

— Pas un livre SUR mais, comme je t'expliquais, inspiré DE, nourri par cet élan de mysticisme total qui a donné naissance à… à tout ça, à ici, à Montréal, bref, tu comprends…

Thomas n'en revient pas. On est bientôt au XXIIe siècle, on transplante des cerveaux transgéniques et des cœurs en plutonium, on nage dans les nanotechnologies, on flirte avec les cyborgs, on se déplacera incessamment par ondes virtuelles et voilà que ce surdoué apathique, cet ersatz de lui-même s'apprête à écrire un livre sur la cofondatrice de Montréal au temps des trois-mâts et du scorbut – un projet tellement passionnant qu'il sent qu'il pourrait de suite être projeté dans un sommeil éternel.

— Formidable, répète-t-il faiblement.

Il n'y a plus rien à dire. Il fouille brièvement dans son cellulaire pour saisir à qui il sera urgent de répondre par courriel, et qui il peut zapper immédiatement, il en profite pour composer le numéro de Claire, qui ne travaille pas le matin et ne se déplace jamais sans son téléphone, même pour uriner. C'est étrange, Claire ne lui répond pas, puis il se rappelle qu'hier encore il lui a signifié qu'ils se voyaient un peu trop souvent. Tant pis. Il en a pour quelques jours, ou plutôt quelques heures, avant qu'elle émerge de son cocon renfrogné.

Laurel est retourné en mode silence, lui aussi, et s'est même habillé de pied en cap pour affronter l'extérieur. Il a renversé le contenu de son havresac afin d'en extirper son foulard et ses gants, et qu'est-ce que Thomas aperçoit brièvement au milieu des cahiers, des barres de Toblerone et des comprimés de Pepto-Bismol ?... Une petite pyramide blanche, qu'il reconnaît aussitôt. Incroyable : Laurel se promène avec les cendres de sa grand-mère, *les cendres de Maman* ! En Thomas la stupéfaction le dispute à une sorte de colère, et puis d'inquiétude, quelle drôle d'idée, quelle initiative bizarroïde, même si Laurel et Françoise – que Laurel a toujours appelée Framboise –, même si ces deux-là ont, avaient, des atomes crochus et pour tout dire de similaires incompétences sociales. Si on y tient, il y a aussi entre eux cette pitoyable histoire de fantôme – Laurel perclus de fièvre au fond de l'Inde bactérienne en train d'halluciner sa grand-mère... – que Thomas n'a aucune envie d'évoquer. Le mieux est de faire comme s'il n'avait rien vu tandis que Laurel remballe dans son sac son chocolat et ses reliques funéraires.

— Je te dépose chez toi.

— Non non, assure Laurel. Je vais marcher.

Au moment de se quitter, une pulsion de chaleur les

balaie mystérieusement et les fait s'étreindre comme s'ils n'allaient jamais se revoir. Ça vient de Laurel, de Laurel qui l'embrasse avec une telle simplicité que l'odeur du petit garçon qu'il était s'échappe de la vaste mémoire du corps et envahit Thomas, le laissant sans défense, dépouillé de son irritation légitime. Il doit faire un effort pour se rappeler que son fils est un *loser*, que son fils vient de lui faire dans les mains.

— Prends soin de toi, tête de pioche, se contente-t-il de grommeler.

— Toi aussi, tête de pioche, lui répond Laurel, flanqué de son sourire universel.

Dehors, ils sont livrés chacun de leur côté à la lumière du jour et à la neige. Thomas marche vers sa voiture, le visage fouetté et la tête légère. Voilà une bonne chose de faite, se dit-il absurdement, comme si les moments de la vie étaient des épisodes de télé qui se fermaient les uns derrière les autres. *Une bonne chose de faite :* Laurel vu et éliminé à l'instant, Claire à voir et à éliminer bientôt. Il a souvent, comme ça, des pensées ineptes, des tics de langage qui lui sautent dans l'esprit – l'important est de ne pas les laisser franchir le seuil et atterrir n'importe où à l'extérieur, surtout dans l'écriture.

Le vent a commencé de mordre pour de vrai et d'entasser partout les traînées de poudreuse, y compris sur son pare-brise où tout est blanc jusqu'à ce qu'un nettoyage sommaire révèle du noir coincé sous l'essuie-glace.

Une plume noire.

En tous points semblable à celle du matin, lustrée, longue, bleutée à force d'être noire.

Temps dur pour les corneilles, se dit-il avec un rire bref.

Cette fois, il ne la jette pas. Il l'interroge du regard, minutieusement, tout en sachant qu'il faudrait une enquête autrement plus panoramique pour lui faire cracher son secret, et il finit par la déposer à l'intérieur de la voiture, sur le tableau de bord. Il sent très bien en ce moment qu'au lieu de rire il pourrait s'inquiéter, et que c'est certainement ce qu'on attend de lui.

Mais il ne leur fera pas ce plaisir : à On, Eux, à Elle.

Il a l'intuition forte d'une *elle*: ces plumes ténébreuses, cette signature presque menaçante a quelque chose d'aussi tordu que romantique, le comportement en bref d'une femme qui en veut davantage. Il a envie de participer à la performance ludique. De quelle *elle* s'est-il approché récemment, avec qui a-t-il échangé des étreintes susceptibles de faire naître des attentes, un désir de jouer ? Il glisse Cole Porter dans son lecteur pour l'atmosphère et l'énergie, il pianote sur les touches de sa mémoire en souriant d'excitation. Il exclut immédiatement Claire, blonde et simplissime, peu portée sur le mystère. Il y a bien eu Lydia à New York et puis une petite boulotte amusante dont il a oublié le nom dans un festival à Chicago, mais ici, à Montréal... Il commence à rouler à très petite vitesse dans le blizzard maintenant installé.

Mona. Mona surgit dans son esprit, Mona à qui il n'a pas pensé depuis des siècles, Mona, cet épisode – cet épisode de télé... – terminé lockouté désastreux.

Mona opaque et lustrée, aux cheveux bleutés, à la grâce d'oiseau fantasque, Mona folle dans le sens le plus souverain du terme, folle de lui un temps, un long temps, et puis décidant soudain que plus du tout, Mona bannie de sa mémoire pour cause de douleur imparable.

Que ferait-il si c'était Mona, ces plumes noires, Mona tâtant le terrain avant d'amorcer un nouveau débarquement dans son existence?

Ce qui se glisse en lui est incertain, et lui noue tranquillement les entrailles.

Il stoppe la musique, qui lui est maintenant insupportable, et presque aussitôt il se voit forcé de stopper aussi la voiture.

C'est que devant lui, hallucinantes au milieu de la poudrerie, deux silhouettes noires viennent d'apparaître qui lui bloquent le passage. Une grande et une petite.

Un homme et un enfant.

Tout cela dure une seconde, à vrai dire, l'apparition de cette muraille vivante en plein milieu de rien, les freins appliqués d'instinct et le cœur qui cogne parce que les risques d'emboutir les corps étaient bien plus grands que ceux de les éviter, et voilà que les deux presque victimes se pressent contre sa portière et qu'il leur ouvre.

Ce n'est pas un enfant, c'est un chien qui accompagne l'homme. Blancs de neige, haletants, ils se partagent l'espace de la voiture sans lui demander son avis, le chien sur la banquette arrière et l'homme devant, et sous la neige qui fond ils émergent tous deux mouillés et noirs, aussi noirs l'un que l'autre.

Thomas n'a jamais rencontré le chien, mais l'homme, oui, il le reconnaît instantanément.

Tobi Crow.

— *Long time no see*, dit Tobi Crow.

Ces mots-là, venant d'un aveugle, ont le pointu d'un projectile. Thomas les reçoit en plein front, ça et l'ahurissement d'avoir à côté de lui quelqu'un qu'il a oublié si fort qu'il ne le croyait même pas mort – juste depuis toujours inexistant. Il faut récapituler, retourner en arrière, dans un territoire instable où Tobi Crow n'était pas encore le personnage de fiction Tobias Crow, mais un artiste mohawk alcoolique rencontré dans la réserve de Kahnawake au cours d'une vie antérieure – et il faut faire cela très vite, Thomas le sent.

— Eh bien, dit-il, eh bien. Pour une surprise.

C'est tout ce qu'il parvient à articuler, surpris lui-même de se voir ainsi perdre pied sous une vague de fond, une vague de peur. Un grand froid s'est installé dans la voiture. Pourtant, tout contre sa nuque, il sent l'haleine torride du chien. Il met la main sur quelques mots, une bouée de fortune.

— C'est un doberman, ton chien ?

— C'est un chien, répond Tobi.

Il a enlevé ses gants de cuir noir et se secoue maintenant les doigts pour les réchauffer. Il tourne ses yeux couverts de verres embués vers Thomas, mais c'est au chien qu'il s'adresse.

— Loubo, je te présente Thomas Bouchard. Le voleur dont je t'ai parlé.

Thomas articule un début de protestation. Le chien émet un cillement agressif contre sa nuque.

— Roulons, commande Tobi avec douceur.

— Où tu veux aller ?

— Roule. Où tu vas je vais.

Des paquets de neige assaillent le pare-brise et

gomment le paysage dans lequel il faut pourtant avancer, et Thomas se colle comme un très lent paquebot au sillage des feux arrière des autres voitures, sans perdre toutefois l'alerte généralisée de ses autres sens, car le danger est aussi à l'intérieur.

Oui, Thomas le reconnaît tout à fait, Tobi Crow. Même à cette époque d'avant où il tanguait sous l'emprise de l'alcool et d'autres substances, où il était aveugle sans chien et sans canne blanche, une grandeur émanait de lui, et une violence aussi, sur le point de jaillir sans cesse et se retenant. Tout de noir vêtu comme maintenant, sans rides et sans âge, la voix calme et douce en toutes circonstances, avec simplement des modulations glacées pour marquer la menace. Un être rare, ayant trouvé en lui la source du pouvoir, et vivant désormais dans la conscience de ce pouvoir. Comment Thomas ne se serait-il pas inspiré de Tobi Crow pour créer Tobias Crow? Inspiré, oui, et rien d'autre, inspiré dans le sens de contempler longuement avant de s'éloigner.

— Tu sais pourquoi je suis ici, dit Tobi Crow.

— Non, dit Thomas, et il ne ment pas.

Il pense : ici à Montréal? ici dans ma voiture? Et soudain la plume noire sur son tableau de bord lui accroche le regard et accélère ses battements de cœur. Il ne sait pas comment cela est possible, avec la neige, la cécité, et l'aléatoire de ses allées et venues, il ne sait pas comment, mais il sait que cela est.

Tobi Crow a glissé ces plumes sur son pare-brise, l'a suivi jusqu'au centre sportif, l'a attendu tapi dans le noir total, et a surgi pile au milieu du blizzard. C'est démentiel et impossible, mais c'est ainsi.

— Les as-tu jetées ? demande Tobi.

— Quoi ? dit Thomas, même s'il connaît la réponse.

— Ça porte chance, les plumes de corneille. Quand on a le cœur propre. Sinon, c'est vrai, tu fais mieux de les jeter.

Thomas se gare contre le trottoir, parce qu'il ne peut pas à la fois naviguer dans la tempête et capituler. Il décide de capituler tout de suite, pour sauver ce qui peut être sauvé.

— Qu'est-ce que tu me veux ?

— Pourquoi t'as cessé de rouler ?

— Je ne vois rien, plaide Thomas.

— *So what ?* fait Tobi en se mettant à rire, un rire véritable, sans menaces voilées.

Il sort de sa poche un paquet de cigarettes de marque inconnue, où la tête de mort usuelle a été remplacée par une tête d'Indien empanaché.

— Est-ce que je peux fumer dans ta voiture ? demande-t-il en actionnant déjà son briquet.

— Non, ose répondre Thomas.

Tobi ne proteste pas. Il replace le tout là où il l'a pris, tranquillement.

Cette journée d'il y a à peu près quinze ans, ils sont assis de la même façon, côte à côte, mais dans les marches d'un escalier plutôt que sur une banquette de voiture. Ça se passe après ce qu'on a appelé la crise d'Oka, subit embrasement entre Blancs et Mohawks, entre descendants de Montréalistes et descendants d'Agniers, ces deux clans irréconciliables depuis les débuts de la colonie. Bien sûr, comme l'Histoire est une créature bégayante, il est arrivé ce qui ne pouvait qu'arriver et la crise s'est soldée par le lessivage du clan qui était déjà lessivé, mais quelques-uns du clan des vainqueurs ne sont pas d'accord et digèrent de travers les radotages douteux de l'Histoire. Dont Thomas. Cette journée d'il y a à peu près quinze ans, quelques mois après la dégelée d'Oka, c'est le printemps et Thomas se trouve donc à Kahnawake, village décati où les maisons semblent de carton détrempé, où l'on vend des cigarettes et de l'alcool à petit prix, et à gros prix des raquettes de babiche et des poupées laides en peau de chevreuil, et il interroge certains Mohawks plus loquaces que les autres et il prend des notes, empreint d'empathie véritable et de soif d'osmose avec les nations opprimées. Tobi est le dernier qu'il rencontre, et le seul qui lui fait cette explosive impression. Sur le coup, il n'a pas la moindre idée qu'un résidu dramatique s'ancrera en lui et germera sous forme de personnage de film, il n'est qu'ouverture et ébahissement, car l'artiste aveugle warrior le mitraille de ses hallucinations éthyliques et le jette à terre.

— Sur le coup, dit abruptement Tobi, on est toujours innocent. C'est ce qu'on fait après qui compte.

Thomas sort de sa torpeur et tourne la tête vers lui. A-t-il donc pensé à voix haute ?

— Roule, dit Tobi. Et calcule en ton for intérieur ce que tu me dois.

— Je ne te dois rien, dit Thomas avec une fermeté qui le surprend.

Il recommence à rouler, malgré la visibilité presque nulle, dans un état de détachement singulier. Si Tobi Crow, en proie à un délire paranoïde, décide de l'assassiner ou de le faire étrangler par son molosse, il n'y peut rien, il ne se sent pas vraiment concerné et certainement pas coupable. Tobi recommence à parler, la voix si lente que chacun de ses mots, aussitôt formé, semble s'engourdir et geler sur place.

— Tu m'as volé ma parole, en la reproduisant de travers, tu m'as volé mes actions, en les détournant de leur but, et tu m'as volé mon nom. Combien ça vaut, tout ça, tu penses ?

— Tu ne connais rien à l'écriture, s'enflamme Thomas. Sans arrêt on s'inspire de la réalité et des gens, de quoi d'autre pourrait-on donc s'inspirer ? Et sans arrêt on les déforme, comme tu le dis si bien, en les reproduisant de travers et en les détournant de leur but, justement parce qu'on s'en inspire au lieu de les copier ! Tout fait partie de la vie, et la vie n'a pas de copyright, tout le monde puise dedans, surtout ceux qui écrivent !

D'ailleurs, pourrait-il ajouter, je t'ai payé, cette unique fois là où tu m'as déballé tes histoires et ta folie, je t'ai payé en t'achetant deux œuvres à un prix faramineux compte tenu de l'époque et de ton absence de notoriété, deux peintures si effrayantes que je les garde depuis toujours dans mon garde-robe sans pouvoir les accrocher.

— Ça ne compte pas, dit Tobi.

Thomas tressaille. Cette fois, il est sûr de n'avoir rien exprimé à voix haute.

— … Tu as pris mon nom, continue Tobi, et tu m'as enlevé mon identité, mon identité de Mohawk, tu as fait de moi un cochon de Blanc dégénéré qui boit comme un trou et qui n'a aucune valeur…

— … C'est bien la preuve que ce n'est pas toi, tente d'argumenter Thomas.

— Silence ! gronde Tobi, la voix tombée d'un cran – tandis que le chien qui reconnaît la glace dans la voix gronde aussi derrière et que la poudrerie feule dehors. Je sais ce qui est à moi et ce qui ne l'est pas.

Avoir gardé son nom était une erreur, Thomas est prêt à le reconnaître maintenant que l'erreur est irrécupérable, avoir gardé presque tout de ce nom – Tobias au lieu de Tobi, infime transformation, trop infime pour ne pas être insignifiante – était une erreur magistrale, la seule erreur du projet, et pourtant même maintenant cette erreur, il la répéterait. Thomas se rappelle ce jour-là à Kahnawake avoir succombé au pouvoir de ce nom, Tobi Tobias Crow, au pouvoir de l'énergie fauve qui coulait avec les sons de ce nom, impossible à fractionner, le nom et l'entité magnifique recouverte par ce nom, Tobi Tobias Crow peintre aveugle déchaîné peignant une réalité invisible. Mais Thomas s'en est éloigné, il le jure, il jure qu'il s'en est éloigné assez pour pouvoir appeler fiction tout ce qui survient à Tobias Crow, dorénavant montréalais plutôt que mohawk – même la cécité, il l'a traficotée puisque Tobias Crow retrouve la vue à la moitié du scénario, point tournant qui transmute la réalité en une mixture de monde extérieur et d'imaginaire que Tobias impose aux autres par la seule force de son esprit, d'où la fascinante surréalité du récit.

— *Bullshit,* dit Tobi à côté de Thomas qui n'a pas ouvert la bouche.

Bullshit, For chrissake, I couldn't care less... Ce sont quelques-unes des expressions lapidaires qu'aime éjecter le personnage Tobias Crow pour déstabiliser les autres, et c'est Thomas qui les a inventées et les lui a mises en bouche. Maintenant, en toute malhonnêteté, les mots de Tobi usurpent ceux de Tobias et la réalité et la fiction s'entortillent à ne plus pouvoir les distinguer l'une de l'autre.

— Vingt pour cent, dit Tobi. Vingt pour cent de tes droits d'auteur, une fois tes taxes, impôts et redevances de bon citoyen réglés. Tu vois comme je suis raisonnable.

Thomas échappe un rire qui ressemble à un rugissement, auquel le chien ajoute en écho sa propre musique menaçante et chaude, très chaude contre sa nuque.

— Tu plaisantes, s'esclaffe-t-il.

— Vingt pour cent, pas une cenne de moins, poursuit Tobi. Ce n'est pas pour moi, je n'ai besoin de rien.

— Je ne te donnerai pas un sou, dit Thomas. Ça s'appelle de l'extorsion, ce que tu fais là, et c'est criminel.

Tobi s'est carrément tourné vers lui, et Thomas perçoit avec inquiétude l'exaltation qui agite le haut de son corps et fait briller les miroirs de ses yeux, et bientôt transperce sa voix plus haut perchée que d'habitude.

— Avec l'argent, voici ce que tu vas faire. Il y a un homme qui quête au centre-ville, et qui s'appelle Charlie Putulik. C'est un Inuit, il est facile à reconnaître, The Laughing Burglar, tout le monde le connaît. Tu vas le ramener dans son village, à Kangiqsujuaq. À tes frais. Tu vas verser l'argent au village de Kangiqsujuaq, vingt pour cent de ce que tu reçois, pas un cent de moins, pour qu'ils s'occupent de lui, de lui et de tous les autres comme lui, qui manquent de tout à cause des Blancs, des cochons de Blancs.

Il ne dit pas *des cochons de Blancs comme toi*, mais c'est ainsi que Thomas le reçoit.

— Tu es fou, dit froidement Thomas.

— Charlie Putulik, de Kangiqsujuaq. Note bien tout ça dans ton crâne à l'imagination gaspillée.

Il reprend sa place au centre du siège et s'y carre dans un silence paisible. Thomas est si irrité qu'il flanque un coup de poing au volant et que la voiture va tanguer au milieu du boulevard où elle est accueillie par un concert de klaxons paniqués. Tobi a un rire amusé.

— Maîtrise ton cheval, dit-il.

— *Fuck you.*

— Et guide-le sur Maisonneuve. Nous descendons au métro.

— Qui ça, nous ?

— Pas toi, pas cette fois-ci, dit Tobi en souriant. Seulement nous, Loubo et moi, les deux Sauvages.

Thomas choisit de ne pas relever la menace subtile de ce *pas cette fois-ci*. Ensuite, pendant que la voiture se laisse manœuvrer tant bien que mal dans l'univers opaque à travers des détours et des bouchons, plus un mot ne circule entre eux. Même le chien s'est couché sur la banquette arrière et somnole en chuintant de bien-être. Thomas est seul à mariner dans des pensées bouillonnantes – tout ça est trop injuste et révoltant, lui qui a toujours défendu les droits bafoués des Autochtones envers et contre les bien-pensants de son milieu dit artistique, lui dont l'honnêteté est proverbiale au sein d'une industrie de requins avides, lui qui donne déjà tout aux autres, à son fils frigide, aux femmes insatiables, au public sans cœur, aux producteurs tyranniques. Et puis le silence de ses passagers se communique à lui, comme une exhortation à lâcher prise, et sans savoir pourquoi il se détend. Il coule un regard vers son compagnon de banquette, plus immobile qu'une pierre, dont même la respiration semble suspendue. À vrai dire, qu'a-t-il à craindre d'un homme plongé dans le noir total, dont la moindre déambulation dépend d'un cerbère ? Il est libre, il n'est coupable de rien, il n'a pas signé de contrat ni vendu son âme au diable. Tout ça se terminera bientôt avec l'éjection hors de son existence en même temps que de son véhicule de ces compagnons indésirables.

Et si Tobi Crow tient à lire dans ses pensées, eh bien, qu'il ne s'en prive pas et constate par lui-même l'inanité de son chantage.

Tobi ne bronche pas et rien ne se passe, hormis le blizzard qui montre des signes d'essoufflement, comme un clin d'œil amical à l'adresse de Thomas. Au milieu du paysage qui revient peu à peu au monde, le clocher de l'UQAM apparaît, et avec lui la promesse de métro et de libération. Tobi sort de sa torpeur.

— Nous approchons ? demande-t-il.

— Nous sommes arrivés, dit sobrement Thomas.

Par superstition ou sagesse véritable, il n'ose pas se laisser aller à la moindre jubilation, même intérieure. Il guette Tobi du coin de l'œil. Il immobilise sa voiture en double file, avant de se raviser et de se coller dans un interstice près du trottoir enneigé – après tout, le but n'est pas tant de voir ses passagers écrabouillés par un chauffard que de les larguer dehors au plus sacrant.

— Infiniment aimable, fait Tobi avec un sourire narquois.

Il touche la poignée de la portière. Il va sortir. Il sort. Il laisse béante la portière pour que le molosse, bardé d'un attelage que Thomas n'avait pas remarqué, bondisse à l'extérieur. Thomas crispe les mâchoires – mon Dieu, qu'il ferme la portière, qu'ils décampent, que ça se termine. Tobi agrippe Loubo par son harnais, se penche dans l'embrasure et reste cambré vers Thomas un temps interminable. Il lui jette finalement quelques mots comme il lancerait un os à son chien.

— Ne m'oublie pas… Épaulebras!

— Quoi?…

Tobi claque la portière. Thomas doute aussitôt d'avoir entendu ce qu'il a entendu et retient son souffle, les yeux rivés sur l'homme et le chien noir qui disparaissent de son champ de vision, avalés par la gueule du métro. Il recommence à respirer normalement. Il laisse aller un fou rire convulsif.

Quelle histoire tordue, indescriptible, déplaisante.

À qui pourra-t-il donc la raconter?

Pas à Claire. Peut-être à Laurel.

Au pire, il l'écrira.

Quand il jette un regard dans le rétroviseur pour reprendre la route, son sang se fige.

Derrière lui, il n'y a *rien*.

Il n'y a pas de rue, pas de bâtiments ni de voitures ni de piétons, pas de neige ni de blizzard, pas de ciel, pas de gris comme est gris un paysage nappé par le brouillard, pas de couleurs – et pas d'absence de couleurs. *Rien.*

Rien, comme dans : il n'y a jamais rien eu.

Thomas sort de sa voiture, paniqué. Il pourrait se tourner simplement pour vérifier ce qui se passe derrière, mais il en est incapable. En lui, la conviction rampe et s'installe, il ne s'agit pas d'une hallucination, ce *rien* aperçu derrière est terriblement vrai, est la trame réelle de tout ce qui apparemment s'agite devant, et autour, et partout.

Il pense soudain à Tobi Crow, ou plutôt l'image de Tobi Crow s'impose à lui, le sourire gouailleur sous les verres opaques.

Quelqu'un avance sur le trottoir plus loin. Quelqu'un d'autre s'arrête pour lui demander quelque chose – il doit faire un effort pour réagir correctement, pour comprendre et répondre : non, tout va bien, il n'a pas besoin d'aide, tout va très bien.

Il se met à marcher lui-même sur le trottoir, au milieu de gens qui le dépassent, le rencontrent, le frôlent. En toute normalité. En toute normalité, le boulevard De Maisonneuve déploie ses façades et ses commerces bourrés d'activité, la neige ne tombe plus et repose inerte sous les pieds. Même derrière où il vient d'oser jeter un regard, les apparences sont redevenues sauves – chenillettes qui déblaient les trottoirs, autos qui filent –, mais en Thomas quelque chose continue de trembler, une méfiance nouvelle envers cette normalité qui pourrait bien être une imposture.

Il a besoin impérativement d'un oasis en ce moment. Il se rappelle que son fils habite sur ce même boulevard, à peine plus loin à portée de pas.

Après un vaste rez-de-chaussée bondé de créativité bric-à-brac, au bout de six étages reliés par un ascenseur vétuste, Laurel apparaît enfin sur le pas de sa porte. Il s'efface aussitôt pour laisser entrer Thomas, sans montrer de surprise. Thomas ne dit pas : Ma voiture est en panne, ou J'ai besoin d'aide, il fait irruption sans plus de manières et jette son manteau humide sur le premier fauteuil rencontré.

— Je prendrais bien un verre d'alcool, dit-il.

C'est le genre de demande succincte avec laquelle, étrangement, Laurel est parfaitement à l'aise. Il glisse vers le fond de l'appartement et revient avec une bouteille et deux verres.

— Ton porto, annonce-t-il en souriant.

Thomas doit s'asseoir pour enlever ses bottes – je vieillis, constate-t-il avec abattement. L'abattement est tel, à vrai dire, qu'il pressent qu'il a peu à voir avec l'âge ou la forme physique. Il survole du regard la portion des lieux qui lui est visible. Les murs de l'appartement de Laurel portent encore les stigmates de la cinglée qui était dans sa vie. Noirs ils sont restés, malgré l'aide proposée par Thomas, l'offre de peintres professionnels, et cætera. Un vieil écœurement le soulève.

— Tu n'as toujours pas repeint, dit-il avec irritation.

Laurel ne cille pas.

— J'y prends goût, dit-il gaiement. Tiens. Bois.

Bois et tais-toi, entend Thomas, et il ravale son anxiété mal dirigée.

Ils s'assoient sur le grand sofa confortable – offert par Françoise, se rappelle Thomas. Tout ce qui est beau dans l'appartement de Laurel vient de Françoise, est comme une floraison issue de leurs entrelacements chaleureux. En se forçant un peu, Thomas pourrait même percevoir le parfum de sa mère lentement évaporé – peut-être émane-t-il de la petite pyramide blanche trônant maintenant sur le guéridon en face d'eux, parfaitement accordé avec l'espace, cette fois. Laurel suit le regard de Thomas.

— J'aurais pu aussi t'offrir du pineau des Charentes, dit-il. Le Marnier, celui qu'elle buvait.

— Ça va bien comme ça, dit Thomas.

Laurel installe un CD dans son vieil appareil. Bientôt, entre les flûtes et les sitars s'élève une voix d'homme prenante et rauque, qui va droit au plexus.

— C'est un extrait de la *Bhagavad-Gita,* fait Laurel.

Aucune idée de ce dont il parle, mais Thomas acquiesce volontiers. Ils boivent sans parler. Il pensait essentiel de raconter ses dernières heures, mais l'envie n'est plus là, ni l'anxiété d'ailleurs. Il s'abandonne au silence distillé par la musique et aux parfums de sa mère, comme frappé d'amnésie. Il est bien.

— Ça tombe pile que tu sois là, dit soudain Laurel. Je voulais te montrer quelque chose.

Il n'a qu'à étendre le bras pour atteindre ce qui lui tient lieu de bureau – une table de cuisine en arborite et sa chaise en métal, de pauvres meubles qui ceux-là ne doivent rien à la prodigalité de Françoise. Il se saisit d'un petit paquet de feuilles retenues par un trombone et le dépose sur les genoux de Thomas.

— C'est un chapitre de mon livre, dit-il avec un sourire particulier.

Ça s'appelle *Le Rendez-vous.* Thomas le feuillette rapidement – cela fait tout juste 39 pages –, et il s'arrête net sur un passage parce qu'il vient d'y trouver son nom, Thomas.

— Ton livre sur Jeanne Mance ?...

— Pas SUR Jeanne Mance!... Je t'ai expliqué, déjà...

Le nom Thomas, incidemment, apparaît partout. Il s'agit visiblement du personnage principal.

— Et tu m'as mis dans ton livre, constate Thomas, amusé.

Il comprend maintenant l'expression indéfinissable sur le visage de Laurel : un mélange de fierté et de... De quoi, au fait ? D'appréhension ?

— Oui, dit Laurel. Mais c'est une fiction. Ce chapitre-là est inspiré de toi, mais c'est aussi une fiction. Tu comprends ce que je veux dire.

— En principe, oui, fait prudemment Thomas.

— Éventuellement, je vais changer les noms. Mais là, c'est sorti comme ça.

Les noms sont tous là, les vrais, ceux de la vie ordinaire et moins ordinaire, ceux qui percutent et qui arrachent encore tout sur leur passage. Thomas, oui, et Elena et Donald, et même Claire. Et Tobias Crow.

Et surtout, surtout, Mona.

Thomas ne prend pas la peine de se caler confortablement sur le sofa, il lit tout, d'une traite, en équilibre instable sur ses genoux, les épaules raidies par l'attention. Il oublie même la présence de Laurel, à quelques centimètres de lui, plus seul qu'un astronaute dans l'espace.

Quand il a fini de lire, il retourne au début, compulse de nouveau des passages, chiffonne les dernières pages à force de les parcourir.

— Et alors ? demande Laurel.

Thomas jette la pile de feuilles sur le sofa à côté de lui.

— Tu ne t'attends pas, j'espère, à ce que je te fasse des commentaires sur tes qualités littéraires, dit-il froidement.

— N'importe quel commentaire, dit Laurel.

— Je n'aime pas ça du tout, dit Thomas.

— Bon, dit Laurel.

— Et je ne comprends fichtre pas pourquoi tu écris sur moi, ce que vient faire dans un soi-disant livre sur Jeanne Mance mon histoire pitoyable avec Mona !...

— Si tu me laisses t'expliquer, c'est un livre qui parle d'absolu, de quête d'absolu...

— Tu ne t'es même pas mentionné !...

— ... et ta peine d'amour était en elle-même si forte, si souveraine, qu'elle m'a semblé elle aussi une expression de l'absolu...

— ... comme si je ne t'avais jamais mis au monde, jamais élevé comme un vrai père, tout seul comme un pauvre type pour se taper tout le travail de parent !... Et mon frère Pat est mort quand j'avais six ans !... Et ça ne s'est pas passé du tout comme ça avec Donald !... Et je n'ai jamais été le geignard que tu décris !...

— C'est une fiction, Thomas, dit doucement Laurel.

— Mais il y a beaucoup trop de moi dans ton histoire !... J'exige que tu changes les noms !... M'entends-tu ?...

— Bien sûr, je te l'ai dit. Je vais changer les noms.

J'exige que tu jettes tout ça, j'exige que tu n'aies jamais écrit une chose pareille, voilà ce que voudrait dire Thomas et qu'il ne dit pas, retenu ultimement par un reste de raison pulsant loin en arrière-plan de lui, tel un personnage secondaire.

Il se verse un troisième verre de porto, en avale une immense rasade. Il ne sait pas comment mater ce qui s'est levé et l'étreint en ce moment, ce mélange de fureur et de tristesse noire qui menace de percuter Laurel et de l'engloutir lui-même.

C'est Laurel qui désamorce la bombe avant qu'elle n'explose. Il touche l'épaule de Thomas.

— Pardonne-moi. C'est un personnage, tu sais bien, ce n'est pas toi, c'est juste une image de toi…

— C'est moi ! coupe Thomas, la voix étranglée. Tu ne comprends rien, c'est moi et ce n'est pas moi, c'est ça le pire…

Quelle catastrophe. Il est bel et bien en train de chialer.

— Je voudrais que ce soit complètement moi ! Je voudrais être devenu ce que tu dis que je suis devenu à la fin ! Cette sagesse-là ! Cette paix-là ! … Mais je ne suis rien de ça : je rêve encore à elle, je la déteste, il n'y a plus d'amour en moi !

— Voyons, papa, ça viendra. Tu n'as pas dit ton dernier mot, tu sais que ça viendra.

Laurel ne le touche pas, mais il le sent très proche et bienveillant, une partie de son propre corps. Il chiale sans retenue sur le sofa, toute pudeur bafouée, comme un pauvre type, comme le personnage Thomas justement, et ça n'a rien à voir avec ce qu'il imaginait, c'est douloureux mais chaud, et pas du tout déshonorant, comme s'il était malade chez lui et avait six ans et qu'on le bordait dans des draps de flanellette.

LE RENDEZ-VOUS

Après-midi 1

Il se pince. Pas la main, qu'il a maigre et un peu insensible, mais plus haut, dans le gras du biceps où une vieille névralgie ne demande qu'à se réveiller. Il se pince au sang. *Reviens ici, reste ici, bon vieux Thomas, je te le demande, je ne t'ai jamais rien demandé.* Ça réussit. Il se récupère. Il est bien là. Sous la peau qui fait mal, il y a Thomas.

Mais sous Thomas, il ne sait plus trop ce qu'il y a.

Il marche dans l'appartement, en traverse et retraverse les huit pièces. Il se voit marcher, il apprécie son propre détachement, son élégance tranquille. Marcher est naturel et hygiénique. Qui ne marche pas ne peut s'enfuir de nulle part. Il se jette un regard encourageant dans le miroir de l'entrée.

Il est très calme. On ne dirait jamais que sa vie vient de se fracasser en deux.

Elle a laissé des choses à elle derrière, des bibelots, des meubles, des livres, quelques vieux vêtements, mais ce sont des choses asexuées qui, du fait qu'elle les ait abandonnées volontairement, ne la reconnaissent plus, ne la proclament plus. Il cherche des traces autrement plus animales : un morceau de bijou, un peigne un peu gras, un jupon oublié dans le tiroir. Des mouchoirs utilisés et des *tampax* salis feraient parfaitement l'affaire, oui, il fouille dans la poubelle de la salle de bain avec la dignité d'un clochard sûr de ses droits. Rien. Elle a veillé à tout bien rafler, par égard pour lui, ou par cruauté.

Bien sûr, il reste son parfum, assassiné tranquillement par le contact des molécules d'air neutres, anéanti bientôt puisque s'anéantissent même les êtres solides. Il ferme toutes les fenêtres, pour retarder un peu l'assassinat.

Il trouve un bouton par terre, sur lequel il serre le poing comme un prédateur.

Ceci est à lui. Tout ce qui est dans cet appartement de la rue De Bullion n'est dorénavant qu'à lui. La vue sur la montagne, la terrasse, les orchidées, les électroménagers, les ustensiles en laiton, et il y en a beaucoup. Les lieux ne disent rien de ceux qui sont passés. S'il le souhaite vraiment, il pourra continuer de vivre comme si de rien n'était, avec la complicité des électroménagers.

Il faudrait juste que ses parties constituantes acceptent de se rassembler, que son esprit et son corps recommencent à coïncider. *Reviens ici, Thomas.*

Il examine mieux le bouton. Quel morceau de Mona vit encore en condensé dans sa main ?

C'est un bouton tombé de sa veste à lui.

Fin d'après-midi 1

Ça va. C'est ce qu'il répond à la caissière de l'épicerie fine qui s'informe de lui, et il n'a pas du tout l'impression de mentir. La fin de journée est belle, l'épicerie fine vient de recevoir du caviar de saumon, sa faiblesse, et la caissière aussi est belle. Il n'avait jamais remarqué avant à quel point la caissière avait de beaux seins fermes. Maintenant, il perçoit tout avec une acuité multipliée, le rouge des tomates, l'orange du caviar, le moelleux des entrecôtes, les seins de la caissière, maintenant qu'il est libre. Il est libre depuis deux heures. La liberté est angoissante au début, avant qu'elle ne révèle sa vraie nature. Il sent ramper en lui les premières ondes de jubilation des êtres libres, il sent déjà au moins à quoi ça ressemble. Peut-être est-il plus doué que la moyenne pour la liberté. Peut-être est-il justement en train d'en faire la preuve, se préparant un gueuleton en tête à tête avec sa vie nouvelle au lieu de se précipiter sur les autres comme un naufragé, comme un pauvre type.

Au moment de payer, il se rend compte qu'il a pris deux entrecôtes. Bien entendu, vieux cheval machinal, il en a pris deux comme ce n'est maintenant plus nécessaire, deux comme un et un font deux. Ça lui donne un coup, ce chiffre deux qui s'allume dans sa tête tel un rappel étincelant, l'intuition d'une perte irremplaçable. Il tente de l'éteindre. Deux, ce n'est qu'une idée. Une idée de bonheur. Comment lutter contre tous ces deux protéiformes qui se dresseront sur son chemin pour lui rappeler ce qu'il n'est plus ? La caissière l'aide à ranger ses entrecôtes dans le sac tellement les mains soudain lui tremblent.

Qui a inventé ça ? Quelqu'un, un jour, a dû inventer la douleur, et prendre tellement de plaisir à son invention qu'il n'en a plus fini après d'y ajouter des fioritures, des raffinements inédits. Par exemple, Thomas, en ce moment, tombe dans un gouffre. Cinq minutes auparavant, il était tranquille, l'odeur de la viande grillée et une symphonie de Mahler emplissaient ses neurones et voici que maintenant, il tombe. Le passage brutal d'un état de stabilité à un état d'apesanteur totale fait partie de la douleur, mais le pire reste le gouffre lui-même. Si le gouffre était à l'extérieur de lui, il pourrait toujours le repousser, quitte à ramper pour s'en éloigner, mais il est le gouffre, il est à la fois celui qui tombe et l'orifice béant, horrifiant dans lequel il tombe. Tout se dérobe sous ses pieds, tous les points de repère accumulés laborieusement au fil de son existence, il tombe dans l'angoisse pure, dans une quintessence du mal concoctée génialement par le Pro de la douleur. Rien d'autre ne peut survivre à cette profondeur-là, aucun cri, aucune larme, aucune bouée.

Il tombe. *Cramponne-toi, Thomas, bon sang, Thomas.* Il est en danger, en danger de bien pire que la mort, et il ne s'en sortira pas seul. Au moins, au milieu de la chute libre, il met la main sur cet éclat de lucidité, ce bijou de pauvre. Il a absolument besoin des autres en ce moment, et il y a justement plein d'autres dans sa vie. Ils vont tous arriver avec des civières s'il les appelle. Pat, Elena, Ludovic, Marielle, Claire, Donald.

Vite.

Nuit 1

Elle est venue tout de suite. Et maintenant, elle se presse autour de lui avec son thé au jasmin, ses compresses d'eau froide, ses desserts sucrés. Ses mots, surtout. *Ne parle pas, Maman.* Mais c'est ce qu'elle aime le plus, parler. Elle parle contre Mona. Elle est intarissable. Il ne savait pas qu'elle avait amassé tant de fiel et de ressentiment contre Mona, elle a sournoisement caché son jeu ces quatorze dernières années où ils ont été ensemble. Chaque fois qu'elle ouvre la bouche, elle lui enfonce un pieu dans la plaie, elle l'ensanglante d'une main et l'éponge de l'autre. « J'ai toujours su », dit-elle. Entre autres, cette petite phrase-là, martelée à quelques reprises d'une voix presque joyeuse, le fait blêmir de souffrance.

Au milieu de la nuit, il va la reconduire chez elle malgré ses protestations.

Il revient chez lui démoli différemment qu'auparavant, démoli parce qu'orphelin.

On est orphelin bien avant que les mères meurent. On est orphelin dès que les mères perdent leur efficacité contre notre douleur.

Les pères, n'en parlons pas.

Aube 1

Par chance, quelqu'un a inventé la chimie, le Pro qui a inventé la douleur sans doute, puisque les deux se trouvent si complémentaires, et il y a justement des spécimens de chimie dans la pharmacie de la salle de bain. Il avale trois somnifères. Il faut attendre l'effet. Une éternité horrible le sépare encore de la nature morte du sommeil.

Le gouffre s'ouvre en lui, plus effrayant encore depuis que prévisible, et il tombe interminablement, il tombe à la rencontre d'autres souffrances pires en train de se former, cohorte de corbeaux juchés dans les limbes et qui attendent le moment de fondre sur lui un à un.

Combien de temps un homme sain peut-il affronter la misère du néant sans être pulvérisé ?

Il sanglote de peur.

Tout passe, Thomas.

Il sanglote de peur, mais une idée flotte au-dessus du vide : tout passe. Si l'amour de Mona, solide comme un dogme, a pu passer et finir, c'est que tout passe, tout finit.

Cela, cette angoisse anéantissante, cet abîme de misère, finira donc aussi.

Il s'empare de cette idée lumineuse, il ne la lâche plus.

Un jour, il ne sait ni quand ni à force de quoi, mais un jour très certainement il ne souffrira plus.

L'année prochaine, à la même date, il ne souffrira plus.

Et il s'enfonce dans le cessez-le-feu des somnifères, il plonge dans le premier sommeil d'avant l'année prochaine, il nage vers ce rendez-vous avec lui-même, là-bas au fond du gouffre, vers le Thomas délivré de la douleur intenable.

Tobias Crow est beau, brillant, et alcoolo. Au cœur de ses cuites les plus costaudes, il reste terriblement attachant, il devient même plus visionnaire qu'à jeun, scintillant de cette lumière éthylique qu'ont parfois les ivrognes quand ils sont poètes. Les femmes, bien entendu, adorent Tobias Crow. La phrase favorite de Tobias Crow est : « *I couldn't care less.* »

Thomas donnerait n'importe quoi pour être Tobias Crow. Il parvient à l'être de courts moments devant son ordinateur, puisque c'est lui qui invente chaque semaine la vie saisissante de ce héros ex-aveugle et contre-héroïque, pour une série télévisée qui s'appelle *Invisible Man*. Mais l'illusion ne dure que ce que durent les illusions et les séances d'écriture devant l'ordinateur.

Il s'agit d'une réunion de production. Une secrétaire que personne ne remercie verse du café. Thomas la suit du regard, justement parce qu'elle est invisible, nimbée du charme mélancolique des êtres invisibles. À cette table ronde, rectangulaire comme toujours, figurent Elena, la productrice québécoise, Peter, le coproducteur torontois, Donald, l'acteur personnifiant Tobias Crow, Michel, le réalisateur, Vassos, le *script doctor*, Norman, le diffuseur télé. Et Thomas, le scénariste. La réunion se déroule en anglais. Il n'y a d'anglophones que le coproducteur et le héros fictif Tobias Crow dans cette pièce, mais c'est égal, la réunion se déroule en anglais. L'anglais est à l'univers ce que le masculin est à la langue française, disait Mona. Deux cents femmes et un cochon sont arrivés sur le pont, *e* accent aigu et *s*.

Sept francophones et un anglophone *irrupted on a bridge, without any accent.*

Il est question des treize prochaines émissions de la série. Tobias Crow plaît à toutes les femmes, les virtuelles de son entourage et les électroménagères vissées à leur petit écran. « *We have a hit* », dit Norman à quelques reprises, avec un étonnement dont Thomas pourrait se froisser. Mais Thomas ne se froisse pas. Il attend patiemment l'occasion de placer sa phrase : « Je me retire de la série. » Même s'il s'agit d'une réplique brève, il n'arrive pas à l'insérer parmi les trilles exaltés de ses collègues.

« *What about taking Tobias upstairs from now on ?* » demande le *script doctor* à Thomas. Il veut dire par là qu'*Invisible Man,* qui illustre la déchéance et la remontée de Tobias Crow, artiste montréalais fort en gueule et en bouteilles, s'est attardé jusqu'à maintenant un peu trop longuement sur sa déchéance. Tous les regards convergent vers Thomas. Le *script doctor* a le bel œil clair de ceux qui n'ont jamais déboulé abruptement vers aucun gouffre.

C'est le moment de placer la phrase, la réplique de démission. Thomas ouvre la bouche. « Je pensais, dit-il, je pensais bien au contraire emmener Tobias vers une tentative de suicide. » Elena et Donald, qui sont ses amis en plus d'être ses confrères, détournent pudiquement les yeux. Les autres éclatent de rire, appréciant ce qu'ils prennent pour une boutade.

« *Congratulations,* dit plus tard le coproducteur anglophone à Thomas, *congratulations ! Tobias is REALLY great.* »

« *I couldn't care less* », a envie de répondre Thomas. Mais il se contente de dire merci, en français.

Après-midi 25

Donald et Thomas se connaissent depuis vingt-cinq ans. Ce n'est pas par hasard que Donald joue le personnage de Tobias Crow à la télé. Donald ressemble trait pour trait au héros longuement traficoté dans la cervelle de Thomas, la déchéance en moins. Donald est noir et svelte comme une panthère. Tout ce qu'il touche, femmes, premiers rôles, recettes de cuisine, se transmute en or. Ses revers au tennis sont assassins. Thomas a beau ahaner sur le court comme un forcené, il rate deux balles sur trois. Perdre contre Donald n'est pas vraiment perdre, puisque les dieux ont toujours eu raison des hommes. Thomas a cessé de vouloir être Donald le jour où il a rencontré Mona. Maintenant qu'il a perdu cet avantage, la vieille tentation revient d'être ce dieu svelte qui s'éponge le torse au vestiaire, qui porte les vêtements griffés et les shorts dépenaillés avec le même chien, qui lève maintenant sa bière à la santé de Thomas avec son rire fou d'éternel ado.

C'est donc ça, un meilleur ami. Quelqu'un qu'on connaît depuis vingt-cinq ans, avec qui on échange des balles au tennis et des toasts au bar après, à qui on montre ses scénarios, et qui les aime la plupart du temps. Donald parle et rit. Thomas rit aussi, car le rire est facile, c'est une mécanique qu'il suffit d'actionner sciemment pour qu'elle démarre et ne s'arrête plus, et voilà qu'on a l'air heureux. Donald ne pose pas de questions au sujet de Mona et de ses restes palpitant dans la tête de Thomas. Une semaine après la rupture, il a demandé à Thomas : « Ça va ? » Et Thomas a répondu : « Ça ne va pas fort. » Et Donald a conclu : « Ça te passera. » Depuis, il a multiplié les invitations ludiques et les occasions de plaisir avec Thomas, pour l'aider à ce que ça passe, et qu'on n'ait plus besoin d'en parler.

C'est donc ça, un meilleur ami. Quelqu'un qui nous aide à ne pas nous noyer, non pas en nous tendant une bouée, mais en faisant semblant que l'eau n'existe pas.

Quand Donald parle, c'est toujours drôle et vivant. Il parle de ce qu'il connaît et aime le mieux, il parle de lui-même. Les acteurs sont ainsi. À force d'entrer dans la peau des autres, la leur devient terriblement vulnérable, menacée sans cesse de disparition. Il leur faut donc la maintenir coûte que coûte, en parlant d'elle, en la cajolant. Thomas comprend très bien cette réaction de survie, la plupart du temps. Pas aujourd'hui. Aujourd'hui, il considère de loin cet étranger qui boit en face de lui, son meilleur ami indifférent, et l'amitié lui apparaît comme une pacotille décorative, un brimborion de théâtre.

Au moment où ils vont se quitter dans le stationnement, Donald prend soudain Thomas dans ses bras, le prend comme on prend une femme ou un enfant, et il le serre contre lui. « Tiens bon, dit Donald. Tiens bon, je sais comment c'est difficile. » Le geste est si inattendu qu'il paralyse Thomas. Ce n'est que plus tard, beaucoup plus loin sur l'autoroute, qu'il sent rouler sur ses joues des larmes de gratitude.

Soir 25

Les débuts et les fins de journée restent les pires moments. Le reste du temps, on s'active fort ou on dort, à l'aide des somnifères. Les débuts et les fins de journées sont des extrémités dangereuses, des transitions pendant lesquelles l'esprit ballotte dans le vide, à la merci de la chute dans le gouffre. Il faut un garde-fou dans ces moments périlleux. Maintenant que Thomas connaît l'utilité des garde-fous, il échappe au pire. Une femme fait un excellent garde-fou. On la prend le soir et on la relâche le matin, une fois passée la transition difficile.

Thomas cueille ses vêtements lâchés n'importe où dans l'appartement, range la vaisselle du petit déjeuner, astique rapidement la salle de bain, sort du frigo les sushis attrapés chez le Japonais, met le saké au chaud. Marielle adore les sushis. Et il n'oublie pas de libérer tous les miroirs, qu'il a obscurcis de serviettes et de linges.

Personne ne pourrait comprendre cela, même pas la meilleure des femmes, même pas le plus dévoué des garde-fous. Depuis le presque début, depuis le jour 2 du big-bang, les miroirs ne réussissent plus à Thomas. Dans les miroirs, il ne voit pas seulement ce qu'il est, il aperçoit surtout ce qu'il a été. Par exemple, le grand miroir de l'entrée. Thomas le dévoile brusquement, retient son souffle, plonge dans son reflet. Tout de suite, cela lui est insupportable. Les yeux, surtout.

Dans ses yeux s'attarde encore, nostalgique, inepte, l'habitude d'être heureux.

Nuit 25

Clapotis et ruissellements. Les femmes, par on ne sait quelle alchimie mystérieuse, deviennent terriblement aqueuses pendant l'amour, au point que l'asphyxie ou l'inondation menacent. Leurs bras sont liquides, le liquide de leurs yeux, encore plus liquide, leur voix, une cascade gazouillante qui veut vous mouiller au complet. Marielle jouit deux fois. Thomas la regarde, fondue sur le lit, les cheveux répandus telle une ondine. Il sait comment émouvoir cette peau ruisselante, ces cratères débordant de miel, ces torrents et ces mares. Il suffit de frotter deux trois endroits, toujours les mêmes, et ça suffit. Les mauvais amants sont vraiment des cons.

Une fois, à l'hôtel à Paris, il venait de faire jouir une écrivaine québécoise, et il venait de jouir lui-même, lorsque le téléphone sonna. Il allongea le bras, décrocha de sa main trempée. De l'autre côté du fil et de l'Atlantique, c'était Mona. « Je m'ennuie de toi, Tomo, dit-elle, sa voix de saxophone rauque altérée par la tristesse. Oh je m'ennuie tellement de toi. » « Moi aussi », dit Thomas, en priant fort pour que l'écrivaine québécoise à côté de lui ne se mette pas à tousser, à rire, à attraper le hoquet.

Une autre fois, à Montréal, il arrivait de chez Claire, et Mona, qui n'était pourtant jamais à la maison à l'heure du lunch, l'accueillit en l'embrassant. « Qu'est-ce que tu sens ? » dit-elle, effarée. « Mais laisse-moi, je viens de me goinfrer de fromage », dit-il en l'éloignant de ses cheveux parfumés des jus de Claire.

Il n'a jamais eu de remords. Le remords, pourquoi ? Il n'y a rien de mal à expérimenter ailleurs, si c'est pour constater ensuite à quel point on est bien chez soi. L'homme est un expérimentateur-né, et la femme l'aime ainsi, pourvu qu'il lui épargne les détails.

Chacune des fois, d'ailleurs pas si nombreuses, il est revenu fou d'amour pour Mona, pour le corps menu de Mona, il est revenu avec un cadeau démesuré. Un jour, avec une toile de Dallaire. Un autre jour, avec une cape de cuir. Une autre fois...

Thomas se dresse brusquement dans son lit. Marielle, qui s'était assoupie, lâche un soupir mouillé. Sur le mur devant, Thomas voit luire distinctement la toile de Dallaire. Il se rappelle la cape de cuir, abandonnée dans le cagibi du fond. Et l'œuvre complète de Faulkner dort intouchée sur les rayonnages de la bibliothèque.

Tous les cadeaux de la trahison, tous, elle les a laissés derrière. Les autres, les vrais, les purs, ceux des anniversaires et des générosités sans calcul, elle les a emportés avec elle.

Thomas se lève. Fallait-il ajouter cela à sa tourmente, fallait-il que le remords posthume, complètement irrecevable, se jette sur son esprit déjà terrassé ?

Comment supporter maintenant, en plus de son chagrin, le chagrin que l'expérimentateur cruel a peut-être, chaque fois, infligé à Mona ?

Il va s'échouer sur le sofa, sur un territoire neutre et sec, et il se bourre de somnifères.

Bientôt, un jour de moins en moins lointain, le jour 365 de son rendez-vous avec lui-même, de cela aussi il sera délivré.

Matin 60

« Voilà, dit Thomas. Je ne bande plus. Je ne bande plus jamais. Avant, j'étais capable même malade, même en état de choc. Pouvez-vous faire quelque chose ? »

Le médecin se gratte le nez. Son nez est effilé et mobile, fascinant, un appendice presque indécent qui en dit long sur la partie cachée de son anatomie, selon les ouvrages populaires. Le médecin lui tend une ordonnance et un sourire crispé.

— Consultez-vous quelqu'un d'autre ? demande-t-il. Un psychiatre, un psychanalyste ?

— Oui, dit Thomas.

— Prenez-vous des antidépresseurs ?

— Oui, dit Thomas.

— Ah, conclut le médecin.

Matin 61

Thomas parle d'eux deux. Eux deux, cette entité vivante distincte d'eux seuls, créée à force de patience, de menues ferveurs, d'inventions magnifiques, d'apprivoisements, de liberté adulte, cette entité indestructible. « Nous deux », dit-il. Et chaque fois, ce *nous deux* lui reste dans la gorge et lui donne la nausée, comme s'il s'acharnait à remuer les restes d'un cadavre déjà rigide.

Le psychanalyste lui demande de raconter son dernier rêve, le dernier qu'il se rappelle. La séance se termine toujours ainsi, par un rêve, par le recours à ce lamentable cliché. Il faudrait changer de psychanalyste, en choisir un moins jungien, plus gestaltien, ou le contraire. Thomas n'en a pas le courage. Il parle, c'est toujours ça de pris. À force de parler, peut-être domptera-t-il le monstre qu'est devenue sa réalité. Thomas raconte son dernier rêve : c'est le matin du jour 365, et il marche dans la lumière du soleil.

— Qu'est-ce que le jour 365 ? demande le psychanalyste.

Non, pas ça. Il ne livrera pas ses dernières munitions à un jungien, à un gestaltien, il ne tendra à personne le ballon de son dernier espoir, pour qu'on le dégonfle.

— C'est le jour où je vais recommencer à bander, dit-il en grimaçant.

— Soyez patient, dit le psychanalyste, qui couche sans aucun doute avec un essaim de clientes tout en entretenant une maîtresse nymphomane et une épouse frigide. Soyez patient : les antidépresseurs font souvent ça, au début.

Au début : il veut dire les cinq premières années qu'on se les enfourne.

Soir 62

Pat le fait asseoir, dos droit et jambes croisées, sur un coussin rectangulaire, un *gomden*. Ils sont dans une petite pièce au parquet ciré et à la forte odeur d'encens, seuls au milieu des coussins vides et des portraits de moines tibétains. Thomas évite de regarder vers l'autel, tant son cynisme se trouve émoustillé par la panoplie d'objets baroques qui y sont répandus. Des coupes remplies de liquides, du riz, des cierges éteints, une pomme, des miniatures d'instruments de musique, une flèche sans arc, et même des biscuits aux brisures de chocolat. Au-dessus de l'autel trône, le faciès large et impassible, le torse presque nu ou enveloppé dans des brocarts précieux, des tiares lourdes sur la tête, une lignée de maîtres qui ne semblent pas se formaliser de leur proximité avec les biscuits au chocolat. Thomas fait taire son ricanement intérieur. Il n'est pas ici pour être cynique, mais pour être apaisé.

— Je t'avertis, dit Pat. La méditation, ce n'est pas du Valium. Tu n'auras pas de résultats immédiats.

— Très bien, dit Thomas, cachant mal sa déception.

Les directives sont désarmantes de simplicité. Il n'y a qu'à rester assis, le regard un peu vague dirigé vers le sol, l'attention portée sur la respiration et sur le corps qui respire. Chaque fois qu'une pensée lève dans l'esprit, il n'y a qu'à la reconnaître et à l'appeler par son nom – Pensée ! –, avant de la relâcher dans le vide pour qu'elle s'évanouisse. C'est tout ?

— C'est tout, confirme Pat, un sourire au coin des lèvres.

Ils se carrent tous deux sur leur coussin, le regard disjoncté. Pat émet une longue expiration. Thomas l'imite, à tout hasard. Et le temps commence à ne pas passer. Ce qui semblait simple devient peu à peu extrêmement confus. Qu'est-ce qu'une pensée, à vrai dire ? Peut-on appeler *pensée* ce brouillard vaseux qui s'est immédiatement emparé de la tête de Thomas, en bloquant toute ligne directrice intelligible ? Thomas déplace son regard flou jusqu'à la montre de son poignet : deux interminables minutes viennent de s'écouler, et il en reste huit autres tout aussi languissantes avant l'expiration de l'expérience. Il englobe Pat dans son regard furtif. Pat repose, minéral et imposant, les mains soudées aux cuisses, un masque de bouddha canonique sur le visage. Pat a toujours été ainsi, d'une rigueur irritante, discipliné déjà comme un petit vieux à l'âge où les enfants jouent à touche-pipi. « Pensée ! » se dit triomphalement Thomas. Peut-être qu'en méditant tous les jours, trois fois par jour, quatre s'il le faut, les antidépresseurs deviendront obsolètes et les parties molles de son corps de nouveau érigeables. Pensée ! Tout cela fonctionne, finalement, du brouillard lèvent une à une les pensées discernables, flopée de gibier à plumes qu'il abat aussitôt aperçu. Pensée ! Bang ! Pensée ! Bang ! Cela fonctionne, jusqu'à ce qu'émerge du chaos le visage sans mots de Mona, juste un visage, les yeux immenses et les ridules familières, le visage aimé et intense qu'accompagne aussitôt une émotion insupportable, et alors il n'a plus d'armes, plus de recours technique, et les grandes lèvres du gouffre s'ouvrent devant lui. Thomas se lève d'un bond.

— Ça ne va pas ? demande Pat.

Et comme Thomas ne répond pas, plus blanc que les cierges éteints de l'autel, Pat ajoute calmement : « Bien sûr, il y a des pensées plus intolérables que d'autres. Il faut juste apprendre à les tolérer un peu. » Qu'est-ce qu'il raconte, des pensées ? Il n'est plus question de pensées, il est question de désespoir et de naufrage total. Et mon poing sur la gueule, gronde intérieurement Thomas, est-ce que tu pourrais le tolérer un peu ?

— L'émotion aussi est une pensée, précise Pat.

— L'émotion ?

— Mais oui. L'émotion est une fabrication de l'esprit, tu sais bien.

Non, il ne sait pas, il ne sait rien. Il a soudain juste envie de s'appuyer la tête sur les genoux de Pat, au milieu de l'encens et des têtes rébarbatives des maîtres, et de laisser son grand frère tout savoir à sa place, comme lorsqu'il avait quatre ans.

Nuit 64

Thomas rêve. C'est le matin du jour 365, et il marche dans la lumière du soleil.

Jour 365

Thomas marche. On le voit, de dos, s'enfoncer dans une allée de tilleuls, le pas ferme mais léger, les épaules campées dans un veston de cuir très bien coupé, qui lui fait une silhouette séduisante à la Tobias Crow. On ne voit pas ses chaussures, mais on les devine d'excellente qualité.

Matin 65

— C'est pour quelle occasion ? demande la vendeuse. Décontract', ou jour de fête ?

— Jour de fête décontracté, répond Thomas.

La vendeuse a de beaux seins ronds. C'est difficile

de ne la regarder que dans les yeux. Elle rougit chaque fois que leurs mains se touchent sur les cintres, en effeuillant les vestons.

— Celui-ci, dit Thomas en extirpant de la meute la chose de cuir moelleux qu'il a vue dans son rêve.

— C'est un veston d'été, proteste la vendeuse.

— C'est parfait, se réjouit Thomas.

Il est si content qu'il l'embrasserait. D'ailleurs, il l'embrasse amicalement, en sentant très bien que ça n'ira pas plus loin. La vendeuse, qui sent tout autre chose, lui adresse des yeux une invite liquide, dans laquelle il ne se mouillera certainement pas.

Il est prêt, ou presque. Il a maintenant tous les vêtements qu'il portera dans trois cents jours, que portera le Thomas aérien et libéré. Il ne reste que l'intérieur de sa tête à désencombrer, à vider de ses meubles défoncés.

Soir 150

Mona dessine, arc-boutée dans un coin du salon, sur un tabouret. C'est là que les idées jaillissent le mieux, prétend-elle. Tout passe sur son visage, les doutes, les éclairs, elle est livrée au regard de Thomas comme un fruit ouvert. « Oh quelle débile ! » fulmine-t-elle. Ou encore : « Non, vraiment non. » Parfois, elle se met à chantonner, en arrondissant exagérément la bouche. D'autres fois, elle disparaît entièrement dans son voyage intérieur, jalonné de formes de moins en moins humaines. Mais sans lever les yeux, elle adresse quand même à Thomas un petit geste de reconnaissance pour signifier : Je suis là, même si je n'y suis pas.

Mona mange des huîtres. C'est toute une affaire. Chacune est investie d'une importance sacrificielle, chacune est levée à hauteur de bouche, tournée et retournée délicatement. Quand l'huître glisse enfin entre ses lèvres, Mona ferme les yeux. Une autre dirait : Ah, c'est super, ah, qu'elle est fraîche. Elle, elle soupire : « Tomo », et Thomas reçoit cela comme une déflagration d'amour, l'aveu que tout ce qui est bon est associé à lui.

Mona se fait les yeux, devant le miroir de l'entrée. « Gorgone ou femme fatale ? » demande-t-elle à Thomas.

Mona est en train de rater le sabayon. Elle souffle sur ses cheveux poissés de jaune d'œuf, elle jure comme un charretier. « Un seul petit rire, dit-elle à Thomas, et je te lance cette merde dans la face. » C'est elle qui rit la première.

Mona lit un scénario de Thomas, les sourcils froncés. Elle repose le texte sur ses genoux, le front toujours tourmenté. « Amène ton fureteur ici », ordonne-t-elle. Ça veut dire qu'elle a beaucoup aimé ce qu'elle a lu, et qu'elle cherche une façon de ne pas trop le dire.

Mauve, l'eau de ses yeux. Luisante comme une icône, sa peau. Sa belle voix rauque, sa voix de saxophone bandante. « Tomo », dit-elle en lui ouvrant les bras. Rien d'autre à ce moment n'est nécessaire, dans cette vie ou ailleurs.

Mona marche, une ourse en cage, que la cage insupporte. Mona et un visage qu'il ne lui connaît pas, enlaidi par l'étrangeté. Mona pleure. Mais c'est lui qui devrait pleurer. Elle pleure justement pour empêcher qu'il le fasse, pour lui couper l'herbe sous le pied.

— Je veux changer de vie ! dit-elle.

— Mais changeons, changeons ensemble, plaide Thomas.

— Je veux être seule !

Mais elle est seule, hurle Thomas, nous sommes tous seuls, moi le premier, tous fondamentalement seuls, toi, moi, et les milliards de créatures pitoyables cavalant sur la terre avec une obstination de blattes en attendant que le monstrueux talon cosmique nous réduise en poussière ! Pourquoi en rajouter ?

— Je ne t'aime plus, Thomas, dit Mona.

Ces derniers mots, à peine murmurés, coulent dans l'espace à la manière d'une lave qui va tout ensevelir.

Thomas la voit encore, partout. Vignettes colorées, saisissantes, plus réelles parce qu'imaginées.

Ce n'est pas l'absence de l'autre qui fait si mal. C'est sa présence, qui n'en finit pas de durer.

Après-midi 180

Tobias Crow mange des huîtres. Il les mordille une à une, sensuellement, en faisant durer le plaisir. Il ferme les yeux.

Non. Tobias Crow gobe les huîtres sans même les goûter, comme la bête avide qu'il est, et il ne ferme surtout pas les yeux.

Non. Tobias Crow ne mange pas d'huîtres. Il est allergique aux fruits de mer.

Thomas ferme le fichier d'*Invisible Man,* engourdi par l'écœurement, à moins que ce ne soit par un début de grippe. Il n'est plus convaincu du tout que Tobias Crow mérite de vivre à ce point, squattant l'eau précieuse de son esprit. Qu'attend-il pour mettre un terme à cette existence avinée, condamnée de toute façon, agitée tragiquement par la passion des aveugles et des tourmentés ?

Tobias Crow, son clone de papier, ne peut mourir que lorsque lui recommencera à vivre. C'est leur pacte secret, le fondement de leur gémellité.

Voilà que la neige a commencé à tomber par gros tapons mouillés, transformant la fenêtre du bureau en ouverture sur l'enfance. La neige réveille toujours quelque chose d'espiègle et de triste à la fois, une intensité indescriptible. Thomas ouvre un fichier neuf. Il a envie de blanc. Sur le blanc peu à peu, il ne sait trop comment surgissent, cabriolant, des dinosaures, les dinosaures frappés un jour par les astéroïdes meurtriers qui ont interrompu net leurs bombances, mes frères les dinosaures, se dit-il avec un spasme de rire. Il tape plusieurs fois : Précarité de la vie, puis il éteint tout, en espérant qu'une histoire s'amorcera ainsi dans les limbes, s'extraira de sa gangue de noirceur comme une dent de sagesse en retard.

Le jour 365 de son rendez-vous avec lui-même, peut-être sera-t-il en train d'écrire, d'écrire vraiment. Ou de baiser. Baiser vraiment. Ou de rire. Oui, il y a si longtemps qu'il a senti jaillir le torrent frais d'un rire, né de la simple jubilation d'être vivant.

Thomas rit. Il rit parce qu'il est le seul spectateur et qu'il faut bien sauver du désastre la performance de Ludovic et Elena, ses amis enlisés. C'est un repas. Il y a eu du champagne et du vrai caviar sévruga. Au moins mille dollars ont ainsi disparu en noires petites éclaboussures sous la langue, mille dollars gaspillés à éteindre la descendance des esturgeons.

Maintenant, il y a du médoc et un extraordinaire stilton au porto. C'est ça, un couple, se rappelle Thomas. Le couple passe son vendredi soir ou son samedi au marché. Le couple déploie une fabuleuse énergie autour de la nourriture, à en choisir les gemmes les plus précieuses, à les ordonner en bouquets de saveurs qui repoussent chaque fois les limites de l'inventivité, à les offrir finalement dans des porcelaines délicates, sur une table enluminée par des chandelles, sur un autel en forme de table.

L'autel des couples ne survit pas à la fin de la nourriture. Quand il s'éteint enfin, projetant tout dans une obscurité profane, la communion a quelquefois eu lieu, mais pas toujours. Et les participants s'en vont chacun chez eux, plus lourds et plus mortels, respirer en guise d'encens les vapeurs acidulées du citrate de bétaïne.

Que construisent d'autre les couples, à part les autels gastronomiques ?

Ils construisent une forteresse pour se protéger de l'inconnu. Ils se terrent dans la forteresse, pour éviter d'être pollués par l'extérieur.

Parfois, ils construisent des enfants. C'est toujours leur architecture la plus réussie.

Elena et Ludovic n'ont pas fait d'enfants ensemble. Ils en ont chacun un, d'un mariage précédent, mais cela ne compte pas.

— Elena fait du vélo comme une trisomique. Tu sais, les yeux un peu exorbités, la langue presque pendante ?...

— Je n'emmène jamais Ludovic aux copies-zéro. Il s'endort dès qu'un film est un peu intelligent.

Comme ça, toute la soirée, de petite vacherie en grande vacherie, en gardant toujours au coin des lèvres un pétillement de bonne humeur. Comme on se bidonne, n'est-ce pas, ma chérie, ma pétasse ? *You bet,* mon coco, mon cocu.

Mais quand Thomas a disparu quelques minutes de la pièce pour réapparaître sans s'annoncer, il les a surpris dans un silence dégoûté et glauque, attendant en coulisse que le spectacle recommence, que le seul spectateur revienne leur donner des forces pour continuer.

Cela ne pourra pas durer. Même avec vingt-cinq ans de pratique et d'endurance, cela ne pourra pas cheminer plus loin dans le désert de la mesquinerie, sans que l'un d'eux soit consumé. Mais si, au contraire, cela continuait ? Thomas a soudain la forte intuition que cela pourrait continuer, dans le plus masochiste des statu quo, dans la terreur d'exister seuls qui pousse parfois à d'inimaginables compromis, cela pourrait continuer sur l'énergie de propulsion des débuts, en ne gardant de la précieuse intimité acquise dans l'amour ancien que la connaissance des points vulnérables de l'autre, pour mieux les torturer.

On ne sait pas comment des liens de délices

parviennent ainsi à se transformer en liens de dévastation.

Thomas rit jaune, mais au moins il est celui qui rit, au lieu d'être l'un d'eux qui se bat.

Il l'a échappé belle. Un jour, il en est sûr, il pourra se dire sans mentir qu'il l'a échappé belle.

Après-midi 225

Le notaire Leroux se fait une trouée dans la mer de papiers qui blanchit son bureau. Comment s'y retrouve-t-il parmi tous ces contrats, ces testaments, ces quittances ? Comment d'ailleurs peut-il être notaire, un métier de villageois maniaque, un métier de millésime bouchonné ?

Le notaire Leroux n'est pas vieux, à peine plus que Thomas et Mona. Mais il les regarde comme un père sévère et bon qui a un devoir difficile à remplir, il les regarde à tour de rôle pour bien les imprégner de sa force tranquille, qu'ils n'aillent pas se mettre à chialer, à se battre, à crier. Ça s'est déjà vu.

Il les connaît, un peu. Il y a dix ans, c'est lui qui a préparé leur testament commun, dans lequel ils se léguaient mutuellement tout ce qu'ils avaient et auraient un jour. L'heure est maintenant au départage de ce qui était partagé. Tout est sans arrêt révocable.

Mona se tient très droite sur la chaise, dans un joli tailleur mauve qui accentue le filiforme de sa silhouette. Son visage est trop sérieux, à la manière d'un enfant que l'on a bourré de recommandations graves qu'il ne comprend pas. Elle adresse de petits sourires limpides à Thomas, lorsqu'elle se tourne. Il les lui rend, sans effort.

Thomas ne croyait pas que cela serait possible : revoir Mona, pour la première fois, sans que rien n'explose en lui. Elle a quitté le Québec tout de suite en le quittant, elle n'est revenue que depuis deux semaines. Ils ont échangé des courriels lapidaires, des formalités : Tu m'enverras mon courrier à cette adresse, Je t'envoie ton courrier et ta ristourne d'assurance. L'unique fois qu'ils se sont parlé au téléphone, la conversation a mal tourné, l'un des deux a raccroché, il ne se rappelle plus lequel. Sans doute elle, puisque lui était occupé à l'insulter.

Et puis voilà. Il contemple son profil menu, et il reste fort. Son pouls bat un peu vite, c'est vrai, mais la faute en est à cette occasion funéraire, à ces paperasses arides qu'il faut se taper pour que leur désengagement devienne officiel. Le notaire leur fait maintenant la lecture des contrats, en détachant chacun des mots alambiqués. La Venderesse vend à l'Acquéreur. Mona Garnier, ci-après nommée la Cédante. L'immeuble situé rue De Bullion est sujet aux servitudes de vue et de passage établies aux actes publiés. Thomas Bouchard, ci-après nommé le Vendeur. Célibataire majeur pour n'avoir jamais contracté mariage. Le terrain est situé sur le lot 100.3 des Îles-de-la-Madeleine. Dont acte, à Montréal, à la date susdite, sous le numéro neuf mille huit cent soixante-dix-sept.

En termes clairs, ils échangent leurs parts des deux propriétés qu'ils possédaient. Thomas garde l'appartement de Montréal, que la « Venderesse » lui cède, contre le terrain des Îles-de-la-Madeleine, que le « Cédant » laisse tomber. Il s'agit d'un bout de paradis rocailleux, surplombant l'Atlantique, où ils s'étaient juré de se réfugier dans leurs jours meilleurs, leurs jours vieux et oisifs. Elle s'y réfugiera seule, ou avec un autre. Stop. Il est interdit, jusqu'à nouvel ordre, d'évoquer cette éventualité.

Chaque fois que le notaire prononce ce mot loufoque, *Venderesse*, un frémissement agite les lèvres de Mona, comme si elle allait se mettre à rire. Mais elle a les yeux pleins d'eau lorsqu'elle tend le stylo à Thomas pour qu'il signe à son tour.

Ils s'attardent dans la chaleur du vestibule de l'édifice, avant de se colleter avec le jour d'hiver déjà grignoté par le crépuscule.

— Comment vas-tu ? ose demander Thomas.

— Je suis fatiguée, mais ça va, dit Mona. J'ai un peu mal à la gorge, mais ça va.

Et elle ajoute très vite, sans le regarder : « Es-tu seul ? »

C'est la question qui brûle l'esprit de Thomas depuis si longtemps, et voilà qu'elle l'incite elle-même à la formuler.

— Oui. Toi ?

— Oh moi, dit Mona. Je vois quelqu'un, mais c'est superficiel.

On a beau être fort, l'ombre de ce quelqu'un même superficiel cause un court tumulte en traversant le vestibule. Thomas ouvre la porte.

— On pourrait se voir, de temps en temps, dit rapidement Mona. En amis.

— Je ne sais pas, dit Thomas.

Il retient son souffle tandis qu'elle l'embrasse sur la

joue, pour éviter d'absorber trop de molécules de son parfum. On a beau être fort, pas besoin d'être fou.

Il la regarde calmement s'éloigner dans la rue, frissonnante, le collet de fourrure bien arrimé sur sa gorge fragile. Ça y est. Cette fois, c'est pour de bon.

Il est libre.

Soir 225

C'était une force de paille, toute en légèreté et en faux-semblant. La preuve, au premier vent robuste, elle s'est dissipée.

Thomas pleure, écroulé par terre. Il n'arrête pas de voir partir Mona, tremblant de froid dans la rue glaciale, ses mains rameutées sur son cou en misérable coupe-vent. Mona, pauvre chose vulnérable, pauvre petite chérie. Il ne saura pas quand elle va être malade, quand elle va mourir un jour, il ne saura plus rien de ses chagrins et de ses défaillances. Qui va s'occuper d'elle ? Qui va soigner sa fièvre quand elle aura la fièvre, en alternant les compresses froides et les bouillottes chaudes, en l'inondant de jus d'orange et de caresses ? Qui va veiller sur elle quand elle va vieillir, elle si menue, si incapable parfois, qui va apaiser ses tourments de ménopausée et de vieille dame aux cheveux blancs, qui va l'aimer assez pour traverser avec elle de l'autre côté de la vie riante ?

Thomas pleure, et ce sont des larmes insensées, des sanglots qui semblent sourdre d'une partie de lui primitive et muette, qui n'aurait pas appris d'autre forme plus raffinée de communication. Où est-il donc rendu, dans quelle eau régressante et chaude ? Il est rendu dans le cœur brûlant du gouffre, dans les ténèbres de la catastrophe planant sur lui depuis des mois. Au fond du gouffre, c'est donc cela qu'il y avait, une tristesse énorme, un iceberg de tristesse qui ne cesse de fondre.

Thomas pleure. Il n'est plus sûr de pleurer sur lui-même ou même sur elle, il pleure sur tous les Thomas et les Mona du monde, il pleure sur les chemins parallèles de tous les gens crevant d'amour, il pleure pour tout ce qui peine et est seul et n'a pas de larmes. *Vas-y, mon vieux Thomas, vas-y, défonce-toi.*

— Eh bien eh bien eh bien, toussote quelqu'un à côté de lui.

Il tourne la tête. Donald, entré sans qu'il l'entende, se tient à ses côtés, choqué et raide dans sa belle chemise de lin blanche. C'est vrai, ils ont une soirée ensemble, une soirée de nourriture et de rires artificiels.

— Relève-toi, bon sang, Thomas.

Thomas repousse Donald qui veut le récupérer et l'asseoir, sec comme un homme raisonnable. Il reste écroulé par terre à pleurer. Entre deux hoquets, il dit à Donald d'aller se chercher du whisky, que ça ne sera pas long.

Quand il se relève enfin, Donald l'attend dans un fauteuil, son deuxième whisky à la main, une sollicitude pleine de réprobation dans le regard.

— Ça n'a aucun sens, dit Donald. Dans quel état te mets-tu !

— Je vais bien, dit Thomas. Je vais bien.

Et c'est vrai. Il sent, enveloppante, la masse de tristesse désincarnée qui s'est installée dans ses flancs comme à demeure. Il ne s'est jamais senti pénétré par quelque chose d'aussi chaud et poignant à la fois, il ne s'est jamais senti aussi humain.

Nuit 225

Lui téléphoner la nuit dix fois de suite, en raccrochant aussitôt qu'elle décroche, ou plutôt en ne raccrochant pas. Pleurer ou l'invectiver au bout du fil, selon la pulsion du moment.

La suivre dans la rue, la suivre à son travail. S'installer à l'heure du lunch dans le boui-boui qu'elle fréquente, et ne pas la quitter des yeux pendant qu'elle mange, pendant qu'elle tente de manger.

L'attendre à la porte de son nouvel appartement. S'y glisser si possible avant elle, en soudoyant le concierge, le propriétaire de l'immeuble – les gens sont si vénaux. Fouiller son courrier. Déchirer ses soutiens-gorge. Uriner dans son lit.

Lui écrire des lettres passionnées, pour la récupérer, ou pour la détruire.

Casser la gueule de tous les types qu'elle approche ou qui l'approchent. Au besoin engager un malfrat pour ce faire. Les chômeurs bien baraqués ne manquent pas.

La secouer un peu, juste un peu, pour lui faire peur. Lui donner une raclée solide, fruit d'une sainte colère, une raclée virile au moins une fois dans sa vie. Juste une fois.

— Non, vraiment, rien de tout ça, jamais? demande Donald, incrédule.

— Non, dit Thomas.

— Je ne te comprends pas, soupire Donald. Cette femme te plaque sans motif après quatorze ans de vie commune où tu l'as dorlotée comme un dingue, et tu n'as jamais réagi, JAMAIS !

Il n'a pas arrêté de surréagir depuis des mois, bien au contraire. Mais Thomas comprend parfaitement ce que veut dire Donald. On attend autre chose d'un homme dévasté par une peine d'amour, un vrai homme bourré de testostérone costaude, on attend certainement autre chose que des larmes et une dépression à moitié ratée. Les vrais hommes, d'ailleurs, boivent du whisky après les repas au restaurant. Thomas, lui, boit du porto, comme les femmes, comme les geignards, les larmoyants.

— Elle n'était même pas à Montréal, plaide-t-il.

C'est un prétexte nul, qui ne tente de convaincre personne, surtout pas Donald. Donald se fend d'un petit rire sarcastique et désagréable.

— Peut-être après tout que tu ne l'aimais pas, conclut-il.

Le verre de porto l'atteint en plein milieu de sa belle chemise de lin blanche, à la place du cœur.

Soir 250

Claire est blonde et solaire. Elle a pourtant l'énergie des brunes, une voracité de Méditerranéenne encore plus grande que celle de Mona. Si Thomas avait rencontré Claire avant Mona, ça aurait pu être elle, la femme qu'il aurait aimée, dont il serait peut-être séparé.

Quelqu'un survient dans notre champ de vision, et rien d'autre n'est plus visible.

Pourquoi Mona plutôt que Claire, plutôt que n'importe quelle autre ?

Quelqu'un survient, Mona, disons. Au début, il n'y a rien, que cette attirance de rut et de reproduction allumée par toutes les femelles comestibles. Puis l'esprit se met en branle. Il décide que celle-ci ferait l'affaire. Il décide d'éprouver de l'amour, en sus du désir. Il construit minutieusement cet amour, en y mettant un zeste de ceci, un zeste de cela, en gonflant les traits aimables, en atténuant les moins jolis. À la fin, ils sont trois : Thomas, Mona, et cette invention dans la tête de Thomas, cette Mona taillée sur mesure par l'amour volontaire de Thomas.

— À quoi penses-tu ? demande Claire.

Il y a du chagrin dans la voix de Claire. Toutes les fois qu'ils sortent ensemble et qu'il s'apprête à la quitter, sa voix se remplit de chagrin. Son chagrin aussi est une invention de son esprit, même si elle croit qu'il est provoqué par l'extérieur, par Thomas. Claire sait que son tour est passé, mais elle décide, chaque fois qu'elle voit Thomas, de croire qu'il pourrait revenir.

Mais comme elle est solaire et aime la joie, elle choisit au bout d'un moment, sans s'en rendre compte, de déconstruire cette tristesse, et elle redevient joyeuse. Elle ne s'informe pas de Mona, qu'elle voit plus que Thomas puisque Mona est sa meilleure amie, mais elle s'informe de Donald.

— Nous sommes en froid, dit Thomas.

— Toi, en froid avec Donald ? Allons donc, ce n'est pas possible.

Et pourtant, c'est possible. Tout est constructible à l'instant, et tout est démontable. L'amour, le chagrin, la colère, l'espoir, le ressentiment envers Donald.

Qu'est-ce qui reste ? Qu'est-ce qui, dans la vie, n'est pas une fabrication de l'esprit ?

Soir 265

La chambre ressemble plus à un jardin qu'à une chambre, tellement elle déborde de fleurs. Au milieu du jardin, Donald est couché, blanc comme un lis.

— Tout ça, dit-il en balayant les fleurs de la main, tout ça, c'est pour Tobias Crow. Pas pour moi.

Donald est malade. Il s'est affaissé pendant le tournage d'un épisode d'*Invisible Man*, et il ne s'est plus relevé depuis. Des tas de gens l'entourent de leur sollicitude : des médecins à la mine soucieuse qui lui font passer sans arrêt des batteries de tests, des admirateurs et des journalistes refoulés dans le corridor, qui n'attendent que la permission d'un cliché, d'un autographe. Thomas est le seul du deuxième groupe autorisé à pénétrer dans la chambre, quand il le veut. « Même la nuit, a dit Donald. Tant qu'à chialer tout seul dans ton lit, tu viendras chialer ici. »

Donald parvient à inventer des blagues, à revivifier de vieux incidents cocasses. Thomas aurait envie de lui dire de se reposer, de laisser tomber la galerie, puisqu'il n'y a pas de galerie. Mais il n'ose pas, parce que les silences font surgir chez Donald une angoisse palpable. Alors il parle à son tour, il joue le jeu de la légèreté.

— Il y a une rousse dans le corridor, dit-il, une très

belle fille, qui prétend qu'elle est ta petite amie. Tu ne veux pas la recevoir ?

— Cette connasse, dit Donald.

Quand il sortira, affirme Donald avec un petit rire usé, il se fera raser le crâne et trouer le visage par un *body piercer*. Quand il sortira, ça en sera fini de sa carrière de séducteur, et de celle de Tobias Crow par la même occasion.

— La passion, ricane Donald. Tu vois où ça mène, la passion ? Plein de flambées, mais rien à la fin. Rien, personne.

— Il y a cinquante personnes dans le corridor juste pour toi, proteste Thomas.

Donald lui lance un regard aigu, interminable. Un autre Donald vit dans ce regard, avec lequel Thomas n'a jamais été familier.

— Tu me fais chier, Thomas, dit-il en souriant. Tu m'as toujours fait chier. Depuis qu'on se connaît, je t'envie. Je t'ai toujours envié. J'échangerais ma place contre la tienne, n'importe quand. Surtout maintenant.

Cela ressemble encore à une blague, mais cet autre Donald, que Thomas ne connaît pas, n'a guère le regard d'un blagueur.

— Quoi ? dit Thomas, ahuri. Moi ? Il n'y a pas de raisons.

— Tu veux rire, dit Donald.

Soir 300

Les petites lances du muguet se faufilent hors de terre. Les bruants à gorge blanche lancent leur mantra têtu.

Le printemps est partout. Sauf dans la chambre de Donald, à l'Hôtel-Dieu.

C'est une maladie rare. Une sorte de mauvais sort qui se jette sur les tissus entourant les organes principaux et qui les défait tranquillement, sans que rien ne puisse entraver son action. Un cancer rare. On ne sait qui de Thomas ou de Donald est le plus assommé par l'événement. Donald, allégé par la morphine, a décidé que cette maladie n'avait rien à voir avec lui et qu'elle finirait bien par s'en apercevoir. Thomas, par contre, ne fait plus très bon ménage avec l'espoir. Il s'est installé dans la chambre de Donald, dans un recoin près de la fenêtre qu'il a converti en bureau. Il rentre chez lui quelques heures pour dormir.

— Ça n'a aucun sens, a tenté de protester Donald. Dans l'état où tu es.

— Quel état ? a dit Thomas.

— Mona, a dit Donald.

— Ah. Mona, a dit Thomas.

Il n'a pas songé à Mona depuis des semaines.

Le temps passe vite. Thomas et Donald jouent au scrabble, c'est-à-dire que Thomas joue pour eux deux, en tenant Donald au courant de ses meilleurs coups. Donald dort beaucoup. Thomas lui fait la lecture, des extraits de *Death of a Salesman* ou de *Macbeth*, que Donald connaît par cœur et dont il lâche par moments des tirades passionnées, de sa meilleure voix d'acteur. Ils parlent peu, autrement. Une fois, Thomas a demandé : « Et ta famille ? » Donald a eu un filet de rire : « Quelle famille ? Je suis un mioche de l'Assistance publique. Tu ne savais pas ça ? » Une autre fois, Donald a parlé les yeux fermés, mais en laissant suffisamment de silences entre les mots pour s'assurer que Thomas captait tout.

— Incinéré, a dit Donald.

— Ah, a dit Thomas après un moment.

— Pas de cérémonie religieuse, a dit Donald. Mais un party. Beaucoup beaucoup de whisky. Du très bon whisky.

— Le meilleur, a dit Thomas.

Mais ce que Donald préfère, c'est lorsque Thomas est en train d'écrire, sur son ordinateur portable. Thomas sent alors le regard fiévreux de Donald dans son dos, qui le pousse, qui le pousse de force dans les mots.

— Un roman, hein ? insiste Donald.

— Oui, dit Thomas.

Mais il ne sait pas du tout ce qu'il est en train d'écrire. Il écrit comme un naufragé, il écrit pour ne pas sombrer, pour les maintenir tous deux la tête hors de l'eau. C'est peut-être la meilleure façon d'écrire.

Midi 310

Dommage pour le homard de Gaspésie qui étale son cadavre exquis dans l'assiette de Thomas. Dommage pour le sancerre glacé. Thomas ne goûte rien, trop attentif aux vapeurs viciées émanant de ses compagnons de table. Elena, son amie et productrice, Peter, le coproducteur torontois, Norman, le diffuseur télé. Ils ne sont que quatre, car l'heure est trop grave pour s'encombrer de corps accessoires.

Elena a apporté les photos d'acteurs susceptibles de remplacer Donald dans la série. Ils se les partagent, les mains souillées des jus de leur crustacé. « *This one,* pointe le coproducteur avec fermeté. *This one is already known in the States.* » Les Américains, en effet, zieutent *Invisible Man* avec un intérêt de plus en plus mercantile, et il n'est donc pas question d'arrêter la machine maintenant mue par leur énergie verte. Sauf si Thomas s'y oppose, puisqu'il est le principal détenteur des droits, grâce à une clause de contrat incroyable qu'Elena n'a pas eu le flair de lui refuser. Mais personne autour de la table ne semble envisager, même un instant, que Thomas puisse s'opposer.

— Je m'oppose, dit Thomas.

Les bouches s'arrêtent de mastiquer, les regards s'arrondissent sur Thomas. Un instant, il se sent haï comme une fièvre aphteuse qui menacerait leur meilleure vache à lait.

— Thomas est épuisé, plaide Elena. Il a besoin de repos, avant de reprendre la série.

— Pas d'*Invisible Man* sans Donald, répète Thomas avec une douceur inflexible.

Même Elena le lâche alors complètement, farfouillant avec rage dans son homard.

Mais c'est égal. Nul ne peut vivre librement sans être honni de temps à autre. D'ailleurs, le coproducteur torontois le prend à part, sur le pas de la porte, dérogeant en catimini à l'hostilité générale.

— Et un film ? murmure-t-il en anglais. Ça vous dirait, un film au lieu d'une série autour d'un nouveau Tobias Crow ?... *Just you and me ?...*

— Je ne peux pas ! crie Thomas, paniqué. Je ne sais pas quoi faire !

— Calme-toi, dit Pat à l'autre bout du fil. La première chose, c'est de te calmer.

Thomas s'assoit sur ses talons. Il entend son frère respirer, dans sa retraite au Vermont, il imagine autour de lui les arbres magnifiques, les moines sereins, la vie pacifiée pour l'éternité.

— Reste à côté de lui, reprend Pat. Tu peux lui parler, lui dire des choses rassurantes.

— Pourquoi moi ? se lamente Thomas.

— C'est très bien que ce soit toi, dit Pat. C'est un cadeau qu'il te fait là.

— Un cadeau, s'insurge Thomas.

— Voici ce que tu vas faire, dit Pat de sa voix autoritaire d'aîné. Tu t'assois près de lui. Tu m'écoutes, Thomas ?

— Oui, soupire Thomas.

— Tu vas respirer avec lui. Tu vas prendre sa place. M'écoutes-tu ?

— Oui, dit Thomas.

— À chaque inspiration, tu prends en toi tout le pénible de son état, sa terreur, sa souffrance. Et à chaque expiration, tu lui envoies n'importe quoi de bon qui te vient à l'esprit.

— De bon, dit faiblement Thomas.

— Le printemps, le goût de la bière fraîche, la douceur de vivre, ton amitié pour lui, ton amour pour Mona…

Thomas se cramponne au téléphone. Prendre sa

place, enfin pour de vrai. Comme tout cela forme une boucle ironique, et puissante. Il regarde en direction de la chambre de soins palliatifs où Donald s'apprête à mourir devant lui, à lui faire ce cadeau impossible.

Soir 350

Des lilas mauves dans les bras, mauves comme ses yeux, Mona pénètre pour la première fois dans son ancien appartement. Son œil pointu déshabille le vestibule.

— Tu as enlevé le miroir, dit-elle.

— Oui, dit Thomas sans autre explication.

Elle lui donne les lilas. Il lui sert un porto. Ils s'assoient l'un en face de l'autre, à des millions de kilomètres de distance.

— Je suis désolée pour Donald, dit-elle.

— Merci, dit Thomas.

— Tu as maigri, dit-elle encore.

— C'est bien possible, dit Thomas.

Que peut-il se passer, ensuite ? Qu'est-ce qui mérite de s'élever à hauteur de conversation ? Ils barbotent tous deux dans des insignifiances, puis Mona se raffermit. Elle dévisage Thomas comme une guerrière.

— J'ai réfléchi, dit-elle. J'ai envie de revenir avec toi. D'essayer une autre fois.

Thomas l'observe, surpris, avalant l'information à très petites doses. Plus il avale, et plus cela active en lui la vieille tristesse, la tristesse fondante qui s'est logée dans ses flancs. Elle le regarde avec inquiétude.

— Tu ne m'aimes plus ? demande-t-elle, la voix tremblante.

Il est incapable de répondre, muselé par la tristesse. Rien de Mona, pas même cet espoir de retour, n'atténue la tristesse que son départ a réveillée.

— Tu ne m'aimes plus ? répète Mona, véhémente.

Il est incapable de répondre. Il contemple devant lui le gâchis, l'amour effondré, démoli par un marteau-piqueur, ses blocs désassemblés, inutilisables. Comment maintenant remettre tout cela ensemble, comme si c'était une chose neuve ?

Jour 365

Thomas marche. C'est une si belle journée. Il n'y a rien à demander de plus : pouvoir marcher, dans le moelleux de l'herbe toujours revenue, sans rien à soi d'assuré que cette chaleur qui tombe du soleil gratuitement. Marcher, dans la lumière du soleil, marcher devant.

En passant devant un banc, il ralentit le pas. Il lui vient à l'esprit, confusément, qu'il avait quelqu'un à voir, un rendez-vous avec quelqu'un. Mais non, il est seul, il n'y a personne d'autre dans le cimetière. Il reprend sa marche. Il s'en va verser sur les cendres de Donald une bouteille de whisky, la meilleure qu'il a trouvée. On ne sait jamais : une fleur saugrenue, enivrante, pourrait naître ainsi de l'humus formé des essences du meilleur acteur et du meilleur whisky.

Thomas s'enfonce dans une allée de tilleuls. On peut le suivre un moment entre les arbres, grâce au reflet lustré de son veston de cuir très bien coupé.

PETITES PUCES

Il y a quelque chose avec les étrangers fraîchement débarqués. Une aura de drame, une séduction. Ils se tiennent dans le vide, sur un territoire qui n'existe plus. Ils sont imprévisibles, ils ne savent rien de ce qu'on attend d'eux. Ils ont le regard des petits enfants éblouis par tout ce qu'il leur faut apprendre. Ils exhalent un parfum de mystère et d'innocence qu'ils perdront fatalement en s'intégrant aux citoyens inodores.

Gaby les aime profondément, le temps que dure leur relation, l'espace de dix semaines. Après, elle se met à aimer les autres qui débarquent, plus frais et plus imprévisibles. C'est peut-être le fumet qu'elle aime, ce fumet de différence et d'enfance qui perdure au-delà des cohortes défilant dans sa classe.

Laila, par exemple.

Laila est dans sa classe d'immersion française depuis cinq semaines.

Deux cents femmes et un cochon sont ARRIVÉS sur le pont, e *accent aigu et* s *parce que dans la langue française le masculin l'emporte sur le féminin... Mais stop ! Dans la vie réelle à Montréal, je vous l'annonce si vous ne le savez pas déjà, c'est plutôt le féminin qui l'emporte sur le masculin...*

Laila a dix-sept ans. Elle chuchote quand elle parle. Même en plein jour, dans la rue où tous les vacarmes sont permis. Quand son rire éclate, ce qui arrive souvent, elle le dissimule aussitôt sous son petit poing fermé. Elle a des yeux de mille et une nuits, dans lesquels pulsent des histoires tumultueuses et des désirs brûlants. Ses cheveux noirs flottent sur ses épaules, sans attache et surtout sans voile. Elle vient d'un pays qui n'aime pas les cheveux flottants des femmes. Elle habite avec son petit frère et son père, dont le cœur se languit encore du pays qui n'aime pas les cheveux flottants des femmes. C'est ce qu'elle chuchote à Gaby, quand elles sont dans la rue, à l'extérieur de la classe : *Mon père très très religious, mon père naqshbandî.* Gaby ne pose pas de questions, poursuivie par des images de barbu enturbanné et de charia. Quand elles sont ensemble dans la rue, à l'extérieur de la classe, c'est que Laila va chercher son petit frère au CPE et que Gaby se trouve à rentrer chez elle, par le même chemin. Parfois, Laila glisse son bras sous celui de Gaby en marchant. Parfois, Gaby accompagne Laila au CPE, pour le plaisir d'entendre babiller et de voir sautiller entre elles le petit frère, une boule de vif-argent frisottée et ensoleillée. Derrière, à distance respectueuse, les deux cousins de Laila cheminent dans la même direction. Eux aussi perfectionnent leur français avec Gaby, eux aussi habitent la maison du père – *naqshbandî !* –, mais à un étage différent.

Le petit frère de Laila s'appelle Noorullah, mais tout le monde dit Nono. Gaby aussi dit Nono, depuis qu'elle l'a rencontré.

Nous portions nos portions, lorsque mes fils ont cassé les fils. Le ver va vers le verre vert. Elles excellent à composer un excellent repas avec des poissons qui affluent de l'affluent. Qui peut écrire ça sans faute?... Ce sont des homographes: ils font partie des cruautés de la langue française. Êtes-vous sûrs que le français vous intéresse encore?

Yuli, Samanta, Yin, Ken, Jaimal, Barbara, Constant, Mark, Pino, Lily, Jesus, Assouf, Pakir, Driss, Mohamad, Tonio, Maria, Redostin, Laila... Quand ils sont assis devant elle, leurs visages de moins de vingt ans et de plus de cinquante ans sont uniformément rajeunis par une confiance absolue. Quand elle est debout devant eux, à disséquer le mystère des participes passés pronominaux ou celui de l'accord des adjectifs numéraux, ou à jouer les mentors sardoniques comme aujourd'hui, elle est celle qui compte le plus dans leur vie, elle est leur plus-que-mère, elle est leur porte d'entrée sur le nouveau monde. Il n'y a pas de mot pour décrire parfaitement cette relation éphémère et intense, comme il n'y a pas de justification au fait qu'une mère se mette à aimer un enfant plus que les autres, à trembler davantage pour Laila que pour Lily, par exemple.

Aujourd'hui, on célèbre la lettre P... Pakir et Pino, par pitié, ne papotez plus... Des fruits?... Patate, bouh, c'est un légume, ça, Barbara, papaya, *excellent, pomme, bien sûr, pamplemousse, bravo, Tonio,* pinapel, *Lily?... Tu veux dire* ananas... *Prune, poire, pastèque, pruneau...*

Depuis le temps qu'elle travaille en immersion française, Gaby en a croisé, des musulmanes avec ou sans foulard, des Africaines excisées, des Roumaines exploitées par des souteneurs, de petites Coréennes épuisées par les mauvais boulots, des Sud-Américaines poursuivies par l'Immigration… Ce n'est pas que les hommes soient tellement mieux nantis. Mais ce sont des hommes, au moins, issus de cultures où il fait meilleur être un homme, même si la misère étreint indifféremment les deux sexes quand elle s'y met. Dans sa classe actuelle, outre les Argentins joyeux, le Moscovite beau comme un mafioso, les Chinois studieux, les prospères Indiens de caste brahmane, il y a quand même deux vieux Haïtiens dont elle n'est pas sûre que l'estomac soit rempli chaque jour, un Kosovar qui traîne des cauchemars sanglants, un Somalien presque analphabète… Et les deux cousins de Laila, Jaimal et Assouf, qui couvent des yeux leur parente comme des chiens de garde. À moins qu'il ne s'agisse tout simplement d'affection.

Qu'est-ce que Laila a que les autres n'ont pas ? Une autre façon de dire serait : qu'est-ce que les autres ont qu'elle n'a pas ? La détermination, peut-être, la légèreté de la détermination. Oui, cette promesse que tout immigrant se fait à soi-même que tout va bien aller, que tout ne peut que bien aller une fois la langue maîtrisée, les nouveaux codes dévoilés…

Gaby a peur pour elle. Voilà le mot lâché. Maintenant, la peur sort de l'ombre et devient un corps tangible qui se permet de grandir à l'extérieur de son esprit – un corps enturbanné et barbu. *(Mon père fâché, mon père interdit que je sorte, mon père veut que je me cache, mon père très religious… mon père naqshbandî…)*

Oh, si elle pouvait la prendre avec elle, la frêle Laila, les prendre tous deux sous son aile, Laila et le petit

Nono, les soustraire à leur avenir et aux imprécations de leur destin, les installer dans le jardin riant de la liberté, cette fleur la plus exquise du nouveau monde.

... Des métiers maintenant... Ppp... Plombier, oui! Papa, ah ah! Policier, hélas, oui. Professeur! À qui le dites-vous, et dur métier à part ça. Photographe, très très bien. Pape! Pourquoi pas? J'adore ça, pape, et le féminin est?... Papesse!... Pharaon?... Excellent!... Qui a dit « Pharaon »?...

C'est Mark qui a dit « Pharaon ». Toujours assis derrière, un visage intense et des yeux sans fond, Mark rougit de plaisir chaque fois que Gaby le complimente, et elle le complimente souvent vu qu'il est doué, mais ce ne sont pas les doués qu'elle préfère. Elle préfère ceux qui en arrachent, Redostin le Kosovar et son passé violent, ou Ken le Somalien presque analphabète, ou Yuli le Moscovite à la dégaine de mafioso, ou Laila. Laila est justement assise à côté de Yuli, qui lui déverse des blagues dans l'oreille, et elle rit derrière son petit poing fermé, le regard néanmoins préoccupé ailleurs, comme si le dos aveugle de ses cousins la tenait sous surveillance.

Aujourd'hui, il y a un intrus dans la classe, quelqu'un qui s'est invité comme auditeur libre, et que Gaby a accepté comme tel. Il est assis au dernier rang comme Mark et Pino, il est parvenu à se faire oublier, il absorbe tout avec le même sourire discret. C'est Laurel le fouineur professionnel. Laurel le voleur d'héritage. Mais aussi : Laurel son neveu étonnant. Il est ici pour glaner du matériel de réflexion, ou d'écriture, mais Gaby lui a mis les points sur les *i* : pas question qu'il s'empare de l'identité éclatante de ses élèves et la dégrade dans des personnages de fiction. Il l'a rassurée avec cette indolence qu'il arbore comme une parure kitch depuis son voyage en Inde, « *C'est toi en fait qui m'intéresses* », lui a-t-il rétorqué sans rire.

À vrai dire, elle l'a accepté dans sa classe pour lui arracher son opinion au sujet de Laila, lui qui a des antennes dans le dit et le non-dit, et même dans l'invisible.

Bon, maintenant, c'est l'heure, l'heure bienheureuse de la conversation, ça veut dire que moi je me repose et que vous vous parlez... Participe passé, je vous rappelle... Voyons, à qui le tour ?... Assouf. Oui oui, Assouf, c'est toi qui commences... Viens ici, debout. Allons, courage. Raconte-nous. Raconte-nous la dernière fête à laquelle tu as participé. Participe passé. Tu peux aussi employer l'imparfait.

Jaimal et Assouf, en plus d'être les cousins de Laila, sont râblés, introvertis, pleins de bonne volonté, ont le regard ingénu et le cheveu très noir, et ils rougissent violemment chaque fois que Gaby leur pose une question. Assouf est le plus rond des deux et le plus timide, il marche légèrement voûté, comme si sa courte silhouette était encore trop haute et qu'un plafond décroché menaçait de le décapiter.

— Il y a deux semaines, samedi, c'était fête... j'ai fête... fêtÉ !... avec Ibrahim, Sail, Jaimal et beaucoup autres... J'ai fêté Mawlid. C'est fête de notre prophète. J'ai fêté chez *Uncle* Khaled, qui est père de Laila...

Gaby se redresse imperceptiblement, *Uncle* Khaled, là tu m'intéresses, mon vieux, et elle boit ses mots hésitants avec le sourire le plus encourageant de son répertoire. Il s'en aperçoit : ses épaules se détendent, un courant de plaisir commence à l'irriguer.

— … Pour fête Mawlid, reprend-il avec un entrain neuf, on mange… non, mangé! *mantoo,* qui sont été raviolis avec sauce *mint* et yogourt, et *kabuli palaw,* qui sont été riz basmati *brown* avec agneau et *carrots* dans sucre et raisins, et kebabs, plein kebabs *beef,* bœuf poulet agneau, j'adore, j'ai adoré kebabs, *Uncle* Khaled a fait kebabs excellents, Khaled grand chef cuisine, très très bon restaurant de Khaled appelé Maraban… Après j'avais, j'aurai mangé gâteaux très bons qui sont appelés…

Soulevé par l'enthousiasme, il s'est jeté dans la nomenclature de la cuisine afghane jusqu'à ce que les recettes au complet de génération en génération depuis Abraham-Ibrahim le Sémite y passent, mais l'attention de Gaby ne bouge plus, elle campe maintenant dans ce restaurant appelé Maraban où elle vient d'apprendre que Khaled cuisine des kebabs en plus de détenir le mystère et le sort de Laila.

— Et toi, Laila, se permet-elle d'interrompre, toi aussi, tu étais là, à la fête avec Assouf?

— Non, dit Laila.

Sa voix a claqué comme un coup de fouet, elle se tient la tête baissée depuis le début du laïus de son cousin, elle ne la lève un instant que pour darder sur Assouf un regard intense, presque palpable à force d'animosité.

— Moi, j'ai été là! intervient soudain Jaimal, l'autre cousin. Très belle fête, Mawlid!…

— Mawlid pas une vraie fête, Mawlid est *shirk*!…

C'est Mohamad le Pakistanais qui a parlé, et bientôt un brusque tumulte se lève, d'autres voix sautent dans l'arène – celles de Driss, de Redostin, de Pakir… – pour défendre ou accuser Mawlid, cette fête de la naissance du prophète qui ne serait pas ou serait trop allez savoir quoi, car l'algarade se passe maintenant en arabe et Gaby, abasourdie, doit crier pour se faire entendre.

— En français !... Si vous voulez vous engueuler, c'est en français que vous le faites !

Cela dépasse leurs forces ou leur vocabulaire, et le silence revient. Gaby est frappée soudain par les statistiques. Ils sont sept dans sa classe – plus du quart de ses effectifs !... –, sept de confession musulmane, sept à se disputer l'islam comme une couverture rapetissée. Sans plus un mot, Assouf retourne vers sa place, le front buté par le ressentiment.

— C'était très bien, Assouf, lui dit doucement Gaby en manière de consolation.

Il lui lance un regard réprobateur comme si elle était responsable de la contestation. Il ramasse ses affaires, toujours debout, il ouvre la bouche, il se racle la gorge, il met du temps à parler. Même si sa voix trébuche sous l'émotion, son français est soudain presque impeccable.

— La nuit après Mawlid, lance-t-il, notre cousin, notre cousin Zahir Ramish a été mort. C'est les Canadiens qui ont tué notre cousin Zahir.

— *Shut up !* crie Laila.

— Quoi ? dit Gaby. Que dis-tu ? Les Canadiens ?...

Elle reste bouche bée avec une image absurde : elle voit patiner devant elle les Canadiens de Montréal dans leur chandail de hockey tricolore. Ce n'est pas la bonne image ni la bonne réaction. Assouf s'engage vers la sortie. Les autres se lèvent aussi, puisque c'est la fin de la classe, une fin en queue de poisson, inimaginable. Gaby cherche le regard de Laurel au fond de la pièce, il semble aussi perplexe qu'elle.

— Bon... Demain, demain, nous reparlerons de tout ça... Demain. À demain...

Jaimal sort en courant pour rattraper son frère, et Laila glisse devant Gaby sans lui jeter un regard, comme si quelque chose d'irréparable venait de se produire entre eux, entre elles. Lorsque Gaby prononce distinctement son nom – Laila!... – et tente de la retenir, elle s'enfuit en tenant fermement le bras de quelqu'un en manière d'armure, le bras de Yuli en l'occurrence.

C'est à n'y rien comprendre. En même temps, rien n'est plus compréhensible que ces sautes d'humeur et ces cabrioles émotives chez des êtres vulnérables qui marchent sur la corde raide d'une nouvelle vie, combien de fois Gaby s'est-elle trouvée à colmater des fuites et à panser des blessures parce qu'une digue avait sauté, combien de fois a-t-elle calmé le jeu de ces vieux enfants démunis, de ces petites puces adultes. Même ce cousin surgi de nulle part et aussitôt assassiné – Zahir qui? –, même lui dont le nom évoque un souvenir vague finira bien par trouver le repos.

— Zahir Ramish, confirme Laurel. C'est le clandestin qui s'était caché pendant un mois dans une église.

Ils sont maintenant seuls dans la classe, qui vibre encore d'énergie ébouriffée, son neveu Laurel et elle, et elle ressent pour lui une vague d'affection, et elle se prend à songer qu'il n'y a peut-être après tout de réconfortant et de solide que la famille, comme le savent encore les nouveaux arrivants avant de ne plus le savoir, gangrenés par la grande pauvreté nord-américaine du chacun pour soi.

— Bonne soirée, madame…

Finalement ils ne sont pas seuls, il y a encore Mark.

Il faut dire que Mark s'arrête devant elle à toutes les fins de classe, et il reste là sans bouger comme s'il espérait d'elle quelque chose, rougissant et gentil, oui, et clairement obséquieux, chaque fois Gaby attend avec un sourire contraint qu'une demande intelligible émane de ces grands yeux insondables, mais il sourit et rougit et rien ne se passe.

— À demain, Mark.

Cette fois encore, une ombre de déception semble traverser ses yeux mélancoliques et il s'en va à petits pas lents vers la sortie, à petits pas complètement irritants.

Tant pis. Tant pis s'il s'attend à ce qu'elle l'invite dans un café ou chez elle, ou pire à ce qu'elle poursuive son apprentissage du français jusque sous la couette.

— Et pourquoi pas ? fait Laurel, taquin. Ça ne serait pas la première fois.

— Trop téteux. Je ne peux pas supporter les téteux.

— Il est peut-être amoureux de toi.

Ils sont sortis de l'université sans se dire qu'ils allaient ensemble prendre un pot, et c'est pourtant ce qu'ils sont en train de faire, ils marchent côte à côte vers la rue commerçante, dans l'obscurité froide et blanche. La nuit tombe si vite, l'hiver, qu'on oublie sans cesse à quoi ressemblait la présence lumineuse du soleil, et si même il y en a jamais eu. Gaby, fourbue, aurait envie de glisser son bras sous celui de Laurel, comme Laila l'a fait si souvent avec elle. Laurel la dépasse d'une bonne tête, lui qui était un petit garçon malingre – et sournois –, se rappelle Gaby, mais il s'agit d'une vieille époque où elle-même était une tante vaguement inhospitalière. Et puis une magie survient : c'est Laurel qui la prend par le bras, avec une aisance qui se communique aussitôt à elle.

— Et alors ?... Comment tu la trouves ?

Elle n'a pas besoin de mentionner son nom pour qu'il comprenne aussitôt qu'il s'agit de Laila.

— Troublée.

— Tu veux dire : effrayée.

— Non. Troublée, c'est-à-dire trouble. Opaque, si tu préfères.

— Elle est jolie, hein ?

— Oui. Mais ce n'est pas mon genre.

— Et c'est quoi, ton genre ?

— Tu sais bien. Les anges. Les anges blonds.

— T'ennuies-tu de l'Inde ?

— Non.

— As-tu revu Maman ?

Il est impossible de se retrouver avec Laurel sans avoir envie de parler de Maman. Il y a eu cet épisode de l'Inde, qu'il lui a déjà narré dans les moindres détails, et sur lequel elle ne se lasse pas de revenir : *Dis-moi encore comment elle était... Avait-elle l'air de souffrir ?... Et pourquoi, d'après toi, elle ne t'a pas parlé ?* Jusqu'à ce qu'invariablement il s'impatiente : *Relaxe et oublie ça, Gaby, c'était juste une image, une simple image comme lorsqu'on rêve.* Elle déteste quand il est comme ça, quand il garde ses trésors pour lui, quand il lui dénie le droit de comprendre. S'il s'agit de *simples images*, comme il le dit, pourquoi ce n'est pas à elle qu'elles adviennent ?

Et après, de surcroît, il y a eu Noël. Lors de ce souper de Noël chez Thomas, le champagne coulait et la musique jouait fort, pénible, les amis de Thomas et de Claire riaient et prenaient toute la place, et Gaby s'est retrouvée à un moment seule à pleurer dans un coin, et tout à coup elle a senti derrière sa nuque la présence et l'odeur de Maman. Quand elle s'est retournée, Laurel était là, survenu sans bruit. Il n'a rien eu à dire pour qu'elle cesse de pleurer, mais elle se souvient d'un intervalle de douceur où l'odeur de Maman flottait très fort entre eux deux, prégnante et sucrée comme un gâteau aux fruits.

Et il y a eu cette autre fois, il y a deux semaines, quand Gaby a tenu à retourner dans la maison de Françoise juste avant que les acheteurs – un jeune couple anglophone – en prennent possession. C'était un jeudi soir, elle s'en souvient, un temps de misère noire, il y avait du verglas dehors, et elle marchait sur les parquets craquants de la maison et enfilait une à une les pièces maintenant complètement nues, écrasée par la désolation. Son cellulaire a sonné et elle n'a pas voulu répondre. Mais plus tard, quand elle a pris l'appel, c'était Laurel, à qui elle n'avait rien dit de sa visite, Laurel, qui lui laissait ce message sans préambule : *Regarde donc au fond du garde-robe de la salle à manger s'il n'y aurait pas là un ballon, je cherche un ballon que j'avais laissé chez elle.*

Le ballon n'y était pas. Comme quoi il y a des limites à la divination. Laurel a prétendu, par la suite, qu'elle lui avait mentionné son intention de se rendre chez Françoise – Framboise, continue-t-il de l'appeler –, alors qu'elle, elle SAIT qu'elle ne l'a pas fait.

Mais quand on est assis à côté de Laurel, comme en ce moment, on ne peut rien retenir contre lui. Il est semblable à son père, à Thomas, deux êtres bénis des dieux, nimbés par la grâce et la chance, qui évoluent dans leur légèreté sans être affectés par la lourdeur des autres. Et pourtant, ça vient d'eux comme d'un talisman, ils exsudent quelque chose qui rend la rancœur impossible. Ça fait partie de l'injustice.

Ils en sont à leur troisième bière, épongée par des nachos épicés, ils commencent à être aussi pafs l'un que l'autre.

— Et Maya ?

Il fait mine de tirer une chasse d'eau. Irrecevable !

— Te rends-tu compte, lui dit-elle brusquement, que ni toi, ni moi, ni ton père ne sommes capables de garder *quelqu'un* dans notre vie ? C'est comme une malédiction.

— Au contraire, dit-il. C'est une vraie chance. D'ailleurs, Thomas n'est pas seul. Il est avec Claire, même s'il ne le sait pas. Et toi, tu as Pedro.

— Il est parti.

— C'est bien.

— Pourquoi c'est bien ?

— Tu ne l'aimais pas, non ? L'aimais-tu ?

Non, elle ne l'aimait pas. Quand il habitait chez elle, Gaby continuait de dire qu'elle habitait seule. Seule malgré Pedro, seule malgré deux chats noir et blanc installés à demeure sur son sofa. Les chats se sont retrouvés dans sa cour il y a cinq ans et ne sont jamais repartis. On pourrait dire la même chose de Pedro, qui a glissé de sa classe de français à son lit et qui a fait mine de ne plus ressortir. Ce n'était qu'une question de temps. Une fois la passion du corps et la guérilla colombienne éteintes, à court de combustible, les raisons de partager le même espace n'ont cessé de rétrécir chaque jour davantage. Les chats, par contre, semblent échapper à toute date d'expiration.

— Tu as toujours aimé les autres, je veux dire les étrangers, ceux d'ailleurs, aux réalités différentes, tous tes amoureux ont été des étrangers.

Elle est ahurie. Comment peut-il savoir ça ? D'ailleurs, ce n'est sans doute pas vrai.

— Francis, par exemple... Le Parisien... Mon Dieu qu'il t'a fait souffrir, celui-là, et que tu t'es obstinée à l'aimer et à lui donner des chances...

— Tu étais bien trop jeune au temps de Francis !... Comment peux-tu te rappeler Francis ?

— Je m'en souviens, c'est tout, dit-il avec un sourire sibyllin. C'était l'année du gros verglas à Montréal. L'année de glace. Je n'étais pas si jeune, j'avais quinze ans. Je me rappelle aussi que, dans le pire de la panne d'électricité, tu avais hébergé un couple *weird* avec un petit garçon.

Elle commande pour eux deux des viandes grillées – du poulet, des côtelettes... – et un tas de frites, et de la *coleslaw*, des nourritures denses qui occupent la bouche et qui empêchent de parler. Un fer rouge brille au milieu des souvenirs que Laurel a ressuscités. Elle n'ose rien toucher de trop près pour ne pas se brûler. Ça a à voir avec Francis, mais pas seulement. Ça a à voir avec la passion qui est née en elle à ce moment-là, une passion pour un enfant devenue passion pour tous les enfants, en même temps que naissait la certitude inéluctable qu'elle n'en aurait pas, jamais, et que ça continuerait de la torturer comme un membre fantôme, comme une béance toujours à vif.

Ils mangent en silence. Laurel est d'ordinaire végétarien – mais il n'en fait pas une religion, remarque-t-il avant de se jeter sur son assiette. Après un moment, il pose sa main huileuse de friture sur la sienne.

— Tous ces arrivants, dit-il. Toutes ces brebis égarées. Tu leur donnes tellement de chaleur, Gabrielle.

Elle le regarde par en dessous, ne sachant trop où mettre ce qu'il est en train de lui dire. Il est retourné à ses os de poulet, qu'il suce avec délectation.

— Finalement, lui avoue-t-elle, je ne les aime pas tant que ça, tu sais. À vrai dire, la seule façon pour moi d'aimer les autres, c'est de les imaginer quand ils étaient petits. Il y avait une vraie brute, l'an dernier, dans mon cours, un type de la Turquie, cheveux blancs, arrogant, gueule de tueur. Oran. Je ne le blairais pas, jusqu'à ce que je me mette à le voir en petit garçon tout blond, frondeur, et sans doute tabassé par son père. Après, je n'ai plus jamais eu de problèmes avec lui. Oran Kemal.

— Tu es formidable, dit Laurel sans la regarder.

— Ah oui ? ricane-t-elle pour cacher son émotion. Et toi ? Tu es quoi ?

— Moi ?

Il réfléchit, une frite entre deux doigts. Elle voit s'élargir la gravité au fond de ses prunelles.

— Moi, le sol se dérobe sous mes pieds, sans cesse. Sans cesse.

Ils échangent un regard muet. Il se met à rire, comme s'il avait dit une blague. Elle ne rit pas. Elle le contemple, pénétrée par une sorte de malaise, ou de respect. Elle ne le connaît pas, elle ne l'a jamais vraiment connu, n'a jamais reconnu en lui le petit garçon étonnant qu'il était. Maintenant, c'est trop tard, on dirait qu'il n'a plus d'âge.

Quand ils sont sur le point de se séparer, elle lui demande :

— Qu'est-ce que je fais pour Laila ?

— Rien, dit-il sans hésitation. Tu ne fais rien du tout.

Et c'est vrai, elle n'a rien à faire pour que les événements se précipitent. Elle ne fait que rentrer chez elle, un peu grise au milieu de la soirée froide, elle tâtonne dans sa serrure avant de trouver la bonne clé, et voilà que derrière elle un virage à cent quatre-vingts degrés se prépare, sous forme de crissements de pas dans la neige et de halètements. Derrière elle apparaît une petite silhouette mince, une tache noire contre le blanc du sol, avec en son flanc une autre tache noire plus petite. Le cœur lui manque quand elle reconnaît Laila. Laila et Noorullah. Nono.

Pas de vraie surprise, plutôt l'évidence soudaine de voir advenir ce qui devait advenir, comme quand la neige se décide à jaillir des nuages, ou que le soleil bondit de la ligne d'horizon qu'il n'en finissait plus de colorer, elle les fait entrer sans qu'un mot se profère, elle est finalement si pleine de joie qu'elle en pleurerait. Ont-ils froid ? L'ont-ils attendue tout ce temps dehors ?

— Pardon, bredouille Laila, pardon de nous arriver comme ça...

— Non, non, dit Gaby.

Et elle allume le plafonnier, elle referme la porte derrière eux, elle serre contre elle le petit Nono, qui a la tuque trop enfoncée sur les yeux, et elle commence à lui enlever ses bottes et à le dépêtrer de son lourd petit parka de neige. C'est comme un miracle. Une partie d'elle enfouie a souhaité immensément que ceci se passe. On ne sait pas ce qui suivra, mais on savoure les miracles avant de leur demander des comptes.

— Gawy, clame Nono. On est dans maison de Gawy.

Laila lâche à l'intention de son petit frère quelques mots secs en pachtoune – sans doute veut-elle calmer son exubérance spontanée de petit garçon, ou mater peut-être sa propre nervosité, car lorsque Gaby lui offre de prendre son manteau, ses lèvres s'entrouvrent sur un sourire embarrassé.

— Non, dit-elle. Non, je moi reste pas. S'il vous plaît, oh, s'il vous plaît, Gaby. Tu gardes Nono, et moi, je suis *back* ici à dix heures... Dix!...

Son sourire est embarrassé, mais des étoiles explosent dans ses yeux noirs, ses yeux de mille et une nuits que jamais Gaby n'a vus aussi saturés d'émotion – et ce n'est pas l'émotion de la peur, c'est évident. Elle soutient le regard interloqué de Gaby un moment, puis détourne la tête.

— Dis-moi que cela n'a rien à voir avec cet après-midi, rien à voir avec ce Zahir Ramish qui est mort.

— *No, no!* s'exclame Laila, et ses yeux cette fois lancent des roquettes assassines. Zahir Ramish est *shameful,* je hais lui, il est terroriste, il apporte problèmes!...

— Alors quoi ?... Dis-moi au moins que tu vas bien...

— Tu vas bien, tout va bien, chantonne Laila, et elle se met à rire derrière son petit poing fermé.

Gaby comprend soudain.

— Ah, ma bougresse. Tu as un rendez-vous amoureux.

— Amour, oui, oui, dit Laila, et elle s'esclaffe pour de bon.

Elle prend les deux mains de Gaby et les presse sur son manteau de laine rouge à la place du cœur pour bien lui montrer à quel point il bat, mais tout ce qui parvient à se communiquer, c'est l'humidité froide de la laine.

Et bien sûr, Khaled ne sait pas, ne doit pas savoir. « Mon père ne veut pas que moi je vis... », dit Laila avec une indignation que Gaby applaudit à deux mains, intérieurement. Intérieurement, car elle est quand même mineure, la gazelle énamourée, et les mineures appartiennent à leurs pères, aussi *naqshbandî* soient-ils. Gaby ne dit pas : Je suis avec toi quoi qu'il advienne, on ne fait pas ce genre de promesse dangereuse à une très jeune fille qui en plus est votre élève, mais elle sourit de telle manière à Laila que celle-ci comprend ce qui n'est pas formulable.

— Merci, merci, dit-elle en souriant, et même en embrassant une main que Gaby lui abandonne. Je reviens *back* à dix heures, dix.

Elle y met de la solennité en étendant ses dix doigts, DIX ! comme si les promesses étaient meilleures lorsqu'elles sont visibles. Cela lui laisse un peu moins de deux heures pour oublier qu'elle a un père et une vie en tutelle, mais cela est amplement suffisant pour empêcher son corps de refroidir, se dit Gaby en la voyant si galvanisée.

— Est-ce que je le connais? demande-t-elle, taquine.

Laila place un doigt sur ses lèvres – *chchut* –, les yeux noirs pétillant de mystère.

Tout ce temps, le petit Nono se tient remarquablement tranquille il s'est assis sur le tapis et il joue avec une souris en peluche qui appartient aux chats, mais il les tient toutes deux à l'œil, mine de rien. Lorsque Laila l'appelle, il fait un bond vers elle et elle l'étreint un moment et elle lui parle à l'oreille en lui caressant les cheveux et il répond par monosyllabes en regardant Gaby, puis il se tortille pour s'échapper. Il s'en retourne s'asseoir sur le tapis et empoigne la souris, qui est maintenant son jouet à lui, et Laila le contemple avec un sourire vacillant. Puis, hop, elle se retourne gaiement vers Gaby, ses yeux sont embués, mais c'est de bonheur anticipé, vite il lui reste si peu de temps pour jouir de la vie vivante. Elle s'enfuit, après un dernier sourire reconnaissant.

Elle s'enfuit dans la nuit, mais pas loin une Subaru que Gaby n'avait pas remarquée est garée contre le trottoir, et c'est là que Laila s'échoue avec ses yeux noirs épanouis. Dans la lumière brève du véhicule, avant que la portière ne se referme, Gaby croit reconnaître celui qui est au volant, et qui se penche vers Laila. On dirait que c'est Yuli, on dirait, mais on ne le jurerait pas, on ne le souhaite pas, à vrai dire, puisque Yuli a bien vingt ans de plus qu'elle, mais Gaby s'arrache à la fenêtre en se reprochant ces pensées réactionnaires, réactionnaires lorsqu'il est question de laisser parler la délinquance du cœur.

D'ailleurs, l'univers vient de se résorber sur lui-même pour ne laisser palpiter qu'un centre radieux, qui a nom Nono.

Il est toujours assis sur le tapis du salon, et Gaby vient l'y rejoindre. Ses mains tentent sans conviction d'éviscérer la souris en peluche, mais sa petite tête bouclée est pensive, pour ne pas dire inquiète.

Laila pa'tie?

— Laila revient bientôt. Tu veux qu'on joue avec les chats?

Chats?

Il ne connaît pas ça, chats. C'est là que Gaby prend conscience d'appartenir à une caste privilégiée, embellie en permanence par le velours des chats, dont elle reste l'humble servante, il va sans dire, puisque ces descendants de dynasties égyptiennes ne connaissent pas d'autre hiérarchie. Elle les appelle à voix pressante – *Oréo! Orémus!* –, car elle sait qu'ils sont tout près, embusqués dans le tournant du corridor, attendant que les étrangers horribles aient fini de débarrasser le territoire.

Noir et blanc tous les deux, jumeaux presque identiques aux tavelures dispersées çà et là sur la tête, ils amorcent une entrée circonspecte dans le salon, le bravissime Oréo en tête, flairant de loin le petit corps boudiné qui fait obstacle sur le tapis. Nono ne bouge plus, la bouche ouverte, les yeux ronds. *N'aie pas peur, ils sont très doux,* lui dit Gaby.

Il n'a pas peur. Il est en extase.

Les chats, qui se méfient de l'adoration, mais la

tolèrent quand elle garde ses distances, font leur numéro de chats, yeux dorés, roucoulements de bébé, frôlements sensuels et grande offrande du ventre, et Nono est tétanisé par le désir de les toucher tout en comprenant d'instinct qu'il doit freiner ses ardeurs. *Beau,* gémit-il, *c'est beau!...*

Gaby lui montre comment s'introduire en douceur et les gratter dans le cou et finalement les peloter au complet, car en tout chat sommeille une vieille obsession de putasserie qui ne demande qu'à exulter pourvu qu'on y mette les manières, et Nono se montre tout de suite champion tant il est amoureux. Une bonne heure passe où tout ce qui est chat dévoile pour lui ses secrets, les faire galoper au bout d'une corde, les nourrir dressés sur leurs pattes, les embrasser sur le ventre, les admirer en train d'enterrer leur pipi dans la litière.

— Est-ce qu'ils vont devenir des petits garçons quand ils vont être grands? s'informe-t-il auprès de Gaby.

Et lorsqu'il apprend que non, cela le remplit de perplexité, comme si l'uniformité primordiale venait de se déchirer et qu'il tombait tout à coup dans la séparation.

Cette heure est un enchantement pour tous, et la suivante l'est davantage pour Gaby, puisqu'elle prend dans le cœur de Nono le relais des chats qui disparaissent sans crier gare lorsque leur point de saturation affective est atteint. Nono les cherche un moment, désolé, et Gaby se garde bien de révéler les dessous de la courtepointe où ils se réfugient quand ils en ont marre du genre humain et enfin il se laisse séduire par la perspective d'un campement au milieu du salon, sous les coussins et sur les couvertures, où on peut grignoter des biscuits sans se soucier des miettes et s'étendre dans le moelleux en écoutant des chansons et des histoires de chats, et même faire un peu dodo, mais pas vraiment, parce que c'est trop nouveau et palpitant, être réveillé ici. Bien sûr, il s'endort aussitôt, collé contre Gawy, qu'il enveloppe de sa chaleur de créature magique, et qui fermerait bien les yeux elle aussi, si elle ne savait pas que ces dernières minutes sont arrachées à l'improbable et doivent être savourées une à une. Elle se dit qu'elle aurait dû lui donner un bain, comme on fait avec les enfants quand on est une gardienne responsable, puis elle ne se dit plus rien puisqu'elle a osé fermer les yeux et que le sommeil l'attendait là, juste de l'autre côté des paupières.

Son corps courbaturé se réveille avant elle. Une déflagration de lumière poudreuse vacille au bout de son regard, comme un spectre. Ça vient du lampadaire au-dessus de la neige, ça joue les coups de théâtre à travers la fenêtre quand elle oublie de fermer les rideaux. Elle se dépêtre des coussins, se lève, manque de marcher sur le chat Orémus, qui a fait son lit à ses pieds. Elle oscille entre la torpeur du sommeil et un malaise grelottant, qui se cherche une cause et qui la trouve tout à fait devant l'horloge du corridor : il est deux heures du matin.

Elle se rend à la fenêtre qui donne sur la rue, comme si la voiture de Yuli, ou de quiconque lui ressemble comme un frère, pouvait s'être garée devant à attendre son réveil pour lui rendre Laila. Elle contemple la rue aussi vide que son esprit, le temps de trouver quoi faire d'autre. Les deux chats miaulent à ses pieds pour ne rien perdre d'une occasion de nourriture, et elle les bouscule sans ménagement pour les faire taire. Surtout pas de bruit, il y a un enfant qui dort, qui doit dormir à tout prix, abyssalement, jusqu'à ce que le problème ait été élucidé.

En attendant, il repose dans l'écrin des couvertures et des coussins comme un trésor inaltéré. Son souffle est si inaudible qu'elle a un élan de panique, puis elle se rappelle que les petits corps sont en osmose parfaite avec l'air qui les traverse. Elle le porte dans son lit sans qu'il se réveille, elle le borde avec des gestes tendres qui lui viennent naturellement même si la rage pulse dans ses veines.

C'est une rage contre Yuli – contre l'homme de la voiture qui est selon toute apparence Yuli. Dieu sait où il a emmené Laila, de quels arguments enjôleurs il s'est servi pour la retenir toute la nuit, lui faire rompre sa parole, de quelle violence il est coupable, et Gaby fulmine et piétine d'inquiétude. Toutes les informations au sujet de ses élèves dorment dans l'ordinateur partagé de l'université, et il n'y a pas moyen d'y avoir accès sur-le-champ, pas moyen de héler Yuli ou Laila, et surtout aucune façon de réparer sa propre sottise d'avoir laissé la gazelle bondissante s'échapper dans ses fourrés sans lui arracher au moins un numéro de téléphone.

Elle s'aperçoit dans le grand miroir de la cuisine, fripée et les yeux exorbités de colère, elle ressemble à une mère aux abois, pour tout dire elle est le portrait choquant de Françoise dans ses lointains mauvais jours. Cela lui fait l'effet d'une douche, ou d'un calmant. Soudain elle est ramenée vers l'autre versant de l'histoire, elle entre dans Laila, dans le nirvana de l'amour et de la nuit des corps, où il est si facile d'oublier l'heure et les codes tièdes de la raison. Ce n'est que ça, il n'y a ni violence ni violenté, on s'étreint follement, on se perd dans la peau mouillée de l'autre, car les secondes de la passion sont des filons d'or éparpillés dans une vie si terreuse et puis on s'endort – comme Gaby l'a fait – et puis voilà qu'il est deux heures – à vrai dire trois maintenant. Laila est jeune, et amoureuse. Que celle qui n'a jamais été jeune et amoureuse lui jette la première pierre, et ce ne sera pas Gaby. Elle va arriver. Elle ne va arriver qu'au matin, c'est probable et c'est tant mieux, pour ne pas perturber le sommeil de Gaby et du petit frère.

Et puis elle entend pleurer et son esprit se vide instantanément de son vacarme. L'enfant Nono pleure, et les seules actions valides en ce moment sont auprès de lui.

Il s'est assis dans le lit, recroquevillé sur sa panique, et il reconnaît à peine Gaby quand elle s'approche et lui parle avec douceur. Il sanglote et pousse des cris stridents, on ne sait si c'est le cauchemar d'où il émerge ou la réalité dans laquelle il se réveille qui lui cause le plus d'effroi. Gaby se glisse à ses côtés et le prend dans ses bras. Il s'apaise un peu, mais il continue de pleurer, maintenant il réclame quelqu'un qui n'est ni Gaby ni Laila, il réclame *Babbo* : *Je veux Babbo ! Babbo !*

Cela ouvre un autre abîme, qui celui-là ne veut pas se refermer. Il y a un père, un *Babbo* quelque part, *naqshbandî* ou pas, le même qui terrifie Laila, mais qui est réclamé par son petit garçon, un père qui ne dort pas en ce moment, assommé par l'inquiétude, à moins qu'il ne soit déjà en train de remuer ciel et terre, de rameuter les hôpitaux et les commissariats de Montréal pour retrouver sa fille et son fils.

Que faire pour ce père, pour le désespoir présumé de ce père ? Rien, rien du tout, dirait Laurel. Le fils est là, c'est bien assez, le fils sollicite toutes les ressources de consolation. Depuis qu'il s'est lové sur elle, sa petite tête bouclée au creux de son aisselle, et qu'en plus Oréo le chat le moins pleutre a daigné sauter sur le lit, Nono a retrouvé sa respiration légère et son état de grâce, il caresse du pied le chat et gazouille et puis se rendort.

Gaby se rendort aussi, mais pas longtemps. Quelque chose de tonitruant la réveille, quelque chose qui cloche.

C'est Laila. C'est dans le visage de Laila. Laila étreint Nono avant de partir, elle lui chuchote des choses douces à l'oreille, avec *des yeux mouillés.*

Pas embués par l'exultation ou la passion, comme Gaby veut les voir à ce moment-là, mais mouillés pour de vrai, par des larmes, de vraies larmes comme quand on s'en va pour toujours et qu'on quitte quelqu'un qu'on aime, qu'on aimait, un petit frère par exemple.

Des larmes d'adieu.

Tout est si clair. Laila n'a jamais eu l'intention de revenir à dix heures du soir. Elle ne reviendra pas non plus à sept heures du matin, ni à huit, et elle ne sera pas assise dans la classe de Gaby à une heure de l'après-midi pour apprendre comment les pronominaux se comportent en français avec le temps passé et les sujets multiples. Elle vient de bazarder complètement le passé en n'importe quelle langue, elle est dans le présent total avec Yuli, pour le moment avec Yuli.

Les yeux grands ouverts au milieu du radeau qui

emporte Nono et le chat Oréo dans un sommeil océanique, Gaby voit tout avec une clarté plus grande que le jour. Elle n'en veut même pas à Laila, elle voit tout, elle comprend tout. Quand on est en émancipation volcanique, quand déferle sur nous la tradition barbue du Père, tout est tremplin vers la liberté, y compris la bienveillance inepte de la professeure de français, y compris l'amant plus vieux qui sera un repère pratique sur la route, un repère initiatique qu'on jettera plus tard pour suivre d'autres repères vers d'autres routes.

Il faut maintenant passer le reste de la nuit avec ce savoir explosif, accepter de ne pas dormir, attendre que la lumière rétive du jour d'hiver s'infiltre par la fenêtre ou que l'enfant revienne au monde, le premier des deux.

Il faut disposer de l'enfant.

Le porter au CPE comme si de rien n'était semble l'unique voie. Ainsi, elle ne trahit pas Laila qui l'a elle-même trahie, elle reste en deçà de la mêlée, elle n'ajoute pas au psychodrame, *elle ne fait rien du tout.* Après l'avoir nourri, bien sûr, et l'avoir débarbouillé, après avoir apaisé à l'aide des mensonges les mieux fignolés tout ce qui pouvait surgir d'hirsute sous sa petite tête bouclée.

Il se réveille avec un sourire incertain, mais il fait déjà soleil dehors, et l'un des chats est à portée de caresse. Gaby construit des bonshommes et des soleils dans le gruau qu'elle parvient à lui faire avaler, elle invente que Laila joue à cache-cache avec eux, maintenant elle est dissimulée parmi les petits amis de la garderie et on va aller la débusquer et la surprendre : YOU-HOU ! JE T'AI VUE, LAILA !... *Oui, t'ai vue, t'ai vue,*

Laila ! rigole Nono avant de se mettre à quatre pattes à hauteur des chats pour ramper et miauler avec eux, et Gaby les bénit d'être ce matin d'une humeur docile de courtisane.

Ce n'est que lorsqu'elle a habillé Nono de pied en cap et qu'elle s'est elle-même drapée dans ses oripeaux de janvier et qu'ils sont sur le seuil à saluer interminablement les chats complètement indifférents qu'elle prend conscience qu'elle ne le reverra pas, le petit adorable Noorullah, elle ne le reverra plus.

C'est ainsi, c'est une cruauté familière, on lui offre quelque chose de somptueux pour mieux le lui arracher, oui, c'est ainsi et ce n'est pas la première fois, cette griffure au cœur a déjà existé il y a longtemps dans un froid similaire, sous le ciel trompeur de janvier, il y a longtemps, mais pas au point de l'avoir oubliée – jusqu'à son neveu Laurel qui ne l'a pas oubliée.

Elle prend sa voiture, puisqu'elle transporte une cargaison précieuse, ils roulent au milieu des babillages enlevés de Nono, et surgit pour rien dans sa tête un nom, Maraban. Maraban, le nom du restaurant où Assouf a mangé de si bons kebabs, et où on sert possiblement le petit déjeuner, et alors le patron y est, y serait peut-être, le patron Khaled père de Laila et surtout de Nono.

Elle se gare sur l'accotement pour interroger son cellulaire, elle trouve tout de suite un restaurant Marhaban situé dans le Mile End, qui s'écrit avec un *h* et qui veut dire « bienvenue » en pachtoune.

Comme c'est étrange, c'est dans le quartier de Maman, entre deux synagogues hassidiques et un petit marché cachère, c'est si près de chez Maman qu'elle reconnaît les grands arbres dénudés et les façades des bungalows coquets et juste au coin, sous des auvents orangés, mais oui, Marhaban, récemment elle est passée devant ce restaurant soufi et y est même entrée une fois boire du thé à la menthe, elle se souvient de tentures fastueuses partout et de lampes chaudes dispersées entre des plantes luxuriantes.

Babbo ! crie Nono tandis qu'elle interroge la façade, debout sur le trottoir. *Babbo*, affirme-t-il, comme une confirmation ultime, la confirmation que la fin de l'aventure se trouve ici, après Dieu sait quel accueil éprouvant.

Il y a des clients à l'intérieur. Nono trépigne au bout de son bras, exaspéré par son hésitation, et elle le libère pour qu'il coure vers la porte. Elle pourrait faire demi-tour maintenant et s'enfuir pour éviter l'affrontement avec le père *naqshbandî*. Elle ne sait même pas ce que veut dire *naqshbandî*, elle n'a jamais cherché à le savoir.

De jeunes hassidim la croisent sur le trottoir sans la regarder, c'est jour de shabbat et ils se pressent vers la synagogue dans leurs broderies et leurs chapeaux trop grands. L'un d'eux en arrivant devant elle rencontre involontairement son regard et le retire comme s'il s'était brûlé.

Ce n'est pas Markus Kohen, mais il lui ressemble puisqu'ils se ressemblent tous, elle se souvient de Markus Kohen, à qui Maman a laissé mille dollars, Markus Kohen cherché chez les hassidim et jamais retrouvé et tout à coup cela descend sur elle et l'assomme.

Mark.

Les yeux de chevreuil craintifs et profonds, le nez

aquilin, la peau mate et rasée de près. Mark, Markus Kohen au fond de sa classe, qui vient chaque jour se poster devant elle avec son regard suppliant, suppliant qu'elle le reconnaisse enfin.

Pendant un instant, elle ne sait plus où elle est, et elle regarde avec étonnement le soleil qui s'est déposé sur le paysage blanc, distant comme une carte postale, la lumière dorée qui percute les arbres et les fenêtres, les grandes fenêtres du restaurant.

Que faut-il faire maintenant ?

Elle se remet en marche, elle entre dans le restaurant.

UNE POIGNÉE DE LUMIÈRE

Tu ne peux guider même ceux que tu aimes.

CORAN, XXVIII, 56

Oui, même ceux que tu aimes. Tu ne peux pas les emmener là où tu crois qu'ils seraient plus heureux. Tu ne peux pas leur demander de marcher sur un chemin qu'ils ne voient pas. Tu dois faire confiance. Le cheikh dit qu'il y a un rayonnement autour de tout ce que tu fais avec vérité : les ablutions le matin, la récitation du *dhikr* et du *subh,* l'infusion du thé, même étendre sur la table la nappe bleue avec les broderies d'or, celle qu'elle préfère. Tu ne peux qu'espérer qu'elle sera atteinte par le rayonnement.

Il faut du temps pour apprendre à se taire avec ceux qu'on aime. Avant, je posais des questions, je disais non, je menaçais, je suppliais. Maintenant, elle erre, elle tombe, elle s'écorche, et je ne dis rien. Même si ça veut hurler à l'intérieur, je ne dis rien. Parfois, mon silence est encore trop pour elle. Mon silence est un miroir qui lui renvoie sans ménagement l'image de son agitation.

Je suis de moins en moins un bon père, peut-être.

Je suis de moins en moins quoi que ce soit, à vrai dire. Il y a deux ans, à la question : Qui es-tu, Khaled ? j'aurais répondu : Musulman, ex-Afghan, néo-Canadien, cuisinier, veuf, mélancolique, Montréaliste, idéaliste, acharnéiste... Maintenant, je ne saurais plus quoi répondre. Même dire : Soufi de la confrérie *naqshbandî*, qui correspond à ma pratique fondamentale, serait décrire ce dans quoi je bouge et non ce que je suis. Là où je m'en vais, il n'y a rien, que de la transparence, aucune substance accrocheuse pour retenir l'identité, tout circule librement comme dans un pays sans frontière, les parfums, les émotions, la musique. Devenir un véritable soufi n'est pas chose aisée. Ça n'empêche pas le travail, à six heures au marché pour choisir les meilleurs morceaux d'agneau hallal et les légumes les plus verts, à sept heures ici à écraser moi-même mes épices, à parfumer le riz, à pétrir le pain, à trouver un remplaçant pour Marie la serveuse qui passe des examens cette semaine ou Allan l'aide-cuisinier qui vient de se casser un doigt. Ça n'empêche pas les soirées en famille ni les élans de tendresse pour elle, et pour le petit, qui est la rose de ma vie, ça n'empêche tellement rien que ça la laisse, elle, dans un état de désarmement total, et de trop luxuriante liberté peut-être pour ses fragiles épaules.

Ce n'est pas ce qu'elle vous a dit. Bien sûr. Je sais ce qu'elle dit de moi, elle me le dit elle-même parfois à voix haute, et ce sont les seuls moments où nous rions tous deux de concert comme devant une pitrerie de Nono. Elle a de l'humour et de l'imagination, elle a toujours aimé raconter des histoires, elle voulait devenir journaliste pour Al Jazeera avant de ne plus rien vouloir, elle a participé au concours Miss Arabia de la rue Jean-Talon et est arrivée deuxième, elle ne vous a pas parlé de tout ça ? Notre famille dit qu'elle est folle et qu'elle a besoin de brides. Parlons d'elle. Asseyez-vous plus confortablement, prenez ce coussin, goûtez mon *fesri,* qui est un pouding à la cardamome et aux pistaches mais que je cuis au lait de brebis, une merveille pour réveiller la joie. Ma fonction est de restaurer, c'est-à-dire de jeter dans le monde à ma façon imparfaite des poignées de lumière. Mangeons et parlons d'elle, j'aime parler d'elle et je n'ai personne avec qui parler d'elle, notre famille est loin et calcinée par des luttes sanglantes qui nous égarent, malgré quelques cousins nous sommes très seuls ici, surtout elle, elle et tous les autres jeunes qui vacillent entre deux mondes, vous en connaissez vous-même sûrement plusieurs de cette sorte flottante désespérée qui ne sont pas des anges et cherchent où atterrir.

Je sais qu'elle aimait être dans votre classe. Je ne sais rien de plus parce qu'elle s'enfermait dans sa chambre où elle pouvait aussi bien étudier que *chatter* sur ses appareils, car elle a, oui, une chambre à elle et dedans tous les appareils qu'il faut pour se dire moderne, tous les iPad iPod iPhone i-*me-myself-and-I* qui font dialoguer entre eux des fantômes. Je ne l'ai pas poussée à perfectionner son français même si je l'ai souhaité de toutes mes forces, j'aime le français, je l'ai appris à Paris où j'ai passé cinq ans dans ma jeune vingtaine, je l'ai réappris ici où il y a quelque chose du pachtoune dans sa façon d'aplatir les consonnes, n'y voyez pas d'offense, je l'aime, le français d'ici, et le petit le parle parfaitement même si jamais nous ne le parlons à la maison – vous savez ce que sont les immigrants, il faut bien sûr s'intégrer mais aussi transmettre à tout prix l'héritage de nos pères sans pour autant créer de repli identitaire, comme ils disent dans les « Commissions » qui nous scrutent à la loupe, et aussi bien admettre tout de suite que c'est une mission impossible.

Je n'ai pas peur pour elle. Je tremble, mais ce n'est pas de peur, c'est d'un reste de méfiance envers moi, car nous sommes deux surgissements de la même fleur et quand je doute d'elle, c'est que je doute de moi. Je n'enverrai personne à sa poursuite, ni Jaimal ni Assouf ni aucun de nos cousins prompts à réagir plus qu'à comprendre, et encore moins les forces de l'ordre d'ici, avec lesquelles se sont développées des zones d'obscurité considérables depuis l'avènement du pauvre Zahir. Bien sûr, vous avez entendu parler de Zahir, il n'y avait pas moyen d'y échapper.

Tout cela est lié, puisqu'une unité mystérieuse sous-tend l'apparente diversité du monde, et c'est pourquoi en vous parlant d'elle je ne peux que vous parler aussi de Zahir et de moi, ce qu'il reste de moi. Quand nous sommes arrivés ici, le petit Noorullah avait un an et elle en avait treize, et moi j'étais emporté par un maelström de renouveau exalté que notre famille associait à de la folie, car comment penser qu'un homme seul peut parvenir à faire fleurir deux enfants musulmans dans le désert égoïste nord-américain ? C'est ainsi que l'on voit votre terre de notre terre là-bas, et l'on n'a pas tout à fait tort, sauf que dans les déserts de l'égoïsme, leur ai-je rétorqué, l'ennemi est à l'intérieur et le reconnaître, c'est déjà l'éliminer. Tandis que là-bas, ah là-bas, vous savez bien, tout ce que vous lisez est encore en deçà de la réalité, un pays jadis si beau si empreint de grandeur maintenant ravagé par la petitesse qui se dit religieuse, et Zaima, ma jeune femme, morte sous les balles alors qu'elle aimait courir rire et chanter et réciter des poèmes à l'ombre des figuiers en fleur.

Quand nous sommes arrivés ici, j'étais un homme intranquille et aussi peu pratiquant qu'on peut l'être, bien sûr je me pliais aux rituels et cinq fois par jour à la prière machinale, et je me disais musulman comme on se dit maçon ou père de famille, une estampille comme une autre pour se singulariser parmi la multitude. Et à elle tout de suite j'ai donné la liberté de choisir chacun des morceaux de sa vie, de ressembler aux autres petites filles dans leur accoutrement de poupée si c'est ainsi qu'elle pouvait devenir ce qu'elle était le plus loyalement possible.

Elle a choisi de porter le foulard, madame.

Je me rappelle encore ce soir-là où je revenais avec Nono de chez les voisins *pure laine* qui me le gardaient le jour, j'avais tout juste évité la bière, mais pas la première période du hockey où je m'étais surpris à me lever comme les autres pour applaudir un but des Canadiens, et je ne peux vous décrire à quel point ce soir-là je me sentais *intégré*. Et là, rentrant chez moi, qu'est-ce que je vois, tout juste sortie de sa chambre les yeux charbonneux et bourrés d'étincelles de réprimande pour me mitrailler ? Un hijab. Un hijab avec ma fille en dessous.

Je savais qu'elle s'était rapprochée d'une musulmane de sa classe dont la famille fréquentait assidûment la mosquée Assuna, mais peu importe à cause de quoi ou de qui ou comment. En vérité, c'est à moi que cette apparition Voile-Fille s'adressait, uniquement à moi, car tout arrive uniquement pour illuminer le lieu où on trébuche dans le noir comme un aveugle.

Que fais-tu de ta vie, Khaled ? Où as-tu dilapidé ton héritage ? Peux-tu appeler encore *vie* ces trépidations insignifiantes qui ne reconnaissent plus le sacré de ton existence ?

Voilà ce que me disait violemment le hijab de ma fille, et je ne me suis pas hérissé devant la brutalité de cette harangue, je n'ai pas suivi la colère qui voulait m'égarer ailleurs, j'ai reçu le message et je l'ai prise dans mes bras, ma fille émissaire de Dieu avec son hijab tout enroulé de travers, je l'ai prise dans mes bras et j'ai pleuré, et elle aussi, et aucun mot n'est sorti de nous pour rapetisser la grandeur de ce moment-là.

La semaine suivante, le hasard du travail mettait sur ma route un cuisinier qui était soufi dans la tradition *naqshbandî,* et la lumière dans ses yeux avait exactement l'intensité que ma pénombre recherchait, et le cheikh de cette *tarîqa* habitait en plus à un jet de pierre de mon restaurant, et c'est ainsi qu'un nouveau monde est venu s'ouvrir à moi, et que moi-même j'ai quitté toute prison, y compris la prison de l'islam telle que fréquentée par trop de dévots politiques qui ont perdu l'essence du Message. C'est ainsi que je me suis engagé dans ce qui est une discipline d'éveil bien plus qu'une religion et que chaque jour me laisse maintenant dans un éblouissement tremblant qui grandit grandit, chaque jour plus grand que le précédent.

Mais elle. Oui, elle, car c'est d'elle qu'il est question bien que je semble parler de moi, sa puissance à elle et son courage d'adolescente acceptant de remuer les montagnes, de bouleverser son père et d'affronter les terribles regards extérieurs. Car ce qu'elle osait faire était tout sauf anodin. Choisir délibérément de se cacher les cheveux quand on est une femme ici est un geste d'une tonitruance inouïe près duquel monter sur le faîte du pont Jacques-Cartier pour menacer de se jeter dans le fleuve ressemble à un couinement de souris.

Vous-même je vous ai vue sourciller, alors que le foulard dont je parle ici est loin de ressembler au tchadri opaque comme une armure que je vois dans vos yeux. Ce n'est qu'un bout de tissu aérien, coloré, qui serait un ornement aimable, et certainement un sujet négligeable dans un monde moins paranoïaque. La paranoïa est si forte des deux côtés, à vrai dire, que je ne blâme pas davantage les Occidentaux, qui associent tout tissu sur la tête au terrorisme et à l'écrasement des femmes, que les islamistes, qui ont investi deux minuscules versets du Coran de leur interprétation biaisée pour nous infliger sans en avoir l'air leurs vieilles traditions bédouines. Cette obsession pour les cheveux des femmes couverts ou découverts est tellement risible qu'elle donne envie de pleurer. Ma peine est grande, même si je souris en vous parlant. Le Coran, le *Qur'an*, est une œuvre magnifique d'une luminosité et d'une poésie indescriptibles, intraduisibles, et l'entendre réciter ou le réciter soi-même ouvre des brèches dans l'Absolu. Ma peine est grande de voir le *Qur'an*, cette monumentale déclaration d'amour, réduit à un symbole d'oppression ou à un instrument de fermeture.

Mais elle, oui, je n'oublie pas que je parle d'elle et de son foulard qu'elle endossa contre vents et marées, en dépit des commentaires et des rebuffades et des intimidations à l'école que je vous laisse imaginer et surtout de l'acéré des regards, car les regards sont les armes mortelles que la société démocratique apeurée par le sang préfère privilégier, que ma fille brave ou entêtée continua donc de porter jusqu'à ce que les vents et les marées s'apaisent et viennent lécher ses pieds et que les rebuffades s'éteignent à bout de souffle, et alors, sans crier gare, du jour au lendemain, elle l'enleva et le jeta littéralement à la poubelle – c'est moi qui l'ai retrouvé sous des vestiges moisis de *kabuli* et d'épluchures d'aubergines, et je peux vous dire, Gabrielle, si vous me permettez de vous appeler Gabrielle, que cette fois où je l'ai retrouvé dans les ordures, le pauvre hijab déchu m'a causé un aussi grand choc que lorsqu'il est apparu pour la première fois sur sa tête.

Ce *dévoilement* coïncidait, pour tout vous dire, avec mon engagement accru dans le soufisme, non pas qu'il y ait eu étalage de rituels et de bavardages ésotériques de ma part puisque cette voie privilégie le silence, mais quelque chose transparaissait visiblement et voulait émerger, et c'est précisément en revenant de la mosquée où je m'étais abîmé dans une transmission avec mon cheikh que les ordures me révélèrent ce que je découvris plus tard en personne, ma fille aux cheveux répandus sur les épaules, et maquillée. Très maquillée.

Sur le coup, je n'ai pas saisi ce qui me concernait dans ce signal, je veux dire que je n'ai vu qu'une enfant de moins de seize ans travestie en pute avariée du boulevard Saint-Laurent, et mon sang, oui, n'a fait qu'un tour, et j'ai crié, je l'ai insultée, je l'ai poussée vers la salle de bain pour qu'elle aille se nettoyer. Je ne suis pas fier, même après tout ce temps, d'avoir ainsi failli à mes devoirs de père et d'homme libre, d'avoir cédé le territoire à ces vents artificiels que sont les émotions. Et bien sûr, elle a réagi de la même façon, ma fille-miroir, elle a tempêté et protesté et m'a injurié, avec le même aplomb que j'avais admiré si fort auparavant dans sa décision d'enfiler le hijab. L'espace est devenu si saturé de noirceur que le petit Noorullah s'est mis à pleurer, et que ni moi ni elle n'avons réussi à le consoler.

Je vous dis tout cela pour vous faire voir, sous les soubresauts des apparences, la vraie nature de ma fille, qui n'est qu'ouverture et vigilance, même si elle ne le sait pas encore elle-même. Ce soir-là de tempête, *An-Nûr* la Lumière s'est finalement manifestée pour que je comprenne ce qu'elle m'indiquait, cette partie de moi que je considère comme ma fille, mais qui est surtout un visage de la vérité.

Comment peux-tu prétendre que tout est vivant, Khaled, que tout est sacré, si tu négliges le menu de ton existence et ta propre famille ? As-tu oublié que la perfection n'est pas de léviter en prières dans la mosquée, mais de travailler, de cuisiner, de vendre et d'acheter, et de t'asseoir le plus souvent possible avec ta fille et ton fils, le cœur ouvert ?

C'est ainsi que j'ai rapatrié toutes mes soirées pour elle, pour eux. Une jeune fille sans mère, jetée dans un univers hostile à tout ce qui l'a vue grandir, et je n'avais pas vu sa solitude, sa recherche de repères. Je l'ai emmenée au concert, au musée. J'ai joué au sudoku avec elle, sur un de ses appareils modernes. Je lui ai acheté ses appareils modernes. J'ai parlé de moi pour tenter de la faire parler d'elle. J'ai lu ses travaux scolaires et ses devoirs. Avant de dormir, j'ai pris l'habitude d'écouter avec elle Nusrat Fateh Ali Khan, et souvent sans prévenir nos voix ensemble reprenaient le *sargam* des refrains. L'espace entre nous s'est assoupli, s'est agrandi. Elle avait abandonné son maquillage outrancier, mais pas ses vêtements de poupée, mais maintenant ils étaient plus ludiques que signifiants, elle avait choisi de jouer à se déguiser, se déguiser en jeune Québécoise, et moins mon regard se faisait sévère, plus sa féminité naturelle s'épanouissait sans arrogance. Souvent même, elle me montrait ses colifichets et ses coiffures et me demandait mon avis. Mon avis, comme à une mère – ou à une maquerelle ! Qu'importe, il y avait une joie entre nous, qu'importe s'il fallait jouer les maquerelles pour que perdure cette joie-là entre nous !

Vous voyez, je ris en parlant d'elle, comme c'est bon de rire en pensant à elle, je vous en remercie, vous qui déposez si délicatement devant moi votre attention comme une nappe sur laquelle se déposent les piments doux les raisins fondants le fromage grillé, vous réveillez le meilleur de moi et d'elle puisque je dépends autant d'elle qu'elle dépend de moi.

Et puis est arrivée cette turbulence que je n'ai pas encore fini de déchiffrer puisqu'elle n'a pas fini de s'apaiser, un cyclone plus qu'une turbulence dans lequel volent et s'écrasent les objets familiers les convenances et même les affections. Un soir de décembre dernier, sans avertir et sans papiers, a débarqué chez nous Zahir, déboussolé et souffrant mille morts, mon frère Zahir.

Je ne sais pas comment vous parler de Zahir. Je n'ai pas pu le laver ni le mettre en terre ni envoyer l'imam à ses côtés pour réciter à son oreille la *Shahâda*. Ils ont volé son corps et l'ont réduit en fumée et ont envoyé ses cendres à Kaboul, pour achever d'anéantir nos parents là-bas. Vous savez peut-être que l'incinération est le pire des outrages pour le corps d'un musulman. Après, ils se sont excusés, dans une lettre canadienne en français et en anglais d'une ignorance dévastatrice que personne là-bas n'a su lire, Dieu merci. C'est ainsi que flambent les haines éternelles.

Zahir vivant n'est pas moins malheureux que mort, mon pauvre frère Zahir. Zahir vivant a toujours fait les mauvais choix, participé aux mauvaises luttes, pactisé avec les pires musulmans pour ensuite leur déclarer la guerre. Vingt fois on l'a torturé et vingt fois on l'a donné pour mort, mais Zahir vivant retenait en lui la vie par la seule force de son désespoir.

Nous avions ensemble un rendez-vous que nous avons raté, et cela reste inconsolable. S'il était venu à ce rendez-vous, vous n'auriez jamais entendu parler de lui, ni avant ni aujourd'hui, car sa vie aurait culbuté vers le silence au lieu de s'engouffrer dans la tourmente publique.

Nous avions rendez-vous à La Mecque. Nous devions faire ensemble le *Hajj*.

Vous savez ce qu'est le *Hajj*. C'est la plupart du temps un rêve irréalisable, car qui parmi nos frères dépossédés peut s'envoler pour l'Arabie Saoudite, cette terre de millionnaires ? Notre père s'était saigné pour donner à Zahir l'argent du voyage et du séjour – une pleine semaine en novembre. Moi-même j'avais raclé toutes mes économies, car il n'est pas permis d'emprunter pour le Pèlerinage, j'avais engagé un cuisinier pour le restaurant, placé les enfants chez mon cousin de Parc-Extension, et j'entrais dans une brèche de vie indicible. Jusqu'à ma fille, ma fille récalcitrante et surprenante, qui partageait assez mon enthousiasme pour me lire des inepties à propos du *Hajj* sur ses blogues et dans son Facebook, puisque même le Pèlerinage n'est pas à l'épreuve des inepties.

Mon émotion était vive en ce 22 novembre de l'an dernier où j'attendais mon frère dans le hall de l'hôtel Al Shohada, rue Ajyad – je n'oublierai jamais, à dix minutes à peine de la Masjid al-Haram. La grande mosquée. Déjà, La Mecque rutilait comme un soleil, cacophonique et chaotique, depuis le matin une ivresse sacrée résonnait à travers les centaines d'*adhan* surgis des centaines de muezzins – *Allahu Akhbar, Allahu Akhbar,* Dieu est le plus grand, chaque personne en blanc qui entrait dans l'hôtel portait sur son visage la noblesse du voyage à venir et bientôt ce serait le visage de mon frère qui m'arriverait auréolé de cette noblesse.

Il n'est jamais venu.

Il a pris l'argent de notre père, et l'avion, oui, mais pour les États-Unis.

Il a disparu de nos vies pendant un an, jusqu'à cet hiver, ce décembre funeste où je l'ai trouvé sur le pas de ma porte, hâve et dépenaillé, à demi mort de froid.

Comment il a franchi l'infranchissable douane américaine, une première fois, puis une deuxième pour venir s'échouer ici, comment il a vécu là-bas toute une année et avec qui et de quoi, je n'en sais rien. C'est ce que j'ai répété tant de fois aux autorités qui m'ont harponné et interrogé tant de fois, chacune de ces fois plus sceptiques et menaçantes que la précédente. Encore maintenant. Dans quelques heures, ils vont venir. Ce ne sont pas toujours les mêmes. Ils s'assoient en arrière du restaurant près des plantes. Ils boivent un thé à la menthe, pour avoir l'air d'aimer l'endroit. Ils ne font que surveiller qui entre ici, qui s'installe, qui parle et avec qui. Puis ils s'en vont. Souvent ils ne paient pas, ils laissent bien en vue sur la facture une carte du ministère de l'Immigration, pour montrer qu'ils m'ont toujours à l'œil.

J'ai fait entrer Zahir, j'ai fait couler un bain chaud, réchauffé pour lui de la soupe, de la semoule et du thé, et tout ce temps il me répétait : *Pas de questions. Pas de questions.* Il était si maigre et si déchiqueté partout que j'en avais le cœur chaviré. Les enfants le regardaient de loin avec effarement, personne ne parlait, mais ce silence avait plus de dents que les cris, alors je l'ai rompu : j'ai fait approcher ma fille et mon fils pour qu'il les connaisse, et il les a regardés à peine, elle moins que lui, et il a dit en arabe : *Tu laisses ta fille s'arranger comme une putain.* Elle a compris, malgré que l'arabe soit si loin maintenant derrière elle. C'est en pachtoune que nous conversons ensemble et parfois en anglais, pardonnez-moi. J'ai vu le beau visage de ma fille s'empourprer et j'ai craint une réaction violente comme elle m'en réserve toujours, mais non. Elle a compris aussi que nous avions devant nous un homme malade.

Il est resté cinq jours avec nous.

Beaucoup de douleur surgit lorsque j'évoque ces cinq jours, qui sont les derniers où j'ai vu mon frère, mon frère abîmé de l'intérieur encore plus que du corps. J'ai cru que prier avec lui réveillerait dans son âme la lumière éteinte, mais il mâchonnait les mots du *duhr,* de l'*asr* et du *maghreb* avec des yeux vides et un cœur absent : il avait perdu la connexion avec sa propre essence, et tout ce qui s'exprimait de lui ressemblait à une peur informe, animale, qui me terrifiait moi-même. Quand j'ai parlé de lui faire rencontrer le cheikh, qui est un homme sage et bon comme il en existe peu, il a ricané et craché par terre, et j'ai eu envie de le frapper, et peut-être que j'aurais dû, peut-être que ça l'aurait extirpé de son coma.

Quelque chose l'avait tué, en laissant derrière ce qui devrait mourir en premier. Il mangeait très peu. Il refusait de faire ses ablutions. Il s'étendait quelques heures par terre, sur le matelas qu'il m'avait demandé de cacher sous l'escalier, et c'est là que je le trouvais au matin, les yeux grands ouverts sur sa panique. La plupart du temps, il se tenait dans le fond de la pièce la plus sombre, accroupi comme un chien, à attendre. À attendre que la foudre lui tombe dessus, que ses assaillants le retrouvent, car il fallait que des assaillants existent pour qu'une peur si viscérale existe aussi.

Je ne voulais pas le laisser seul. Encore moins avec elle.

Quand je savais ma fille à vos cours et mon fils au centre de la petite enfance, je faisais des bonds de souris au restaurant, puisque le travail matériel a son propre cours immuable, l'esprit taraudé par l'appréhension je revenais en catastrophe, et rien n'avait bougé en apparence, surtout pas lui, terré en lui-même dans sa propre noirceur, mais rien n'était pareil non plus, car sa peur rampait partout dans la maison comme une maladie contagieuse. Je commençais à inventer des ombres derrière les fenêtres, le petit faisait des cauchemars, mais elle. Elle seule, étonnamment, semblait traverser ces ténèbres avec calme, même si je sais maintenant qu'il n'en était rien. Elle s'enfermait dans sa chambre, elle marchait sur la pointe des pieds pour ne pas réveiller l'attention de Zahir, elle s'enroulait la tête dans un foulard quand elle était à portée de son regard. Dans son cœur je sais maintenant qu'il n'y avait qu'une prière : qu'il parte, qu'il parte.

Le cinquième jour, en rentrant de l'école, elle s'est plantée devant Zahir, et elle lui a dit en arabe : *Ils sont là.* Avant que le sens de ces mots ait eu le temps de se rendre à mon esprit, lui s'était déjà levé d'un bond, son long corps squelettique de chat sauvage, et il mettait ses bottes et son manteau, qui ne le quittaient jamais de plus d'un mètre. De l'autre côté de la rue, deux voitures venaient de se garer, les phares toujours allumés. Ça aurait pu être n'importe qui de paisible et d'anodin, et finalement ça l'était, mais cet effroi qui courait dans nos veines avait le pouvoir de transformer les cordes en serpents. Et sa voix à elle était si tranchante de certitude. *Mais où vas-tu ? Où vas-tu aller ?* sont les derniers mots que j'ai dits à mon frère, et ses derniers mots à lui ont été : *Remets le matelas à sa place !* et je les garde dans mon cœur comme un gage d'affection précieuse et bourrue, pauvre Zahir qui m'enjoignait avec son autorité de frère aîné d'effacer toute trace gênante pour nous comme il l'a fait ensuite sur le toit par où il s'est enfui, balayant derrière lui à mesure ses empreintes sur la neige avant de s'engloutir dans sa solitude extrême, je le sais parce que je suis monté à sa suite sur le toit et que j'ai interrogé l'obscurité en sanglotant d'impuissance, car je me rappelais ces jours d'espoir quand nous étions deux graines d'hommes rieuses partageant les chants et les jeux de balle, et j'aurais tant souhaité pouvoir l'accompagner plus loin tout en sachant que son voyage était terminé.

Buvons un peu de thé.

Je ne vous ai rien dit du *Hajj* et pourtant il y a tant à en dire. Buvons du thé pour que la douleur se dépose au fond des tasses et se transmute en chaleur. Je l'ai donc fait seul, le *Hajj*, seul en compagnie de milliers d'autres pèlerins qui ont aboli non pas ma solitude mais mon individualité. Nous sommes un seul Être, vous le savez vous aussi, c'est une vérité si intime et familière que nous finissons par l'oublier, mais dans cette enceinte immense où l'humanité entière vêtue de blanc tournait et s'écrasait sur elle-même pour parvenir à toucher la pierre sacrée, au son de la cacophonie inimaginable de ces milliers de prières éjectées dans toutes les langues avec fièvre, j'ai senti la chaleur extrême d'une galaxie se mettant au monde, j'ai vu disparaître les hommes et les femmes et les individus avalés par ce brasier devenu spirale galactique, et j'étais une particule brûlante de l'univers et j'étais en même temps son entièreté.

Je remercie la grâce qui a poussé mon frère perdu à se réfugier dans une église, une église catholique dont l'élancement de corps debout implore l'absolu, j'ai toujours été remué par l'architecture magistrale des églises sans savoir que l'une d'elles deviendrait le tombeau de mon frère.

Les circonvolutions autour de la *Ka'ba* ne sont que la première étape dans le *Hajj*, plusieurs autres épreuves suivent, car ce sont des épreuves pour le corps malmené autant que pour l'esprit qui s'accroche désespérément à la survie de son petit moi, et ces épreuves exténuantes doivent être vécues de part en part avant de se transformer parfois en extases, parfois. La plus longue et usante pour le corps se déroule sur les collines Safâ et Marwah, où les sept allers-retours entre les versants rappellent le trajet éperdu d'Agar, la seconde femme d'Ibrahim, qui voulait sauver son bébé de la soif. Maintenant, c'est de soif de vérité qu'il est question. Mais la pire des épreuves, en ce qui me concerne, fut d'assister au carnage final sur le parterre de Mina, le sacrifice d'animaux vivants dont l'archaïsme doit être remis en question, j'entends encore le bêlement d'effroi de toutes ces pauvres bêtes piétinant le sang de leurs congénères – inutile inutile et malsain : il ne peut être bénéfique d'infliger tant de souffrances à des êtres sensibles sous prétexte de préserver les vieux rites.

Je souhaiterais que les dernières heures de Zahir n'aient pas eu lieu dans ces conditions violentes, je souhaiterais qu'elles aient échappé par miracle à la trajectoire du destin, qui achemine les êtres là où ils ont lancé leurs ancres et pas ailleurs, je sais qu'il avait préparé sa tragédie à chaque faux pas et à chaque flambée d'ignorance, mais tout cela semble si cruel, si cruel même si c'est juste.

Vous ne savez peut-être pas que le suicide est interdit par l'islam, sous peine de perpétuer l'enfer de la vie dans l'au-delà, mais Zahir lui le savait.

Tout lieu où se rassemblent les esprits qui cherchent la lumière devient un lieu lumineux, et c'est ainsi qu'Arafât, à l'extérieur de La Mecque, où se déroule la troisième épreuve du *Hajj*, est un territoire divinisé par les milliers de pèlerins qui y prient debout, lâchant des clameurs de chœurs cosmiques. Une église, bien sûr, est aussi un lieu sacré, et c'est un baume de penser que les prêtres de cette église n'ont pu qu'être bons pour mon frère, aussi bons qu'ils pouvaient l'être, ils lui ont sûrement apporté un réconfort qu'il a dû percevoir au milieu de son égarement.

Les autorités voulaient que je me rende à l'église pour persuader Zahir de sortir de son plein gré. Je les ai convaincues que ma visite aurait exactement l'effet contraire. Il n'est pas facile de rester immobile, même quand les mouvements sont inutiles. Je suis resté ici pendant que le drame battait là-bas, je suis resté et je n'ai rien fait de spectaculaire ou d'audible.

Le cheikh me disait de continuer de lui envoyer de la lumière, par la seule force de mon sentiment pour lui, et c'est ce que j'ai fait. Le cheikh me disait aussi que ce qui arriverait arriverait, sans qu'il y soit de ma faute, ou même de la sienne.

Il y a tant à dire au sujet du *Hajj*. Dans cette étape dont je vous parle, à Arafât, la foule colossale habillée de blanc ne faisait que prier, mais la puissance de cette prière concertée faisait trembler la terre, et c'est là que je me suis dissous, complètement dissous. Il y a tant à dire au sujet du *Hajj* que finalement le silence est peut-être le seul réceptacle capable de le contenir.

Avec Zahir est partie aussi ma fille, je veux dire qu'une partie d'elle s'est fêlée et est tombée, et c'est après ce morceau vital qu'elle est en train de courir en ce moment, ce morceau manquant l'empêche de se sentir intégrale et c'est lui qu'elle cherche partout hors d'ici. Ça a à voir avec la culpabilité, qui dans notre cas est une culpabilité collective, car tant de violences se déploient en notre nom, et les condamner ressemble trop à nous condamner nous-mêmes pour que nous osions vraiment le faire. Et bien sûr, dans sa culpabilité à elle s'ajoute Zahir, qui palpite comme un trou noir, même si nous n'avons jamais reparlé de ce cinquième jour où elle a menti pour qu'il sorte de nos vies, et même si je ne lui en ai jamais voulu. Ils seraient venus tôt ou tard, ceux qui voulaient interrompre sa course, et d'ailleurs ils sont venus deux jours plus tard, et je frémis en pensant que le matelas sous l'escalier aurait pu ne pas être ramené à temps dans la chambre.

Quand Zahir est mort, un tel vent de consternation a soufflé dans notre famille que la haine inévitablement s'est emmêlée à la douleur, et que j'ai vu les têtes de Jaimal et d'Assouf s'obscurcir à vue d'œil et se remplir de projets de vengeance. J'ai craint le pire. Tous les jours des gestes atroces sont commis par des gens malheureux qui dirigent leur douleur vers l'extérieur, et tous les jours la douleur se propage au lieu de se colmater.

Le cheikh les a fait venir et leur a fait répéter ces deux sourates du Coran : *Si tu étends vers moi ta main pour me tuer, moi je n'étendrai pas vers toi ma main pour te tuer…* (V, 28). *La punition d'un mal est un mal identique, mais celui qui pardonne et qui s'amende trouvera sa récompense…* (XVII, 40).

Écoutez. C'est Nusrat qui chante. C'est le passage qui nous soulève le plus, ma fille et moi. *Lad… hilla jja… dihha…* Écoutez comme c'est puissant. Le *qawwalî* est porté par les *tablâs* et le tambour et il semble provenir d'un homme, mais, dans la voix de Nusrat, le sacré a pris toute la place et Nusrat lui-même est devenu une manifestation transparente, un paratonnerre divin par où circule l'énergie. L'écouter vraiment donne la chair de poule. Je le mets en sourdine et en boucle toute la journée, et les clients sont heureux en croyant que c'est à cause du vin. Ils n'ont pas complètement tort puisque tout est lié, la succulence du *kabuli palaw,* que je ne prépare qu'avec le meilleur agneau du Québec, la douceur des aubergines au yogourt, le mélange sucré salé du *kadu boranî,* et le vin de France ou de Californie, qui est meilleur que celui de l'Orient, et la voix délectable de Nusrat, les plantes luxuriantes, les tentures, les belles lampes conçues pour allumer les éclairages intérieurs, et même la poésie de Rûmî étalée sur les murs. Tout est bon, tout est nourriture, on a beau chercher, il n'y a rien d'autre. Il n'y a que Dieu.

Je n'ai pas peur pour elle.

L'anxiété est là comme une pellicule collante quand je laisse parler l'imagination du plus petit en moi, et c'est donc pour moi que j'ai peur et que je souhaiterais qu'elle n'ait pas eu à s'enfuir ainsi et à se brûler en courses éperdues en compagnie d'un homme qui ne peut rien pour elle. Je ne le connais pas mais peu importe, là où elle se trouve dans son âme et dans sa tête, personne ne peut rien pour elle.

Comprenez-vous, elle ne veut plus être musulmane, ex-afghane, néo-canadienne, nièce d'un présumé terroriste et fille d'un soufi, elle veut juste comme sa mère courir et rire et réciter des poèmes ou du rap à l'ombre des pommiers en fleur, être quelqu'un qui n'est personne dans l'esprit des autres, vivre et tanguer d'amour comme un navire transparent libre de flotter n'importe où. Je comprends, mais ma peine, elle, ne comprend pas.

Elle est forte, vous avez vu comment elle est capable d'inventer ce qui n'existe pas, elle reviendra quand j'aurai passé cette ultime épreuve de la confiance, car c'est aussi pour moi qu'elle est partie, pour m'intimer : laisse aller tout ce qui se laisse aller, Khaled, y compris et surtout tes derniers résidus d'inquiétude.

Quand elle reviendra, je ferai une grande fête à laquelle vous serez conviée, Gabrielle.

En ce matin d'hiver, votre attention prévenante est une bénédiction, comme l'est aussi votre prénom, puisque vous savez peut-être que c'est Gabriel qui a dicté pendant plus de vingt ans à Mahomet les mots sacrés du Coran. Dans votre tradition aussi je crois savoir qu'il a accompli des gestes déterminants auprès de la Mère de votre Prophète, bref, c'est un ange qui a plus d'une corde à son arc, Gabriel.

Je ne sais presque rien de vous parce que j'ai trop parlé. Je sais que le petit vous aime et que votre cœur est grand. La prochaine fois, c'est vous qui parlerez. La prochaine fois, je vous réchaufferai de mets délicats et vous me raconterez quelque chose de vous qui pèse ou qui tiraille, et en silence à mon tour je vous écouterai.

CHAUD-FROID DE BANANES

Ça se passe dans un temps déjà lointain, où le travail raisonnable et l'enseignement n'existent pas encore, où des rêves d'écriture artistique n'ont pas encore été découragés. Gaby se souvient de tout, grâce à la chaleur du thé à la menthe. C'est un temps où elle est jeune encore, si jeune. Elle se souvient que c'est une journée de janvier où il pleut.

On dirait qu'il pleut, mais rien n'est moins sûr aussitôt qu'on regarde mieux.

Qu'est-ce qui vient avant ? L'eau ou la glace ?

C'est de l'eau qui tombe du ciel, c'est de la glace qui arrive au sol. Mais avant de tomber du ciel ? Sous quelle forme se cache l'eau d'avant le ciel ?

Avant le ciel, il n'y a rien. Tout est ici, entre l'eau du ciel et la glace de la terre.

Gaby s'est postée dans un angle panoramique, là où le boulevard déchire le parc en deux, près de chez elle. Elle regarde. C'est la seule chose à faire, rester immobile et regarder. La ville brille comme une lame de rasoir. Tout est devenu coupant, cristallin, pétrifié. Elle ne reconnaît plus les arbres. Ils étaient nus et pauvres, les voilà recouverts de diamants. Elle ne reconnaît plus le trafic de cinq heures. La horde vrombissante s'est transformée en convoi de tacots dérapants, qui stoppent n'importe quand et repartent de même. Il n'y a plus de feux de circulation, ou plutôt ceux qui sont là pendouillent sans éclat au bout de leurs câbles, atteints d'on ne sait quel mal. Où sont les policiers ? Où sont les épandeurs d'abrasifs ? Le désordre règne, le magnifique désordre. Ceux qui osent marcher marchent vers leur chute. Devant Gaby, un homme fait une cabriole compliquée avant de s'allonger sur le trottoir. Deux jeunes filles se cramponnent l'une à l'autre en riant et finissent par tomber ensemble. Une musique de cristal accompagne toutes ces chorégraphies improvisées, les partitions de la pluie se solidifiant sur les arbres, le béton, les voitures, les têtes ahuries des gens. Les vêtements de Gaby craquent déjà comme une armure tandis qu'elle se remet en branle à petits pas de vieillarde, le pied posé à plat, le corps détendu et centré, les coups de talon bannis. C'est à cela que sert le chaos, lorsqu'il fait irruption, à réapprendre les gestes les plus simples, à retrouver l'attention et la ferveur de tous les débuts, à se rappeler que si l'homme marche debout contrairement à l'animal, ça n'a pas été une mince victoire dans le périple de l'évolution.

En tournant le coin de sa rue, Gaby échappe un rire d'éblouissement. Les hêtres devant chez elle ne sont plus des arbres, mais les piliers d'une cathédrale de verre qui s'élance, toutes branches phosphorescentes, vers le ciel et les dieux polaires. Mais sous la cathédrale de verre s'activent des fourmis qui n'ont pas l'âme à la contemplation. Gaby reconnaît trois de ses voisins, engagés dans une rixe bruyante avec la glace qui paralyse leur automobile. Désespérant des instruments usuels, l'un abat un marteau sur le pare-brise de sa Honda, un autre dégage les roues de son Pathfinder avec une hache. Elle se retient de ricaner. Dommage qu'on ne vende pas de lance-flammes à la quincaillerie du coin.

Pourquoi ? Pourquoi est-il si urgent d'aller se suicider sur des routes impraticables ?

Pourquoi s'acharner contre la réalité, lorsqu'elle vient enfin nous surprendre ? Pourquoi ne pas boire des chocolats chauds à l'intérieur, larguer à bout de bras les horaires et les rendez-vous, prendre le temps de flatter son chat et de contempler les arbres verglacés, enfin délivrés du fardeau de l'action ?

C'est ce qu'elle dit à Francis, à l'autre bout de l'Atlantique, alors qu'il est sur le point de s'endormir dans sa nuit parisienne. Pourquoi les gens n'aiment pas vivre, Francis ? Pourquoi on se bat pour rien, Francis ? Le téléphone grésille en guise de réponse. Elle lui dit qu'elle prendra pour lui des photos des hêtres-cathédrale, quand le soleil les allumera demain matin, et que ce sera la plus belle chose qu'il aura jamais reçue d'elle. Il dit que c'est elle, la plus belle chose, et sur ces mots-là qui ne font pas une mauvaise conclusion la ligne téléphonique se coupe tout à fait, la laissant souriante de ce côté-ci de l'Atlantique.

Toute la soirée, elle tente d'écrire, mais rien ne veut naître. Une irritation profonde s'insinue en elle tandis que la glace continue de tambouriner contre sa fenêtre. Le téléphone sonne, elle ne répond pas. L'heure du téléjournal arrive, elle ne le regarde pas. Pourquoi écrire, au lieu de prendre des photos ? Pourquoi s'être amourachée de Francis plutôt que d'un compatriote qui serait en ce moment dans son lit ? Elle installe un film dans son appareil, pour le lendemain matin, lorsque le soleil allumera les hêtres.

Le lendemain matin, il n'y a pas de soleil dans les hêtres.

La même petite pluie musicale que la veille, que l'avant-veille, dépose son haleine froide sur tout ce qu'elle rencontre, et ça fait de la glace, encore, de la glace translucide qui décuple les volumes et gomme peu à peu toute couleur.

On pourrait encore dire que c'est beau. Mais de la fenêtre, on voit bien qu'il s'agit d'une beauté artificielle, sur le point de céder à la laideur. Les hêtres sont écrasés par leur maquillage et ressemblent maintenant à des monuments kitch auxquels on ajoute sans cesse des ornements.

C'est assez. Que l'artiste s'arrête.

À tout hasard, Gaby allume la radio. Elle tombe immédiatement sur un bulletin d'informations, qui fait état d'une catastrophe. Cette catastrophe a lieu ici même, dans sa ville préservée de tout, et cette catastrophe est la pire du siècle, à en croire les tremblements angoissés dans la voix du commentateur. Gaby sourit avec scepticisme et allume la télé. Là aussi, il y a un bulletin d'informations à une heure où il ne devrait pas y en avoir, et les commentaires du lecteur ont la même texture apocalyptique. Surtout, il y a des images, qui viennent jeter sur les mots abstraits une vérité toute nue, irréfutable.

Panne d'électricité gigantesque. Gaby voit le chaos

du centre-ville, privé de ses feux de circulation, de ses ordinateurs, de ses commerces, des luminaires de ses gratte-ciel. Des autobus tamponnent des camions, les ponts de la ville sont étranglés par les embouteillages, des gens sortent de leurs voitures immobilisées en gueulant. *Un million de foyers sans courant.* Gaby voit des quartiers connus, ankylosés dans la noirceur. Elle apprend qu'elle habite un îlot sain, protégé de la gangrène grâce aux câbles souterrains qui l'approvisionnent en électricité. *Verglas historique.* Des gangues de glace plus épaisses que de la laine minérale enserrent les fils, les arbres, les poteaux, les maisons, tout ce qui vit à l'air libre. Une femme, qui n'est pas la voisine de Gaby, défonce le pare-brise de sa voiture avec un marteau – décidément, le lance-flammes aurait été plus sûr –, et vingt-deux piétons s'étalent de tout leur long sur la laque des trottoirs. *Trois mille pylônes tombés.* À la queue leu leu on voit défiler pendant des kilomètres les pylônes massacrés, des créatures métalliques de dix tonnes, tordues et froissées sur leurs quatre pattes comme de petites choses de papier auxquelles un King Kong facétieux aurait asséné une chiquenaude, en passant.

Et ce n'est pas fini. C'est ce que le commentateur de la télé répète à quelques reprises en regardant Gaby droit dans les yeux : ce n'est pas fini, ce n'est pas fini, le pire est à venir, on annonce encore du verglas, impossible de réparer les pannes avant des jours, des semaines, la ville entière est prise en sandwich entre l'air chaud du haut et l'air froid du bas, et ce sandwich est immobile. Gaby se lève, galvanisée par le mot *sandwich* : elle a faim et des images immortelles l'attendent dehors. Elle sort, son appareil photo en bandoulière, un croissant à moitié mâchouillé dans la bouche.

Les arbres. Ses hêtres à elle, d'abord, rutilant de tous leurs cristaux, un peu plus empâtés qu'hier, inclinés légèrement vers la rue comme de vieux acteurs qui saluent. Elle les prend de face, de profil, en plan large, au téléobjectif, en manquant de tomber mille fois à cause de ses mouvements précipités. Schlack schlack. La voisine d'en face l'observe par la fenêtre, avec une nette désapprobation. Gaby la photographie. Schlack.

Ensuite, le parc d'à côté. Les abords immédiats sont condamnés, totalement verglacés. Qu'importe. De plus loin, le paysage d'ensemble est extraordinaire, une forêt enchantée dans la contrée scintillante de la Fée des étoiles. De temps à autre, un fracas énorme surprend Gaby, le fracas de branches et de troncs qui se fendent, et cela lui rappelle, l'espace d'un pincement au cœur, que la splendeur cristalline de ces arbres n'est pas inoffensive et que ce qu'elle admire d'eux est précisément ce qui leur fait du mal. Puis le pincement au cœur disparaît. Schlack.

Elle décrit tout à Francis : le chaos, le bruit des arbres, la panique, la paralysie, l'absence de lueur d'espoir. Il a un silence au bout du fil, puis il dit :

— On dirait que t'aimes ça.

— C'est intéressant, dit-elle.

Elle entend sa propre voix, aiguë, sur la défensive :

— C'est un événement très intéressant, répète-t-elle plus faiblement.

Très intéressant. Le soir, un demi-poulet barbecue refroidissant sur les genoux, elle s'arrime à la télé et aux bulletins spéciaux qui déversent jusque tard dans la nuit leur cargaison d'images saisissantes. Il y a eu les pylônes, il y a eu les arbres tronqués, maintenant ce sont les gens. Ils fuient leur logis insalubre, ils cherchent désespérément de l'électricité, ils déferlent dans les écoles, les salles de loisirs, les centres d'hébergement improvisés que des génératrices nourrissent. Voici donc à quoi ressemblent les réfugiés d'un pays riche. Ils n'ont pas de balluchon sur la tête, ils transportent très peu de choses avec eux, ils espèrent qu'on leur fournira immédiatement le nécessaire. Ils sont inquiets pour leur perruche laissée derrière. « Ça me prend deux oreillers pour dormir », dit une vieille dame avec angoisse. Gaby note tout. Quelqu'un d'objectif doit témoigner.

À l'aube, elle est réveillée par une explosion, un obus, un vacarme de fin du monde.

Les hêtres centenaires viennent de se fendre en deux sous le poids de leur beauté glacée, et ils gisent maintenant dans la rue, épandus sur les vitres crevées des voitures. Collée à la fenêtre, Gaby tremble de stupeur et de désolation. Si les géants se mettent à tomber, qu'arrivera-t-il aux autres ?

Elle va chercher son appareil photo. Les mains lui tremblent lorsqu'elle braque l'appareil sur les rois fracassés.

C'est donc la guerre. C'est donc ainsi que l'on se sent quand c'est la guerre.

Terriblement vivante.

Sous leurs fringues élégantes, les pays riches portent des sous-vêtements dépenaillés.

Gaby est forcée de se raviser. Les réfugiés du verglas

ne sont pas parmi les possédants de ce pays. Ils s'entassent dans les centres d'hébergement maintenant multipliés parce qu'aucune autre solution n'est proposée, ni séjours à l'hôtel ni chambres d'amis confortables ailleurs. Ils dorment par terre sur des matelas d'armée, cinq cents corps allongés côte à côte dans une promiscuité de plus en plus nauséabonde au fur et à mesure que le temps passe. On les nourrit gratuitement, on les amuse même le soir, grâce à des artistes qui viennent offrir ce qu'ils ont de meilleur. Chacun de ces centres est devenu une microville, avec ses rapines, ses petits crimes sordides, son éclairage au néon, son étouffement généralisé. Une vieille dame aveugle s'est fait voler ses bottes. Deux enfants ont été attaqués par un pédophile. On a dû chasser d'un centre une bande de voyous qui répandaient la terreur. La plupart des gens de ces refuges sont ou très jeunes, ou très vieux, et ils habitent à la périphérie de la ville, là où les bris électriques sont les plus catastrophiques. Ils en ont pour des semaines à vivre comme du bétail bien nourri, dans leurs enclaves de béton. Ils ne manquent de rien d'essentiel. Personne ne meurt de ne pas se laver tous les jours et de n'avoir aucune intimité. Personne.

Par contre, on meurt de rester dans son lit glacé quand il fait moins vingt dehors, on meurt de refuser la promiscuité. Depuis quelques jours, le mercure chute dangereusement, et l'armée et la police patrouillent chacune des maisons privées d'électricité, pour en déloger les récalcitrants. Et c'est là que les images deviennent vraiment insoutenables, c'est là que les sous-vêtements du pays riche, exhibés à la une, font le plus honte. Tout un peuple d'indigents clandestins sont donnés ainsi en spectacle, des solitaires dont personne ne soupçonnait l'existence, qui ne sont dans aucun fichier officiel, qui n'ont pas de vêtements d'hiver, qui ne comprennent ni l'anglais ni le français, qui se blottissent contre leur chien depuis des jours en attendant que la chaleur revienne, qui pleurent et se débattent tandis qu'on les conduit de force dans la monstrueuse civilisation chauffée.

Le premier ministre fait une courte apparition dramatique à la télé. Il dit que les centres d'hébergement ne sont pas une solution idéale à long terme, il enjoint à ses compatriotes privilégiés d'ouvrir leurs portes, d'ouvrir leurs cœurs.

Ces mots-là, qui résument l'essence de l'humanité, sonnent Gaby. Elle laisse tomber son carnet et son crayon. Elle tente de joindre par téléphone tous ceux qu'elle connaît, pour s'assurer de leur survie. Tous ceux qu'elle connaît ont l'électricité, ou se logent à l'hôtel, ou ont déjà trouvé asile dans des foyers confortables. Tous ceux qu'elle connaît appartiennent comme elle aux privilégiés de ce pays. Ne s'en doutait-elle pas ?

Il reste à secourir tous ceux qu'elle ne connaît pas.

« Tu ferais ça ? s'étonne Francis, de l'autre côté de l'Atlantique. Tu hébergerais des inconnus ? » La nuance d'admiration dans sa voix est comme un vent qui achève de balayer les derniers doutes de Gaby. Le lendemain, elle emprunte le marteau et la hache de son voisin pour dégager son véhicule, et elle se met en route vers le centre d'hébergement le plus éloigné et le plus populeux.

C'est dehors que l'on goûte la texture réelle de la

catastrophe. La catastrophe ne fourmille pas d'images percutantes comme à la télé. La catastrophe est uniformément grise et froide. Un sommeil de glace s'est abattu à jamais sur les routes désertées, dans les maisons abandonnées. Les militaires et les travailleurs de l'électricité sont les seuls survivants visibles, se débattant au milieu des arbres foudroyés et des câbles pendants. Sur les soixante kilomètres du trajet, pas un seul poteau d'électricité n'a été épargné, et Gabrielle roule aux côtés de leurs grands corps fauchés avec l'étrange sensation de les accompagner dans une veillée funèbre interminable. De temps à autre, elle arrête sa voiture sur l'accotement pour prendre une photo. Schlack.

Les survivants se cachent ici, dans d'immenses salles aux murs vert pomme qui servaient jadis aux loisirs, dans le temps insouciant de l'électricité. Il y a le coin dortoir, le coin cafétéria, le coin divertissements. À première vue, on pourrait croire à un gigantesque camp de vacances surpeuplé, dominé par les cris des enfants et l'odeur chaude des corps. Ceux qui ne sont pas des enfants sont assis et attendent que quelque chose se passe. Leur regard éteint dissipe cependant toute ambiguïté. Il y a des camps de réfugiés plus misérables que d'autres, mais tous les camps de réfugiés sont des prisons. Gaby n'ose pas prendre de photos.

Les deux préposées à l'accueil se consultent du regard lorsqu'elle déballe son offre, elle prendrait chez elle deux ou trois personnes, une jeune famille par exemple, tout le temps nécessaire.

— Vous n'êtes pas la première, dit l'une des deux sans enthousiasme. On a une liste d'offres d'hébergement longue comme ça.

— Personne n'est bien ici, résume l'autre. Mais personne ne veut s'installer chez des étrangers.

Une jeune femme bouscule tout à coup Gaby, un petit garçon dans les bras en guise de bélier.

— Moi, je veux sortir d'ici!

Gaby n'a jamais senti tant de colère dans une voix.

Paula, Wayne et Roger.

Paula, Wayne et Roger sont chez Gaby.

Wayne est le petit garçon de Paula. Il a dix ans. Il a les oreilles démesurées et une peau transparente qui laisse voir les veines, comme si la texture en était inachevée. Il est agité de tics d'adulte, comme se frotter les sourcils et se manger les lèvres. Son rire aussi est celui d'un adulte, surtout lorsqu'il raconte pour la troisième fois l'histoire qui a provoqué l'ultime colère de Paula et précipité leur départ du centre d'hébergement, l'histoire de l'homme qui lui a mis la main dans le pantalon.

Paula est enceinte et épuisée. Elle fume. Elle sait qu'elle ne devrait pas, elle dit qu'elle sait qu'elle ne devrait pas chaque fois qu'elle allume une nouvelle cigarette sur l'ancienne à demi consumée. Elle aurait un joli visage, si elle souriait plus souvent. Ses souvenirs récents les plus intolérables, mise à part l'agression du petit, sont les ronflements de ses compagnons de dortoir. « Trois cents porcs qui grognent en même temps », dit-elle en regardant Roger du coin de l'œil, l'incriminant du même coup.

Roger est soudeur, dans la vie réelle. Il n'est pas le père de Wayne, mais il est celui de l'enfant en devenir dans le ventre de Paula. Il est grand et gros, avec de beaux yeux bleus qui fuient l'affrontement. Il est terriblement embarrassé de se trouver chez Gaby. Ce soir, Gaby ne saura rien de lui, si ce n'est par l'entremise acidulée de Paula. « Roger aime pas parler », confesse Paula à son sujet, et Roger est bien obligé d'acquiescer.

Ils mangent près de la télévision ouverte. La télévision est leur ciment commun, la zone franche qui leur rappelle sans arrêt la raison pour laquelle ils se trouvent ensemble. Autrement, la situation serait trop étrange, intenable. Entre deux questions de Gaby et deux phrases de Paula, la télévision parle et efface les silences, comme dans un party de famille où un cousin conteur de blagues rescape la soirée de la platitude. Sauf que la télévision ne fait pas de blagues, elle révèle que la catastrophe s'amplifie au lieu de se résorber, que la portion saine du réseau électrique est en train de s'effondrer sous la surcharge, que la ville et ses environs viennent d'être décrétés zone sinistrée.

Gaby reçoit ces nouvelles bribes d'apocalypse avec une curiosité un peu distante.

Le centre du monde n'est plus dehors, il s'est déplacé ici, en compagnie de ces invités inconfortables qu'il faut réconforter. Il n'y a plus d'autre but dans l'existence que celui-là.

Elle leur offre une seconde portion de spaghettis, qu'ils déclinent, elle vole vers la cuisine pour s'occuper du dessert. Elle a élaboré pour les jours à venir des menus simples, familiaux, afin de ne pas les effaroucher. Combien de jours à venir supportera-t-elle ? Si on lui posait la question tout de suite, elle répondrait sans mentir que ça lui est égal : elle prendra tous les jours qui se présenteront.

Elle revient avec des chauds-froids de bananes. Il

s'agit d'un dessert très simple. On ouvre une banane sur le long, dans sa pelure, on la farcit de beurre et de sucre brun, on la place au four pour que le sucre fonde, on sort du four la petite barque de banane maintenant noire, on l'arrose de rhum flambé, on la bourre de crème glacée à la vanille. On répète autant de fois qu'il y a de convives. On mange tout de suite.

Ils mangent. Ils mangent en silence, dans un silence de contentement extrême plutôt que d'embarras. La télévision disparaît. L'étrangeté de la situation disparaît. Il ne reste que ce rappel de très petite enfance dans la bouche, un goût limpide de commencement du monde, quand les papilles découvrent les premières bontés explosives de la vie : le suave, le fondant, le tiède et le frais confondus.

— C'est bon, dit Roger.

— Ah oui, c'est bon, renchérit Wayne.

Paula adresse à Gaby son premier sourire véritable.

— Pourquoi vous faites ça ? demande-t-elle.

— Pour aider, répond platement Gaby.

Elles continuent de se sourire. Cela dure quelques minutes, une brèche béante dans tout ce qui les sépare.

Quand la soirée se termine, ils se réfugient chacun dans leurs quartiers parallèles. Gaby leur a donné le salon, la plus grande pièce de l'appartement, pourvue d'un sofa-lit, d'un futon, d'une vieille télévision pour continuer de suivre les péripéties nocturnes du verglas, et d'une vue imprenable sur la rue et les arbres tombés. Ils ont fermé la porte. Ils ne dorment pas, Gaby entend leurs chuchotements mêlés à ceux de la télévision, lorsqu'elle écoute très fort.

« Ça va bien », résume-t-elle pour Francis, de sa

chambre transformée en bureau et en refuge polyvalent, l'esprit encore amolli par cette chaleur dévouée, aimante, qui l'a parcourue toute la soirée. « Ils sont intimidés, mais ils sont très bien », assure-t-elle. « Est-ce qu'elle est jolie ? » demande Francis. Un hurlement provient tout à coup du salon, suivi d'autres hurlements qui se rendent même jusqu'à Francis, de l'autre côté de l'Atlantique. Gaby abandonne le téléphone pour s'approcher avec circonspection du salon.

La porte s'est ouverte, et Wayne se trouve comme éjecté à l'extérieur, presque dans les bras de Gaby. Paula le suit de très près, enveloppée dans un long t-shirt qui dissimule son ventre rond.

— Le p'tit maudit ! fulmine-t-elle. Il ment comme il respire ! Tête de veau !

— Qu'est-ce ?... hasarde Gaby.

— C'est même pas vrai que quelqu'un lui a pogné les fesses !... Il a tout inventé ça !...

Et comme l'air ahuri de Gaby montre clairement qu'elle ne voit pas en quoi il s'agit là d'une mauvaise nouvelle, Paula enchaîne avec désespoir : « S'il avait pas menti, on serait jamais venus ici, comprenez-vous ? »

Elle retourne aussitôt dans le salon, incapable d'en rajouter davantage, plantant là Wayne dans le corridor, à côté de Gaby. Sa voix leur parvient encore, assourdie, découragée.

— Tête de veau.

Une autre voix plus faible, celle de Roger, dit quelque chose d'apaisant, et le silence revient peu à peu. Gaby regarde Wayne, frêle et disgracieux dans son pyjama fripé. Il se frotte les sourcils sans la regarder. Tous les enfants qu'elle connaît sont mignons et attirent spontanément les caresses. Celui-ci appartient à une espèce différente. Elle lui pose quand même une main sur la tête.

— C'est vrai que t'aimes ça, mentir ?

Il reste un moment immobile, paralysé par le contact de sa main.

— C'est pas des mensonges, dit-il. C'est des histoires.

Il se déprend de sa main.

— Elle doit s'être calmée, ajoute-t-il de sa voix d'adulte.

Il réintègre à son tour le salon. Avant de disparaître, il regarde Gabrielle, puis il ferme brutalement la porte, comme s'il la mettait dehors.

Tête de veau. On n'a pas idée d'appeler son fils « Tête de veau », même quand on est épuisée. On n'a pas non plus idée de l'appeler Wayne, surtout de cette manière nasillarde, traînante, qui ressemble à une plainte. *Wéééne.* Une plainte... de veau. Gaby ne dort pas. Elle se rappelle un conte de son enfance dans lequel un jeune veau – ou était-ce un cochon ? – qui s'appelait Poony tentait de devenir un cheval. Elle sourit sans joie. Elle cherche en elle la fondante sensation de chaleur, la compassion inaltérable qui l'embrase si fort depuis deux jours, mais elle ne la trouve plus.

La ville est une île. Les ponts qui la relient au monde viennent de fermer, parce que la glace qui s'en détache menace les véhicules. La ville est une prison.

On demande des génératrices.

Les approvisionnements en nourriture sont ralentis. On prie néanmoins les citadins de ne rien stocker pour ne pas créer de panique.

L'eau est rationnée jusqu'à nouvel ordre. Celle qui parvient encore aux citernes de la ville n'est plus potable.

On a de toute urgence besoin de génératrices.

Quinze personnes sont mortes asphyxiées pour avoir voulu se chauffer avec du matériel de camping. Dix autres sont mortes d'hypothermie pour avoir échappé aux patrouilles de l'armée et être restées dans leur lit glacé.

Cinquante mille arbres ont été irrémédiablement endommagés.

Cinq cent mille animaux sont morts gelés pour avoir été domestiqués par des hommes qui n'avaient pas de génératrices.

Le soleil n'a pas été aperçu dans le ciel depuis seize jours.

On supplie la communauté internationale d'envoyer des génératrices.

— C'est quoi, une génératrice? demande Wayne.

Leur quotidien gravite essentiellement autour du téléviseur. Leur quotidien ressemble de plus en plus à un mauvais téléroman dans lequel il se boit beaucoup de café et il ne se passe rien. Paula s'est installée à demeure sur le sofa, devant le petit écran. Elle ne bouge que le matin, pour faire sa toilette et avaler le petit déjeuner préparé par Roger, et le soir, pour manger le repas préparé par Gaby tout en regardant l'autre téléviseur. Le reste du temps, elle est alanguie de tout son long, épuisée, le téléphone dans une main et une cigarette dans l'autre. Elle parle à des amis et à des parents demeurés « là-bas », dans la zone sinistrée, elle commente avec eux la catastrophe et les commentaires de la télé sur la catastrophe, et elle finit invariablement par des chuchotements colériques dans lesquels Gaby est convaincue de reconnaître son nom.

Elle pleure, aussi. Cela se passe maintenant derrière les portes closes du salon, et Gaby n'entend que les crêtes de sa voix, quand elle perd tout contrôle. Il est souvent question de Wayne. Tête de veau.

C'est vrai que Roger n'aime pas parler.

Il a un pacte tacite avec Gaby. Il lui donne un peu d'argent pour la nourriture, et elle n'a pas l'arrogance de refuser. Il s'occupe des petits déjeuners, et il nettoie tout ce qu'elle lui abandonne de casseroles et d'assiettes sales. Sans un mot. Elle le laisse seul dans la cuisine, lorsqu'il y œuvre, pour lui éviter la douloureuse menace de sa conversation. Après, il retourne immédiatement auprès de Paula dans le salon, et il ferme la porte sur leur intimité, même le jour. Quand il oublie de fermer la porte, Gabrielle le voit qui tient Paula dans ses bras et qui lui chante des chansons country, pendant qu'elle renifle comme une petite fille consolée. Il a une belle voix, Roger, peut-être à force de ne pas parler.

On ne sait pas au juste à quoi s'occupe Wayne. Gabrielle l'aperçoit par moments agenouillé sur le parquet du salon, faisant beaucoup de bruit avec des jouets en plastique. Ou alors, il regarde fixement sa mère pendant qu'elle parle au téléphone. Il ne pleure pas quand il se fait engueuler. Poony. Peut-être a-t-il reçu la consigne de ne jamais quitter leur nouveau territoire familial.

Ce n'est pas ce que Gaby avait imaginé.

— C'est parfait, dit-elle à Francis. J'ai la paix, je peux écrire.

Sauf qu'elle n'écrit rien.

Elle avait imaginé que les catastrophes abolissaient les différences, et qu'ils se retrouveraient unis, unis comme des humains doivent l'être pour affronter la fin du monde.

Elle ne s'est jamais sentie plus seule qu'avec eux.

Seule, son appareil en bandoulière, elle marche vers le centre-ville, vers la patinoire crevassée qu'est devenu le centre-ville. Il fait si froid que son haleine gelée la suit comme un fantôme. La civilisation recule tandis qu'elle avance. Elle entend des sirènes de police, des bruits de verre brisé, des feulements de pneus de voitures tentant de s'arracher à la glace. Les seuls vivants visibles sont des silhouettes furtives sortant des édifices, chargées de colis et de valises, gros rats fuyant la ville agonisante.

Une telle désolation. Une telle désolation n'est pas photogénique, n'est pas photographiable. Elle marche au milieu des rues en enjambant des branches et des troncs d'arbres, dans l'obscurité homogène sur laquelle se découpent à peine les gratte-ciel aveugles. Combien de temps un gratte-ciel peut-il tenir debout, privé de toutes ses raisons de vivre ? Elle imagine les gratte-ciel du centre-ville perclus et ratatinés sur eux-mêmes comme les pylônes métalliques, l'univers des bureaux réduit à un monceau de décombres dans lequel farfouillent avec minutie les archéologues du troisième millénaire, repêchant ici et là un ordinateur crevé, une chaise de secrétaire, un morceau de téléphone.

Elle marche tout à coup sur un objet dur qu'elle écrase. C'est une guirlande de Noël tombée d'une vitrine. Ça lui donne un coup au cœur, comme si elle avait écrasé quelque chose de vivant.

Rentre, rentre chez toi, lui intime son instinct de survie.

Chez elle. Chez elle, tout de suite en entrant, il y a l'odeur de la cigarette, à jamais imprégnée partout, et il y a le son assourdissant de la télévision. Et eux trois, muets et noyés dans les afflictions que déverse le bulletin de nouvelles, muets mais terriblement présents.

Elle a envie de leur dire : Allez-vous-en, s'il vous plaît allez-vous-en. Mais elle s'installe plutôt à côté d'eux, dans la chaleur de l'électricité, et elle regarde sur le petit écran des hommes pleurer parce qu'ils ont tout perdu, leurs pommiers, leurs vaches, leurs érables à sucre, le fruit longuement mûri de leur vie.

Ce jour-là, quand elle parle à Francis, elle est inconsolable. « C'est la glace, Francis, qui vient avant l'eau. La glace est la vraie nature de l'eau, Francis. La glace un jour recouvrira tout, même les marronniers de Paris, la glace recouvrira la poussière de nos pauvres os, Francis, comment avons-nous pu oublier ça ?... Tout retournera à la glace, c'est dans l'ordre de l'univers, tout retourne à la glace puisque tout vient de la glace, du grand néant glacé, comprends-tu, comprends-tu ce que je te dis ? »

Il ne comprend pas. Il dit : « Mon pauvre chéri, tu es épuisée. » Il dit : « Viens, prends l'avion, viens-t'en ici tout de suite. » « Les aéroports sont fermés », sanglote-t-elle. Elle entend le tintement de sa tasse de café et elle imagine le claquement de ses talons, tout à l'heure sur les pavés secs, dans cet autre côté de l'Atlantique où il fait tiède et où les bourgeons des arbres fomentent déjà leur venue. Cela lui est insupportable. Elle raccroche.

En raccrochant, elle voit la tête de Wayne, avec ses grandes oreilles translucides, s'encadrer dans sa porte et rester là sans broncher, tel un panache d'orignal.

— Qu'est-ce que tu veux, Poony ? demande-t-elle sans réfléchir.

— Rien, dit-il.

Il ne s'en va pas.

— Comment tu m'as appelé ?

— Poony, répète Gabrielle, mais avec une voix différente, chargée d'une affection qu'elle n'a pas vue venir.

Il rougit de plaisir. Ce qui lui brûle les lèvres finit par sortir :

— As-tu des patins ?

Les sentiers verglacés du parc, les trottoirs luisants et impraticables, les grandes plaines des boulevards fermés, tout leur appartient, toute la ville est leur ville. Ils ont redécouvert pourquoi la glace existe. La glace existe pour qu'ils volent comme des courants d'air là où ils marcheraient pesamment dans la vie ordinaire, la glace existe pour qu'ils retrouvent leurs ailes d'anges et s'en servent loin des enclos et des patinoires étriquées, plus libres que des explorateurs de l'espace. Même chaussé des vieux patins de Gaby trop grands pour lui, Poony sait reculer et sauter par-dessus les chaînes de trottoirs. Gaby sait tomber sans se faire mal. À eux deux, en cet après-midi de janvier gris, ils ont à peine dix ans tellement le rire rajeunit. Gaby prend des photos de Poony.

— Je veux pas rentrer, supplie-t-il de sa voix d'enfant.

Quand ils finissent par rentrer quand même, sa main trouve spontanément sa place dans celle de Gaby.

— Je veux revenir patiner demain, exige-t-il.

— Certainement, dit Gaby.

— Je veux manger des *chaud-frette* de bananes.

— Des chaufferettes de bananes ?

— Je veux rester avec toi, même quand l'électricité va revenir, dit-il de sa voix d'adulte.

C'est à ce moment-là que Gaby devient terriblement éprise sans savoir précisément de quoi ou de qui, de la magie au milieu du désespoir, d'un petit garçon aux oreilles décollées, peut-être tout simplement de l'enfance. Elle s'éprend de la petite main froide de Wayne germée tout à coup dans la sienne comme une bouture miraculeuse, et elle ne voit plus comment elle pourrait s'en passer. L'amour est comme ça, impétueux, déraisonnable, une drogue dure qui intoxique aussitôt qu'on y goûte. Il y a si longtemps, à vrai dire, qu'elle y a goûté, même depuis Francis, même avec Francis. La petite main froide de Wayne dans la sienne est une révolution extraordinaire, qui chamboule l'ordre glacé des choses. La chaleur inonde immédiatement toutes ses parties froides, abolissant jusqu'à l'idée du froid. Le gris morose de la ville redevient lumineux. Et, comment est-ce possible ? une autre Paula les attend sur le seuil de la porte, une Paula complètement rénovée, souriante, remise au monde par son sourire.

— René a retrouvé l'électricité, crie-t-elle aussitôt qu'ils sont à portée de voix. On s'en va chez lui demain !

— Oh non ! dit Wayne.

Cette nouvelle Paula ne se laisse pas démonter par si peu et se contente d'arracher la tuque de Wayne en guise de représailles.

— Comment, non ! dit-elle sans cesser de sourire. Ton oncle René !

Ils mangent près de la télévision ouverte. Mais ce soir, tout est différent. La catastrophe continue de s'ébattre dans la ville et au petit écran, et ils la contemplent avec un début d'indulgence, comme un invité irascible auquel on s'habitue. Paula reçoit. Elle a cuisiné un bœuf aux légumes tout à fait délicieux et un gâteau aux carottes, elle a acheté deux bouteilles de méchant mousseux qui leur donnera tous mal à la tête demain. Ce soir, Paula et Roger sont heureux. Voici donc à quoi ils ressemblent, quand ils sont heureux. Une bulle de légèreté enveloppe Paula des pieds à la tête et la rend très énergique, très bavarde, très belle. Elle dit qu'elle cessera de fumer dès demain. Elle dit qu'ils étaient très bien chez Gaby, beaucoup plus confortables que chez son frère, c'est évident, mais chez son frère c'est presque chez eux, il faut comprendre, c'est la même souche, le même territoire primordial, et ils seront à deux pas de leur appartement congelé où dorment leurs vêtements de rechange, leurs plantes et leur vie pétrifiée. Gaby comprend très bien, et avale néanmoins de travers. Roger ne parle pas beaucoup plus qu'à l'ordinaire. Sa renaissance est ailleurs, dans le regard qu'il pose sur Paula, hérissé de petits mots d'amour silencieux, dans la fluidité de ses mouvements qui le mènent entre la cuisine et la salle à manger, toujours à proximité de Paula, qu'il effleure comme par hasard. L'amour de ces deux-là crève les yeux, ce soir. Où était Gaby, tout ce temps, à ne voir que leurs cassures, leur odeur de nicotine, leur dysfonctionnement, où étaient ses yeux ? À moins que la vraie nature de Paula et Roger, tout ce temps, n'ait été éteinte par le regard aveugle de Gaby. Cette pensée-là serait terrifiante si Gaby avait le temps de s'y adonner, si son esprit n'était pas déjà obnubilé par Wayne, par le départ imminent de Wayne.

Poony. Il s'est assis tout contre elle, en manière de solidarité. Le parfum sauvage de ses petits cheveux rebelles se faufile dans les narines de Gaby, et masque toutes les autres odeurs. Comment faire pour ne pas l'étreindre très fort contre elle ? « J'ai pas faim », dit-il devant le bœuf aux légumes. « J'aime mieux les chaufferettes de bananes », dit-il devant le gâteau aux carottes. « Moi, je reste ici avec Gabrielle », dit-il surtout pour la troisième fois, et Gaby sent le cœur lui manquer complètement lorsque Paula répond « Non », pour la troisième fois, d'une voix douce et définitive qu'elle ne lui connaissait pas.

Le jour d'après, ils s'en vont aussi prestement qu'ils sont arrivés.

Gaby a à peine le temps d'embrasser Poony sur la joue qu'il est déjà dans la voiture de l'oncle, surexcité par ce qui s'en vient, muant d'un seul coup ce qu'il laisse derrière en mensonges. Non, en histoires.

Paula, par contre, serre très longuement Gaby contre elle, contre son ventre vivant, et cette étreinte inattendue bouleverse Gaby, comme si on l'abandonnait à l'orée d'un pays fabuleux qu'elle n'aurait pas eu le temps de visiter.

Qui est Paula ? Pourquoi est-elle Paula plutôt que quelqu'un d'autre ? D'où viennent son chagrin, sa colère ? Qui est le père de Wayne ? À quoi ressemblent les rêves de Roger ? Que deviendra Wayne quand il sera grand ?

Après leur départ, Gaby ausculte pendant des heures le salon déserté, fouille même dans les poubelles. Elle trouve des mouchoirs de papier, elle trouve un astronaute en plastique, elle trouve des mégots de cigarettes. Elle ne trouve pas de réponses aux questions qu'elle n'a pas posées.

Et puis elle se calme, son chagrin se calme. Tellement de gens vont et viennent autour, refermés sur leurs trésors secrets, tellement de trésors restent partout inaccessibles. C'est un miracle qu'elle ait eu accès à un peu de chacun d'eux, à un tout petit peu.

Elle place sur son bureau la photo des hêtres, debout dans leur agonie splendide. Et juste à côté, celle de Poony. Les oreilles rouges, les patins croches, tout petit mais l'air immense, un air de petit roi heureux dans son royaume de glace. Son royaume éphémère, car la glace recommence à fondre.

Partout, les maisons recommencent à avoir l'électricité. Janvier recommence à glisser normalement dans février. Gaby recommence à écrire. Et la glace recommence à fondre. Cette fois-ci encore, la glace fond. Jusqu'à quand fondra-t-elle, jusqu'à quel millénaire ?

C'est ce qu'elle demande à Francis, de l'autre côté de l'Atlantique : « Jusqu'à quand la glace fondra-t-elle,

Francis ? » Et tout de suite après : « Si on faisait un enfant, Francis ?… »

Il y a un silence, de l'autre côté de l'Atlantique, une brèche par où pourrait se faufiler quelque chose de très froid, un rappel de verglas, si elle n'y prenait pas garde. Aussi ajoute-t-elle aussitôt : « Je veux dire, un jour, peut-être un jour ?… »

TOUTE BEAUTÉ

Ce corps-là n'est pas à elle.

Quand elle en scrute les reliefs dans le miroir, elle voit un beige paysage fait de vallons moutonnants et de rebondis, et c'est tout. Un paysage familier, mais qu'est-ce que ça prouve ?

Ça prouve qu'elle ne fréquente pas assez de paysages étrangers.

Ça prouve qu'elle devrait voyager plus souvent. Par exemple, si elle n'était pas restée dans la maison bric-à-brac à attendre celui qu'elle aimait et qui ne l'aimait pas assez pour revenir, si elle n'avait pas squatté pendant quatre mois l'appartement blanc comme un gâteau, nappé de son coulis gélatineux de corridor, rien de tout ça ne serait arrivé.

Ce corps-là l'aurait laissée tranquille, au lieu d'attraper l'abominable Infection (et elle ne parle pas du sida, à côté de *ça*, hop, une piquante randonnée en montagne, le sida, avec des raidillons et des éboulis navrants, certes, mais contournables !).

C'est par le corps que tout est arrivé. C'est toujours par le corps que tout arrive, surtout ce corps-là, qui a été sculpté exprès pour que les promeneurs s'ébaudissent autour et refusent de bouger.

Au début, dans la maison bric-à-brac, il n'y avait qu'elle avec ce corps vulnérable et la menace des *promeneurs-reluqueurs* ne se posait pas, c'était une autre menace à vrai dire qui sévissait, celle-là intérieure, car seule au milieu de l'appartement blanc de celui qu'elle attendait, elle était en train de devenir folle. Les murs, les tapis, et la lumière giclant des fenêtres, tout était blanc blanc blanc comme la chair d'une pomme fade, comme le cœur d'un mal de tête, les traces et les odeurs de celui qu'elle aimait avaient été avalées par ce trou blanc, ce monstrueux aspirateur, et plus les heures passaient, plus c'est vers elle que la gueule du néant palpitait. Pour fuir sans s'éloigner, elle avait trouvé le corridor. Il suffisait de quelques heures dans le corridor pour stopper l'effritement et redevenir une molécule de solidité temporaire.

Le corridor du sixième étage de cette maison insensée était soûlant comme un alcool fort, de la grosse robine à quatre-vingt pour cent avalée sans jus de fruit. Assise par terre à même le tapis bariolé et puant, Maya avalait sans discontinuer les couleurs rugueuses, la clameur dissonante des autres appartements, parfois de la musique, parfois des cris, et les odeurs de térébenthine et d'urine et de cuisine et aussi de hasch, elle oubliait le terrifiant blanc de l'absence de son amour parti en Inde sans l'avertir pour n'aspirer que ces vapeurs de vie sale, de vie tout court, au milieu desquelles l'ascenseur finirait par s'ouvrir et le régurgiter à ses pieds, l'amoureux prodigue, penaud et revenu de tout et transi de solitude.

Tu parles.

L'ascenseur avait fini par s'ouvrir, oui, et plusieurs fois, mais jamais sur lui, jamais lui, lui de moins en moins et de plus en plus les autres.

Les *promeneurs-reluqueurs.*

Elle devait être juste. Ceux qui avaient surgi de l'ascenseur n'étaient pas de vrais *promeneurs-reluqueurs,* ils étaient chez eux après tout, ils n'avaient que faire de la contemplation à distance, c'étaient des praticiens qui savaient tout de suite empoigner les matériaux qui se présentaient à eux et les transformer en œuvre *surmatérielle,* et c'est ce qu'ils avaient fait avec sa vulnérabilité et sa frayeur et avec ce corps qu'ils prenaient pour le sien.

C'étaient des fous, à vrai dire, dévolus à leur folie au point de la discipliner et de lui donner une forme.

Qui d'autre que des fous pour s'atteler pendant des années à des tâches inutiles, pour traquer la couleur absolue, inventer des concertos pour téléphones cellulaires, construire des chorégraphies pour dissoudre les corps, dialoguer avec des entités virtuelles, tout mélanger et tout déconstruire et fouiller comme des chiens dans les entrailles du Rien ? Car c'étaient là quelques-unes de leurs activités trépidantes, à ces habitants de la maison bric-à-brac sortis goutte à goutte de l'ascenseur pour la trouver et la prendre avec eux, et l'embraser, aussi, car elle devait être juste, ils l'avaient embrasée chacun à leur façon, ils l'avaient sauvée du néant pendant ces quatre mois où elle n'était qu'un vide abyssal.

Des artistes, oui, si on veut. C'est comme ça couramment qu'on les appelle.

Elle n'avait aucune idée qu'ils se trouvaient là.

Pourtant, le rez-de-chaussée de la maison de dix étages annonçait : Centrale de création libérée, des objets dépourvus d'usage précis parasitaient l'espace, des images de petits animaux bondissants et de petits animaux agonisants crépitaient sur les murs, le miroir de l'entrée était gigantesque, une femme seule habillée comme au théâtre mangeait une banane en lisant Thomas Bernhard, le rez-de-chaussée au complet indiquait que le peuplement de cette maison n'était pas de tout repos, les odeurs d'huile et de machinerie serpentant dans les corridors n'évoquaient rien des fritures sympathiques que consomment les locataires raisonnables... Mais on est aveugle quand on est obnubilé, et elle était obnubilée. D'ailleurs, celui qui habitait là avant de lui faire faux bond n'avait rien d'un artiste, il était trop ordonné et systématique, il écrivait bien sûr comme écrit tout un chacun sur n'importe quoi et à propos de n'importe qui, blogues libidineux ou recettes de bonheur ou équations mathématiques ou peut-être même un livre puisqu'il en avait déjà publié un, allez savoir au juste quoi vu qu'il ne lui montrait jamais rien.

Et tant qu'à touiller le mystère cosmique, allez savoir aussi pourquoi l'amour pour celui-ci plutôt que pour tous les autres, lui infiniment moins beau infiniment moins aimable que le coloriste le sculpteur le danseur rencontrés dans cette Centrale d'illuminés, pourquoi c'est avec lui seulement que la distance défait sa toile d'araignée et que deux devient un et qu'au moindre contact du regard ou de la peau ils se trouvent projetés dans le même étrange brasier qui liquéfie ce qu'il devrait brûler.

Oh Laurel Laurel Laurel.

Mais c'est fini, maintenant.

Elle a ravalé le passé comme une morve bénigne, elle a même cessé de fumer, elle a tellement changé qu'elle ne se reconnaît plus elle-même, elle choisit sans cesse de mettre le feu aux illusions plutôt qu'aux tubes de cigarettes et si elle pense aujourd'hui à la maison aux mille et une fourmis laborieuses et à lui enfin dégorgé de l'Inde, mais puant le conformisme beaucoup plus que le Gange lorsque drapé dans sa toge de justicier il ose lui jeter, à elle qui se meurt pour lui depuis des mois : *Couches-tu encore avec tout le monde?...* – c'est qu'il reste cette chose à régler.

L'Infection.

Car quelqu'un parmi ces beaux créateurs enfiévrés aux mains qui savent y faire, quelqu'un lui a inoculé le Diable.

On ne parle bien sûr pas du machin muni d'une queue fourchue et de deux yeux de braise, ainsi que rectifié sarcastiquement par cher père Guillaume venu à sa rescousse déjà, mais du Mal tout court, de la Haine capable de se mettre à arpenter les corridors et à cogner sur les murs et à singer les mauvais acteurs de mauvais films d'horreur.

Si on lui avait dit un an auparavant que ces choses-là étaient possibles, elle se serait étouffée sous les fous rires.

C'est pourquoi elle n'en parle à personne.

Sauf à cher père Guillaume, dont c'est le travail routinier de congédier les entités qui jouent aux mauvais acteurs de films d'horreur – les *apparences* d'entités, rectifierait-il en polissant ses lunettes –, et sauf à cher Mark, qui dort en ce moment sur son sofa après avoir chanté et joué du luth et tout purifié de sa seule présence. *Markange.*

Deux fois, père Guillaume a dû revenir pour mater les récidives, et maintenant il ne vient pas, il ne répond même pas à ses messages de détresse – car malgré les incantations et les litres d'eau bénite, le mauvais film d'horreur a recommencé à se déplier en plein milieu de la nuit. Miraculeusement, tout s'est interrompu il y a six jours, lorsque Markange lui est advenu. Mais combien de temps peut-elle compter sur l'efficacité d'un ange, moitié mâle moitié ange à vrai dire, et surtout sur sa propre tolérance à le laisser partager son espace vital ?

Markus Kohen est son vrai nom, son nom d'origine du temps qu'il vivait au ciel avec d'autres simili-anges comme lui – puisqu'il vient d'une sorte de ciel, cela ne fait pas de doute, d'un Club Med monastique dirigé par un dieu féroce dont il fallait sans cesse satisfaire aux 613 commandements, c'est du moins ce qu'elle a retenu de ses bribes de confidences – ça et le fait qu'il a ramené de là-bas, ou de *là-haut,* une voix céleste et des doigts de magicien qui arrachent des sons déchirants à un vieux luth égratigné. Le luth lui aurait été offert par un itinérant, aime-t-il préciser sans entrer plus avant dans les détails, vu qu'elle ne lui demande rien.

Et il l'aime. Il l'aime depuis le premier jour où il l'a trouvée dans l'appartement blanc déserté par Laurel, pourtant morveuse de larmes, il l'aime assez pour l'avoir cherchée après sans relâche et retracée jusqu'ici et désinfectée de ses entités diaboliques, tout en s'astreignant depuis des mois à suivre des classes de français intensif dans le seul but de la comprendre et d'être compris d'elle quand enfin il lui déclarerait sans accent son amour.

Il l'aime, comme tant d'autres avant lui ont déclaré l'aimer, y compris les enfiévrés de la maison bric-à-brac, mais il ne l'aime pas comme les autres. Quand il la regarde, elle ne devient pas toute sale et piétinée par la bête sauvage du désir, elle reste dans ses yeux à lui habillée jusqu'au cou même dans les dédales les plus adorateurs de son regard. Et quand il lui dit sans accent : *Tu es belle,* c'est comme s'il s'adressait à quelque chose en elle qui est responsable de cette beauté et qui peut la revendiquer fièrement, et non à ce corps encombrant dont elle n'a choisi aucun des vallons et des renflements devant lesquels les autres se pâment.

Mais cela fait six jours, et c'est assez.

Pour la première fois, elle ne se sent pas obligée de faire quoi que ce soit pour cet amour-là, de le récompenser ou de lui donner à boire et à manger. Cet amour-là peut mourir d'inanition sur-le-champ et ça ne lui fera pas un pli. C'est comme ça qu'elle est maintenant, depuis qu'elle n'aime personne, et c'est à prendre ou à laisser.

Il prend. Il l'écoute lui dire qu'elle ne l'aime pas sans se laisser démonter, avec le petit sourire sagace des très jeunes ou très vieilles gens. Et puis il prend son luth et il chante : *De mon triste desplaisir / à vous belle je my complains / car vous traictez mal mon désir / si durement que je m'y plains.*

On ne chasse pas de chez soi un Markange musicien, c'est entendu, du moins tant qu'il fait le travail de tenir à distance les méchants autres, les déchus.

Ce qu'il faut maintenant, c'est apprendre à faire le travail soi-même, c'est être autonome.

Père Guillaume le lui a bien dit : il s'agit d'un simple mécanisme de malveillance enclenché par quelqu'un de haineux, et elle a une totale confiance en père Guillaume malgré sa défection. Si ça se trouve, il lui fait défection exprès pour qu'elle apprenne à faire elle-même ce qu'il faut faire.

Il faut retourner dans la maison bric-à-brac et retrouver ce quelqu'un de haineux pour démonter le mécanisme. Voilà ce qu'il faut faire.

Elle achève d'habiller ce corps-là devant le miroir, en lui enfilant tant de pelures qu'il ne présente plus d'anfractuosités désirables, et elle s'apprête à sortir dehors, dans le grand froid. Elle aime le grand froid, le grand froid est un atout dans le processus de camouflage. Elle sent sous les pelures son cœur palpiter d'appréhension, et avant de sortir elle regarde longuement cher Mark qui dort sur le sofa, pour s'imprégner de son image d'enfant pur enroulé autour de son luth comme autour d'un ourson. Tous les talismans sont les bienvenus dans le grand œuvre redoutable qu'elle s'en va accomplir. Elle a au cou la médaille de la Vierge donnée par père Guillaume, et à tout hasard un flacon d'eau bénite dans les poches. Peut-être qu'un crucifix et une douzaine de gousses d'ail seraient aussi appropriés, puis elle se rappelle que ce qui fonctionne avec les vampires ne fonctionne pas forcément avec les artistes, car on se calme et on respire par le nez, ce n'est pas Dracula ni le Diable qu'elle s'en va affronter, mais un homme tout court, un homme muni d'une queue, ça oui, si on accepte d'être vulgaire, mais dépourvu d'yeux de braise même si capable de haine virale. Pour le moment, elle ne voit pas du tout qui cela peut être, et ni les gousses d'ail ni d'ailleurs le crucifix ne semblent outillés pour élucider le mystère.

Elle oublie donc l'artillerie lourde et dévale les escaliers extérieurs telle quelle, advienne que pourra.

Tous ceux-là vers lesquels elle s'en va forment un patchwork dans sa tête, odeurs et formes confondues desquelles surgit l'éclair d'une voix ou d'un visage pour l'appeler *Petite Mouche* ou *Ma Muse*, lui souffler : *Donne ta patte*, *Tes yeux de violette*, *Bouge de là*, ou *Surtout ne bouge pas*, ou encore *Prends-moi dans ta bouche*... Mais qui a dit quoi et lequel a fait ce qu'il ne fallait pas faire ?

Il fait nuit et il fait froid et c'est parfait, elle marche sur le tapis opaque de février avec tout l'espace disponible pour se perdre à l'intérieur, et de l'intérieur le premier morceau du patchwork remonte tout à coup à la surface et ruisselle de couleurs : Yvo MacIntosh, dit Yvosh. C'est avec Yvosh que tout commence, Yvosh roux et taciturne et en même temps flamboyant, un renard maigre cachant dans ses replis filiformes un maître, Yvosh dans sa salopette barbouillée de peinture et raide d'huile, avec ses grands yeux pâles ses cheveux jaune orange et son teint exsangue, un personnage comique de manga qui ne rit pas, elle ne l'a jamais vu rire, surtout pas cette fois, la première, où il sort de l'ascenseur et la voit affalée par terre dans le corridor et passe tout droit sans s'arrêter, mais se risque tout de même à demander un peu plus loin : *As-tu mal quelque part ?* Elle répond : *Oui, partout*, et ça semble éteindre ses inquiétudes si d'aventure il en avait puisqu'il poursuit sa course, mais il stoppe net dans le tournant et il revient sur ses pas.

Dans son atelier où il l'emmène, elle perd temporairement toute noirceur tellement le lieu est saturé de rouges explosifs, de bleus intenses, d'orange qu'on mangerait, de parfums saugrenus. *Mets-toi à ton aise,* lui dit-il en lui indiquant un sofa encombré de panneaux de peintures colorées, tandis que lui-même disparaît derrière sa grande table, immédiatement affairé au-dessus de minéraux et de pigments qu'il se met à broyer à la main et à mélanger à des huiles qui sentent fort. Elle ne s'assoit pas, elle reste debout à le regarder ne pas s'occuper d'elle, elle se sent chez elle et en même temps perdue, comme dans un souk hors du temps et de l'espace. Des peaux de lapins sont accrochées au mur, les étagères sont bondées jusqu'au plafond de poches de résines venues d'Afrique, de cires d'abeille qui embaument le miel, d'huile de carthame et d'œillette, de tubes et de contenants aux noms cabalistiques : cramoisi d'alizarine, colophane, sandaraque, vert de phtalo, bois de campêche…

Yvosh est un alchimiste et un *pusher* de couleurs.

Il invente des couleurs d'huiles pour les peintres maniaques qui aiment que ça gicle dru, il trafique aussi des colles et des laques pour les luthiers perfectionnistes, bref, rien pour faire fortune même si sa passion lui brûle l'énergie et les cellules, à cause des encaustiques. C'est ce qu'il lui explique quand finalement elle vient se placer à côté de lui pour le regarder travailler, il lui dit en écrasant des granules qui saignent mauve qu'il cherche une couleur de violet qui ferait byzantine et plus espagnole qu'hollandaise même si Vermeer est son maître, il lui dit qu'il cherche le violet absolu et que ça le travaille depuis des mois et l'empêche de dormir parce que c'est seulement la nuit que la couleur insaisissable vibre dans sa tête, et tout à coup il arrête net de parler, car il s'est tourné vers elle et a vu on dirait quelque chose d'effrayant.

Il la saisit sans ménagement par la nuque et la colle sur lui, et elle se dit : *Bon ça y est encore ça,* et elle ferme machinalement les yeux pour lui faciliter le travail puisque quand faut y aller, faut y aller, mais c'est une fausse alerte, il ne l'embrasse pas du tout, d'ailleurs il ne l'embrassera jamais, Yvo MacIntosh, dit Yvosh.

L'autobus s'arrête devant Maya et elle y monte comme si de rien n'était, tout ce temps elle était dehors à refroidir sans s'en rendre compte tant l'esprit est puissant à vous placer là où il vague lui-même, et c'était avec Yvosh dans la chaleur du passé et de la maison bric-à-brac qu'elle se trouvait pour de vrai et même Yvosh commençait à se diluer comme ses huiles parce que derrière son dos il y avait maintenant Julian arrivé dans l'atelier d'Yvosh à l'improviste pour acheter son ocre, la terre de Cassel puissante qui se marie si bien avec ses portraits à la suie.

L'autobus est bondé malgré l'heure de la nuit, et non seulement bondé mais étrangement vibratoire et bruyant, et le chauffeur au sourire élargi informe Maya que le transport est gratuit ce soir, gratuit toute la nuit pour circuler dans la ville en fête entre les différents points de liesse. Quelle fête, quels points ? Elle n'a pas besoin de demander pour recevoir, *Montréal en lumière,* disent le chauffeur et les panonceaux de l'autobus, *Aujourd'hui c'est la Nuit blanche,* ajoute avec exultation un couple transporté près de Maya, l'englobant du coup dans leur tribu festive.

Les nuits blanches, ils ne connaissent que ça, ceux de la maison bric-à-brac avec lesquels elle entre en collision profonde durant ces quatre mois, autant Yvosh que Julian que Maxime et Fréda et Otto, mais du calme et ne t'emballe pas, mémoire indisciplinée, un morceau du patchwork à la fois si on ne veut rien perdre des détails funestes, et c'est Julian maintenant sur la scène frontale, le corps tout sourire et tout muscles malgré ses émanations carbonisées.

Cette première fois, Julian l'attend dans le corridor devant chez Yvosh pendant deux bonnes heures, peut-être même trois, et à partir de ce moment-là il l'attendra chaque soir dans son atelier à lui au septième étage, et elle ira, pendant des semaines il ne pourra être question qu'elle n'aille pas s'installer lèvres entrouvertes sur le tabouret devant ses yeux fouailleurs pour qu'il capture tout de son visage et de son cou, la chaleur du chalumeau si proche de sa peau qu'elle a peur, elle a peur autant de son chalumeau que de son regard, car il brûle tout, il brûle ce qu'il s'apprête à dessiner, il peint avec le feu, la suie devient l'encre qu'il mélange à l'huile terre de Cassel pour arracher du néant des visages saisissants de vérité et de douleur.

Il s'intéresse plus que tout à sa douleur.

Tout ce temps, elle est brisée à l'intérieur malgré l'épanoui des apparences, et il voit ça, Julian le charbonnier, il recueille la moindre miette souffrante et bientôt il a envie de continuer la démolition à sa façon pour que ça n'arrête pas de s'effriter et de servir l'Art, le sien.

C'est ainsi qu'il veut bientôt tout ce qui se trouve en bas de son visage.

Bientôt, il arrive qu'ils passent des heures à rouler nus l'un sur l'autre à côté de la suie des peintures, et ça devient une drogue planante même pour elle tant il sait comment fabriquer du plaisir, mais après il la relève sans ménagement et la réinstalle sur le tabouret et il interroge son visage pour voir s'il y persiste quelque chose de flétri ou de blessé. Plusieurs fois, il lui dit qu'il a une femme merveilleuse et deux enfants sublimes dans une vraie maison qui n'est pas cet atelier taudis, et tout de suite après il scrute son visage pour y chercher des contusions inédites.

Un salaud fini, dirait de lui une femme amoureuse.

Mais elle n'est pas du tout amoureuse.

Si ça se trouve, elle n'aime pas ce qu'elle devient avec Julian, un corps et rien qu'un corps débordant de liquides et de frissons, mais elle n'en fait pas un plat, toutes ces histoires de corps, si importantes pour les hommes, finissent toujours par montrer leurs limites puériles, et alors on passe à autre chose.

Elle doit être juste. Les visages de suie de Julian, y compris ceux qu'il crée à partir d'elle, valent le tortueux qu'il y met. C'est d'eux qu'elle pourrait être amoureuse. Elle défile devant ses peintures, après avoir couché avec Julian ou juste avant, et c'est comme une procession rituelle qui s'enfonce de plus en plus au secret du cœur humain, un homme ridé qui contemple ce qu'il n'a pas réussi à devenir, un ado très maigre qui étale violemment ses piercings, des femmes de tous les âges chargées d'émois qui les embellissent... Même elle et son regard tragique : elle pourrait aller jusqu'à aimer cette autre elle-même dépositaire d'une obscurité si somptueuse.

Juste à cause de ça, de la façon géniale qu'il a de tout agrandir sur ses toiles, elle revient dans son atelier malgré sa cruauté, malgré la lassitude des étreintes sans amour. Parfois elle en rajoute, une vraie sincérité dans le sourire de sa voix : *Dis bonjour à ta femme de ma part, c'est quoi son nom déjà ?* Ou : *Quand est-ce que tu me présentes tes flos ?*

Quand l'autobus s'arrête au Quartier des spectacles, la plupart des passagers en descendent et Maya parmi eux, et là se termine leur périple commun. Elle regarde avec nostalgie tous ces insouciants s'engouffrer dans les souterrains festifs du métro ou rejoindre la foule qui s'agite sur la place, à l'ombre de gigantesques bulles de lumière qui *groovent* sur les rythmes d'un groupe de musiciens *live*, près des fumerolles de cantines en plein air dont les effluves gelés ne se rendent pas jusqu'à elle. Un jour, elle recommencera de ressembler aux autres. Dès que Satan aura fini de brasser des affaires avec elle, dès qu'elle aura enterré Laurel et la maison bric-à-brac.

Dès demain, peut-être.

En attendant, elle marche vers l'extrême est du boulevard De Maisonneuve, et ce n'est pas de tout repos puisque de chaque côté d'elle se pressent aussi Yvosh et Julian qui l'écartèlent et s'engueulent au-dessus de sa tête. Yvosh ne prend pas qu'elle fréquente Julian bien plus qu'elle le fréquente lui-même et il le lui déclare, péremptoire : *Il n'est plus question que tu le voies, il altère ton regard, il te fait des yeux délavés de putain.* Il faut dire qu'Yvosh a décrété qu'elle était sa muse officielle depuis cette fois où il a reconnu le violet absolu dans le fond de ses yeux, et comme c'était avant Julian il réclame la préséance, et même le droit de propriété, *Ma muse, Tes yeux de violette,* et elle s'est mise à bien aimer Yvosh et ses couleurs tout en souhaitant continuer les plaisirs louches avec Julian, qui lui, titillé par son indifférence, a finalement décidé qu'il n'a plus de femme et d'enfants et que c'est elle, maintenant, uniquement elle.

Bref, elle est dans la merde.

Elle décide donc de se défaire d'eux deux en même temps, le même jour.

Maya marche sur le trottoir glacé dans la nuit polaire de février, maintenant complètement seule avec l'éclat de lucidité qui vient de lui choir dessus : elle l'a, son présumé coupable, ou plutôt elle les a, puisque autant l'un que l'autre, le renard Yvosh que le buffle Julian, sont capables de grandes choses et de très petites, une fois poussés au fond de leurs précieux retranchements, une fois privés de ce qu'ils considèrent comme leur bien inaliénable. Elle.

L'un d'eux, oui. Elle ralentit le pas.

À moins que ce ne soit quelqu'un d'autre.

La place n'est pas nette, encore, d'autres regards inquisiteurs s'allument dans sa mémoire, chez qui elle ne peut départager exactement le poids de la convoitise et celui de la rancœur, et peut-être après tout est-ce le même, peut-être ne parvient-elle qu'à faire lever partout la même pesanteur dangereuse – *Pauvre petite !* gronde dans sa tête la voix bourrue de père Guillaume. *Pauvre petite, vous promenez une torche enflammée sur du pétrole !...*

C'est peut-être Otto Morro, le sculpteur. Ou alors le virtuose des arts numériques, Rupie. Ou alors Jan Kefirova le danseur, avec qui elle n'a pas couché, mais avec le chum duquel elle a couché. C'est le danseur qui aurait eu les motifs les plus explosifs, mais c'est le sculpteur qui a des accointances avec le vaudou, et c'est finalement tout un chacun qui a des raisons de lui en vouloir et de la détester irrémédiablement, chacun d'eux et tous ensemble aussi frustrés par elle les uns que les autres.

Maya se déteste et se maudit tout en marchant, et ce n'est d'aucune utilité sauf de lui faire oublier le gel et la nuit de maintenant pour ne garder que l'obscurité d'avant, les détestables images d'elle avant, écrasée et inerte et inassouvie. Qu'est-ce qui lui est arrivé?… Quelle faim d'anéantissement l'a poussée ainsi vers tant d'autres, tant de corps, pourquoi a-t-elle squatté uniquement leurs corps au lieu de toucher leur moelle essentielle, au lieu de s'abreuver, puisqu'elle avait si soif, à l'eau la plus pure de leur quête?

Tout cela était comme un banquet gratuit qui lui était offert, mais elle allait d'un plat à l'autre sans appétit véritable et sans ferveur, et surtout sans amour pour personne.

Si elle les avait aimés, même un peu, elle ne se serait pas sentie obligée de leur abandonner sans cesse en guise de compensation son beau corps indifférent.

Si elle les avait aimés, elle les aurait vus, tous, pétris de leur authenticité rugueuse, intraitables et touchants comme de petits enfants, poursuivant nuit et jour héroïques leurs travaux sans bon sens, mangeant des cochonneries, buvant de la piquette, piochant dans le vide sans jamais de salaire, ou plutôt sans salaire autre que la courte jubilation de toucher parfois une pépite de beauté, de parfois attraper par le cou l'ombre miraculeuse de l'indéfinissable infini.

Jan Kefirova recommençait cent fois des pirouettes et des grands écarts même si les ligaments de ses cuisses étaient foutus, *Je sens un martèlement en moi quelque chose qui cogne sur mes murs,* disait-il en grimaçant de douleur, *c'est un martèlement qui repousse les limites de l'intérieur, écoutez écoutez-le,* et soudain il semblait se disloquer complètement avant de pousser un cri de triomphe, auquel la douleur toujours présente apportait un vibrato intense, et les deux danseurs qui travaillaient sous sa guidance embarquaient alors dans le délicat ouvrage de le copier sans disparaître eux-mêmes. *Plus loin, plus fort, plus,* leur enjoignait-il de sa voix rauque fouettée par l'accent slave, *ça fait mal oui laissez entrer le mal et laissez tout entrer, je vous demande un* shift *total d'attention, je vous demande un* shift *énergétique...*

Maya était assise par terre, au fond de la salle, la plus grande salle de l'immeuble, qu'on appelait la REDI-MIX, au pied de miroirs qui renvoyaient la lumière du jour et des torses en mouvement. Elle avait été cueillie dans son corridor cette fois-là par Maxime, l'amoureux de Jan Kefirova, qui l'avait emmenée jusqu'ici, et Maxime était installé à côté d'elle pour assister à la répétition, mais quelque chose dans la position de Maya, dans l'exposition de sa chair blanche près des cuisses le troublait fortement. Il était tout feu et toute vapeur, Maxime le sensitif, et du pied délicatement il l'avait touchée comme par inadvertance plusieurs fois pendant la répétition, et Maya avait compris que c'était une invite à ce corps méprisé par elle mais si délectable pour les autres, et bien sûr elle répondrait finalement à l'invite louche, elle céderait à la facilité au lieu de se concentrer exclusivement sur Jan Kefirova et son exploration exigeante, au lieu de tenter de capter comme il l'enjoignait à ses danseurs la présence lumineuse de ce qui gît dans le silence, entre deux gestes.

Tant d'autres occasions d'aborder le mystère ont ainsi été perdues par elle, surtout dans cette salle nommée REDIMIX que fréquentaient aussi des musiciens électroniques et des installateurs événementiels, car un projet commun les réunissait, danseurs musiciens technoartistes, un projet qu'ils appelaient *Percevoir l'Invisible,* et pour lequel ils joignaient leurs folies et leurs imaginaires débridés. Juste ça, juste ce titre, *Percevoir l'Invisible,* aurait dû faire bondir Maya de curiosité, mais non, elle n'était qu'aveuglement et vague terreur, comme une prémonition de ce qui s'apprêtait à chuter sur elle. Malgré tout, elle n'avait pu ignorer totalement les éclats de grandeur, ceux de Jan Kefirova et aussi ceux de Rupie, bardé d'ordinateurs et d'écrans et enroulé dans des fils comme dans un cocon, l'étrange papillon Rupie qui crée des formes virtuelles et sculpte la lumière et y ajoute des sons inattendus puisqu'il est aussi musicien, il n'y a pas de mot pour résumer la forme exacte de son art polyphonique. *La technologie est la nouvelle religion, la réelle, celle qui relie à Dieu,* clame-t-il avec un sourire qui laisse peu d'espace à la contestation, et il aime ajouter : *L'art numérique est le seul avenir de l'art.* Les autres bien entendu contestent, surtout ceux de la performance, puisqu'ils sont plusieurs à revendiquer le nec plus ultra de la modernité, et la communion totale avec le seul Dieu maintenant crédible, l'Instant présent. Il ne s'agit maintenant que d'être fulgurant et instantané, de donner aux spectateurs voyeurs une expérience immédiatement transcendante. Parmi ces artistes de l'Instant, il y a Fréda la plantureuse (mais oui, une fille, c'est fou comme Maya n'a pas pensé aux filles, pourtant dangereusement intenses), Fréda et son groupe qui animent ce qu'ils appellent des *flash mobs* et, dans cette salle REDIMIX, ils préparent une mobilisation éclair, une performance totale chargée de bruit et de fureur, et notamment d'acteurs et de chanteuses, qui infligera un coup fatal au confort et à l'indifférence des bien-pensants. Et il y a Otto Morro.

Otto Morro le sculpteur venu d'une parcelle explosive d'Haïti moule de faux cadavres qui viennent percuter le réel de façon spectaculaire, et il les installe aux carrefours les plus achalandés et filme les réactions des passants. En ce moment ce sont des enfants aux membres tronqués barbouillés de faux sang qu'il façonne et s'apprête à fourguer en plein métro. Il est doux et fragile, ses yeux sont des miroirs où clapotent des souvenirs que l'on sent terribles, et au lieu de parler de catharsis il emploie par pudeur des mots d'artiste à la mode, *Les objets n'existent pas,* déclare-t-il de sa voix soyeuse, *ils viennent au monde au moment où celui qui les regarde les co-crée avec sa propre culpabilité...* Et il regarde Maya avec un émoi évident, et Maya le regarde aussi, fascinée par la bonté qu'elle lit dans ses mains productrices d'horreurs.

Que fait-elle, elle, au milieu de ce vibrant et séditieux remue-ménage ?

Rien du tout.

Plus les créateurs agissent, plus elle reste immobile, plus elle devient un objet qu'ils prennent et s'échangent et utilisent comme du matériel esthétique. Elle ne fait jamais les premiers pas, de cet infime avantage au moins elle peut s'enorgueillir. C'est malgré tout parfois sucré comme du bonbon, telle cette unique fois avec Rupie – unique parce qu'il a une copine qu'il aime et qui l'aime, mais il n'y a pas d'impossible quand le corps réclame son dû, et c'est ainsi que Maya et lui se retrouvent dans les toilettes à fumer du cristal et à s'empoigner les fesses et que la copine les surprend et pique une crise, et c'est donc la seule fois et c'est dommage parce qu'avec lui il y avait une intensité et une jubilation qui lui rappelaient celles de l'autre, l'Enfui, le Traître en Inde en train de s'envoyer en l'air avec des gourous impassibles.

Et c'est parfois touchant et pathétique, comme avec Otto Morro, qui ne souhaite rien de moins que de l'épouser dès qu'il la déshabille et qu'il croit l'avoir vue au complet, et il l'appelle *ma femme* et il pleure au téléphone, et elle le fuit sans pitié, persuadée qu'au fond il ne cherche qu'à mettre ses papiers de citoyenneté en règle, ce qui est un grand affront à lui faire même si c'est sans doute la vérité.

Par chance, un jour, elle en a assez.

Un jour, elle en a assez, même s'il est trop tard pour prévenir le mécanisme de malveillance qui a sans doute commencé secrètement à infecter ce corps-là, elle en a assez de son engluement dans les autres et de son désespoir et elle décide d'agir enfin *artistiquement.*

Elle se lance dans la peinture, elle aussi, trois gallons de peinture noire esthétiquement déposée sur les murs immaculés de chez Laurel, et cela lui fait un bien immense, sur le coup, cela brise son asservissement amoureux, cela brise sa dépendance à la proximité, cela lui permet de retourner chez elle. Sans au revoir pour personne, sans ultime caresse, comme un homme sans cœur enfui dans l'Inde mythique, comme une *chienne.*

Elle les laisse tous en plan, derrière, et elle ne repense jamais à eux.

Sauf maintenant, sauf aujourd'hui, où le patchwork des souvenirs ramène soudain devant elle ce qu'ils ont de plus aérien et de plus lumineux, la laissant sans indice pour trouver qui a fait *ça,* qui a pactisé avec le Mal extrême.

Qui a fait qu'aussitôt de retour chez elle, à trois heures pile chaque nuit, *quelque chose* d'innommable s'est mis à la visiter, à la harceler, à la terrifier. Un an durant.

La maison bric-à-brac dresse ses dix étages de briques à cent mètres devant elle, il est minuit et demi et elle sait qu'ils sont encore debout, épuisés dans leurs ateliers à poursuivre leur grand œuvre, c'est la bonne heure pour les trouver en pleine vie et peut-être rembobiner leur histoire commune et y planter un *happy ending.* C'est aussi la bonne heure pour ne pas tomber sur Laurel, qui dort comme un enfantelet dès vingt-deux heures sonnées, ce qui montre à quel point il n'est pas un artiste. Avec lui, elle ne veut rien rembobiner, le film est joué, et classé dans les archives.

Le grand miroir de l'entrée l'accueille et lui renvoie son reflet matelassé par les vêtements. Elle sourit de ne pas se reconnaître. Elle commence à dénouer ses pelures et elle s'avance dans le hall, saturé comme d'habitude d'explosions artistiques. Aujourd'hui, ce sont des ballons de verre soufflé de tous les formats et de toutes les couleurs qui ont poussé sur le sol en champignons magiques, et pour une fois le hall est très joyeux. Elle s'approche des objets, charmée, en se rappelant qu'il y a effectivement dans la Centrale un souffleur de verre, italien ou slovaque, elle ne sait plus, qui l'a observée de loin sans l'approcher et dont elle n'a jamais su le nom – ni les particularités sexuelles.

— Giacomo Magnani! dit une voix de femme.

Maya la voit, soudain, assise sur une chaise droite à son poste habituel.

La résidente permanente de ce rez-de-chaussée, du moins les quatre mois que Maya l'a traversé. Sans doute doit-elle habiter au fond, au même étage, et venir se ventiler tous les jours dans l'aire collective, puisqu'il n'y a pas une fois où Maya ne l'a pas aperçue – et aussitôt chassée de son esprit – en montant chez Laurel. Toujours drapée dans des robes théâtrales et décolletées, des bracelets aux poignets, les cheveux raides et noirs, une aura de walkyrie sur un corps de soixantenaire, un livre et un fruit à la main. Magda Zambrovicz.

Magda Zambrovicz, *the Limitless.*

On dit d'elle qu'elle dissout l'esprit de ceux qu'elle regarde dans les yeux.

On dit qu'elle a créé des performances insoutenables de par le monde, où elle s'offrait comme victime aux spectateurs en mal de sadisme. On dit qu'elle repousse les limites de l'esprit et du corps en claquant des doigts. On dit qu'elle emprunte ses techniques de présence au dalaï-lama, aux aborigènes de l'Australie du Sud et aux soufis du Pakistan. Quand elle n'est pas dans le hall de la maison bric-à-brac, incognito dans le bled montréalais, c'est qu'elle est à Osaka ou à New York ou à Buenos Aires, et des nuées de badauds font la file pour venir s'asseoir devant elle et se laver de leur vie.

Exactement la personne que Maya n'a jamais eu envie de rencontrer.

Maintenant, elle n'y peut rien, elle s'avance vers Magda Zambrovicz, mue par le même fatalisme qui fait s'avancer dans le corridor de la mort les promis à l'exécution.

Son esprit est embrumé par l'appréhension : comment a-t-elle pu évacuer si totalement de sa panoplie de suspects toutes ces femmes, Fréda la bagarreuse, et la copine de Rupie lui hurlant des obscénités dans les toilettes, et Léna qui la regardait de travers en concoctant ses symphonies pour robots, toutes celles-là dans la maison bric-à-brac dont elle menaçait le cheptel masculin, et surtout surtout celle-ci, invisible et omnipotente, Magda l'ensorceleuse professionnelle qui, lisant dans les âmes, n'a pu que constater d'un seul coup d'œil la petitesse de ce corps-là, ce misérable corps tout juste bon à être possédé ?

— Viens t'asseoir, lui dit Magda Zambrovicz. C'est beau, hein, ce qu'il invente, Giacomo Magnani ? Ça illumine l'œil. Assois-toi, mais assois-toi.

Surtout, ne pas la regarder dans les yeux.

— Veux-tu un morceau de kaki ?

Elle pousse dans sa direction un gros fruit orange

coupé en quatre et elle parle, elle parle et pourtant aucun mot n'est intelligible, Maya n'entend que la musique de sa voix et, malgré elle, elle s'amollit sur la chaise et coule tranquillement au fond de ses propres membres jusqu'à devenir fluide et petite, toute petite, et, malgré elle encore, elle lève les yeux, car cette voix chaude qui la fait fondre ressemble à s'y méprendre à celle de sa mère. Elle voit que Magda Zambrovicz la regarde sans artifice et sans menace, avec une sorte de mélancolie, ou de compassion.

— Ils sont tous partis dans les souterrains du métro, est-elle en train de dire de sa voix d'étrangère. Tous, comme des rats. Je suis toute seule dans la maison.

Ses bracelets tintent tandis qu'elle porte le fruit à sa bouche. Le livre fermé devant elle est orangé, avec une tête de bouddha sur la couverture.

C'est le moment, peut-être, le moment de savoir et de recevoir et même de disparaître au complet si cela est inévitable, et Maya la regarde longuement dans les yeux, sans ciller. C'est drôle, il n'y a rien dans le regard de Magda Zambrovicz, rien qui fasse obstacle, comme si elle plongeait directement dans le vide et que ces yeux-là étaient simplement des fenêtres grandes ouvertes sur une nuit profonde.

— Va donc les rejoindre, Beauté, fait Magda Zambrovicz sans retirer son regard. Oublie tout ça, bon sang. Va boire un coup.

Elle se détache tout à fait d'elle, se carre mieux sur sa chaise et ouvre son livre.

— La pythie est hors service maintenant, dit-elle avec un clin d'œil. Tu reviendras une autre fois.

Tout ça pour ça.

Dans la rue, Maya tâte la fiole d'eau bénite au fond de sa poche, et elle ricane. Et si elle la buvait, tiens, cette piquette consacrée par cher père Guillaume ? Peut-être que le mystère s'en trouverait élucidé, sous forme de diarrhée phénoménale. Elle s'étonne de l'état dans lequel elle se trouve, ni lourd ni découragé, et même tout guilleret, comme si, en effet, il suffisait de décider d'oublier pour qu'il n'y ait plus rien à ressasser.

N'empêche qu'ils sont finalement à sa portée, dans les souterrains du métro comme dans une souricière, tous ceux-là qu'elle s'attendait à devoir cueillir laborieusement l'un après l'autre, en y mettant la nuit s'il le fallait. C'est un signe, peut-être, que l'univers conspire en sa faveur. Ou le Diable.

Elle met le cap sur le Quartier des spectacles, elle est bientôt noyée dans l'ambiance festive qui a monté d'un cran avec la nuit, des musiciens improvisent sur les trottoirs, des cracheurs de feu performent à côté d'itinérants qui quêtent, une grande roue empruntée aux foires tourne au milieu de la place, une installation sur d'énormes échafaudages fait débouler les grands enfants à soixante kilomètres à l'heure dans des corridors de glace, les gens givrés se réchauffent autour de braseros, les odeurs de merguez grillées planent comme des fantômes de pays chauds. Elle s'engouffre avec plusieurs dans la bouche du métro.

Percevoir l'Invisible.

Tout de suite, ces mots-là l'accueillent et la percutent, ils dansent sur les murs du métro puisqu'ils sont le thème du festival Art souterrain de cette année, et tout de suite de gentilles animatrices lui offrent du jus de pomme chaud et sont prêtes à les guider, elle et tous les autres fourvoyés dans les entrailles de la terre, parmi ces sept kilomètres d'art contemporain dans lesquels essaiment, lui expliquent-elles, cent trente-six artistes différents.

Cent trente-six. Elle avale son jus de pomme de travers.

Il y en a au moins cent vingt-cinq de trop. Elle ne veut que les siens, sa petite poignée d'abeilles besogneuses à elle.

Ici, c'est la salle REDIMIX à la puissance cent, les créateurs et leurs chimères ont totalement pris possession de l'espace et du temps, et Maya se faufile parmi les installations lumineuses, les surfaces interactives, les planchers de textiles vivants, les mannequins en trompe-l'œil, les sculptures de *styrofoam,* les aires de jeu et de restauration, les arbres à souhaits, les vidéos sonores, les performeurs couchés ou debout ou suspendus… Elle a chaud et elle a faim, elle traîne son manteau comme un corps orphelin, elle va s'arrêter pile et renoncer lorsqu'elle reconnaît la voix stridente de Fréda.

Au même moment elle reconnaît les corps sanglants sur le sol, devant lesquels des badauds terrifiés n'osent plus bouger ni respirer et elle ne peut s'empêcher de rire – bravo, Otto, tu fesses dans le *dash* ! – et plus loin, avalant dans leur détresse tous ceux qui osent s'en approcher, mais oui les portraits gigantesques de suie et d'ocre et d'émotions terribles, et Julian en train de croquer sur le vif au chalumeau une jolie fille qui a peur du feu, et elle devine encore plus loin les danseurs de Jan Kefirova pirouettant, fusées dans les airs, et elle entend les installations rugissantes de Rupie que troue virilement la voix de Fréda, Fréda répandue tonitruante sur les genoux d'un jeune homme qui croyait s'asseoir tranquille pour manger son smoked meat…

Ils sont tous là, explosifs le long de leurs deux cents mètres de territoire. Ils sont là avec leurs prolongements enfin révélés, le couronnement de leurs sueurs épiques. C'est à elle que s'adresse ce déploiement de création échevelée, car qui d'autre qu'elle a connu leurs piétinements et leurs dérives pour en arriver à toucher enfin la beauté ?

Et toute beauté n'est que de l'amour, modelé en chair ou en images. C'est ce qu'elle reçoit d'eux, péremptoire comme une révélation, tandis qu'elle ne bouge pas. Toute beauté vient d'un amour si pur et si impersonnel qu'il tue instantanément les doutes, qu'il ridiculise la haine.

Toute beauté. Même la sienne.

Fréda la voit, tout à coup, et agite les doigts pour la saluer sans cesser de chanter, et Julian, le chalumeau à la main, lui envoie de loin ce qui ressemble à un baiser.

Ils sont contents de la voir.

Et ce petit homme filiforme et orange flamboyant qui s'en vient vers elle est bel et bien Yvosh, et il n'a jamais été aussi près de rire. Il lui plaque sur la joue un baiser rêche qui n'a pas l'habitude et il lui crie à l'oreille, pour couvrir le tumulte ambiant : « Violet quinacridone !… »

Quinaquoi ? Au lieu de répéter, il se contente de désigner du bras l'immense toile de fond contre laquelle se déploient leurs ébats artistiques, une toile faite de panneaux violets. Un violet clair mais pas trop. Un beau violet. Celui qui est au fond de ses yeux.

Yvosh est reparti, et elle est encore en train de sourire. Elle cherche à retrouver ce qu'elle cherchait, car elle cherchait intensément quelque chose et c'est la raison de sa présence ici, mais ça détale au fond de son esprit comme un fantôme de lièvre, on dirait même que ça n'a jamais existé. Elle ne peut plus arrêter de sourire, même quand un inconnu se permet de lui frôler le bras, au lieu de le mitrailler de ses yeux assassins comme il le mériterait, elle continue de sourire.

L'inconnu sourit aussi. Elle est à peine surprise. Puisque c'est Noël, pourquoi pas après tout.

Pourquoi pas Laurel.

— Qu'est-ce qui se passe ? Tu n'es pas en train de dormir, à cette heure-ci ?

Il semble que ce soit elle qui a parlé, mais il est arrivé quelque chose à sa voix, tremblotant de gaieté sans qu'elle y soit pour rien.

— Non, dit Laurel. C'est fini, ça, dormir.

La même bizarrerie affecte sa voix à lui, à moins que ce ne soit son ouïe à elle qui a attrapé cette maladie-là, la maladie de la légèreté et de l'oubli. Ils prennent leur temps, ils se regardent. Au milieu de la cohue et de la foule, ils restent là à se regarder très tranquillement du coin de l'œil, deux étrangers ouverts à n'importe quoi qui se présentera.

SILENCE, ON PARLE

La robe bleue à chevrons orange, ou le deux-pièces de soie anthracite ?

Certes, il est des questions plus existentielles. Encore ce matin, celles qui taraudaient Virginie Hébert étaient plutôt : *Où dénicher rapidement 25 000 dollars ?* Et : *Le cadavre de l'itinérant trouvé rue de la Commune est-il celui du pauvre Mike, dit Téflon ?* Mais les questions frivoles ont leur utilité, elles reposent l'esprit en éloignant temporairement la marmite bouillante de la détresse humaine. À se coller sans cesse à ce qui brûle, c'est connu, on surcuit et on n'est pas plus avancé, l'efficacité complètement calcinée.

Donc : robe bleue à motifs orange, ou deux-pièces de soie gris ? Le répit frivole se passe en ce moment face au grand miroir, un lieu que Virginie fréquente si peu qu'elle se prend à en chercher le mode d'emploi. Comment se voir *pour de vrai* ? Dans un miroir, qu'on s'y regarde de face ou de profil, il n'y a toujours que deux dimensions, alors que les regards extérieurs vous en saisissent au moins trois.

La robe fait plus allumée, plus jeune, et les petits

éclats d'orangé sur fond bleu précipitent l'œil dans une sorte de printemps, indéniablement bienvenu après l'hiver stagnant. Par contre, le complet de soie est *classe.* Si elle y ajoute ses uniques bijoux, des perles en boucles d'oreilles et en collier, elle acquiert une distinction tranquille qui en impose.

Il faut juste savoir ce qu'elle veut.

Les convaincre de sa modernité, ou leur commander le respect ?

Deux millions de spectateurs la regarderont à la télé.

Elle choisit le respect. Après tout, c'est justement de respect qu'il est question dans son pamphlet *Femmes de joie,* et c'est ce pamphlet qui lui vaut l'honneur des projecteurs. Et la foudre des ecclésiastiques.

À la foudre, elle est habituée. Aux projecteurs, pas du tout.

Encore le mois dernier, elle trouvait dans son casier postal regorgeant autrement de factures et de menaces de créanciers une lettre de l'Évêché en personne, une faveur qu'elle n'avait pas sollicitée. Parmi toutes sortes de circonlocutions sirupeuses, *nous connaissons votre dévouement infini pour les plus démunis, votre engagement compatissant dans la société nous touche, Dieu vous guide certes mais le Malin malheureusement vous tente,* Monsignore en venait au point crucial : puisque vous êtes si malheureuse au sein de cette Église qui à votre avis ne vous rend pas justice, pourquoi ne pas aller trouver ailleurs ce que vous cherchez, au lieu de vous attaquer perfidement et publiquement à une institution sainte qui a plus que jamais besoin de la solidarité et de l'amour de ses membres ?

En repliant soigneusement dans son enveloppe la belle missive de papier lilas pâle ornementée des armoiries de Rome, Virginie s'était dit qu'il n'y avait maintenant plus qu'à attendre l'excommunication.

Ou plutôt, la tentative d'excommunication. Car jamais elle ne se laisserait faire, jamais elle ne se laisserait « excommunier » par les clercs, aussi *monsignorisés* soient-ils, des valets, tous, qui se prennent pour les propriétaires d'un royaume bien plus vaste et bien plus glorieux que ce qu'ils tentent d'en faire.

Ne pas partir, mais ne pas se taire. C'est son mot d'ordre, le mot d'ordre du mouvement dont elle est l'instigatrice.

L'Église n'est ni faite exclusivement de prêtres ni faite pour les prêtres. L'Église est le corps actuel de Christ toujours vivant.

L'Église est un peuple. La définition ancienne de l'Église était : *Societas fidelium,* Société de fidèles.

Les clercs, c'est-à-dire les prêtres papes et autres monsignores, ont usurpé le legs de Christ pour en faire une phallocratie opaque, obscurantiste et misogyne.

Les femmes, les homosexuels, les avortées, les divorcés font partie intégrante du corps de Christ et en sont aussi des messagers vibrants.

Christ est moderne et bienveillant, et ne s'intéresse pas à ce qui se passe dans les chambres à coucher.

Le message de Christ, qui est celui de l'Église, est un message d'espérance. Puisque ce monde a été sauvé, il a un avenir, et cet avenir est heureux.

Ce sont là quelques-unes des assertions qui éclatent comme autant de menues bombes dans *Femmes de joie,* et ni son auteure ni le mouvement du même nom qui a commencé à gonfler et à se répandre comme une traînée de sédition jusque de l'autre côté de l'Atlantique n'ont été écoutés par ceux-là à qui ils s'adressent. C'est évident. Quelques prêtres, rares, ont donné leur appui, entre autres à l'ordination des femmes, malgré la menace du couperet. Quelques prélats, dont Monsignore, se sont tout de suite déclarés offusqués et peinés et sidérés que la valetaille femelle, torchant et se désâmant depuis toujours dans les besognes subalternes, leurs doctorats de théologie dans les poches, ose espérer quelque chose, un changement, une onde de vie dans la vaste stagnation institutionnelle.

Plus haut, c'est motus.

Plus haut, le clerc en chef dort au gaz dans son Vatican.

Il y a eu changement de garde, c'est vrai. Il est parti, celui-là qui s'était couvert d'infamie dans l'affaire de la fillette de Recife violée et enceinte, celui-là qui n'avait pas trouvé de geste plus édifiant que d'excommunier la mère et les médecins avorteurs sans un blâme pour le violeur, celui-là qui avait interdit l'usage du préservatif dans une Afrique décimée par le sida, celui-là qui osait opposer à la lucidité scientifique l'aveuglement de la foi en décrétant nulle l'efficacité du condom face aux virus, celui-là qui vitupérait dans les chambres à coucher au lieu de répandre la générosité de l'Évangile.

Il est parti, l'horrible Ratzinger.

Et maintenant, les amoureux du Message trahis depuis toujours, *Femmes de joie* et Virginie au premier rang, ont les yeux tournés vers François et retiennent leur souffle. Osera-t-il ? Déjà, il se rapproche du cœur des enseignements, il est humble et il est bon, il refuse de jeter la pierre aux *différents*, il s'ouvre aux autres chemins vers l'Absolu, il prête sa voix aux démunis et aux pauvres, il s'attire l'ire des financiers de Wall Street, ces modernes requins du Temple. Mais osera-t-il aller jusqu'au bout, osera-t-il s'attaquer aux racines séniles d'une entreprise construite tout de guingois ? Osera-t-il réintégrer dans ses rangs toutes les Marthe Marie et Madeleine qui cheminaient jadis côte à côte avec Christ, jadis en toute égalité aux côtés de Christ parmi les Pierre Jean et Jacques ?

À ce sujet il n'a pas soufflé mot, et le silence se prolonge.

Virginie achève de boucler son collier de perles, étonnée d'être habillée de pied en cap, la veste et la jupe argent élégamment alignées sans qu'elle y soit pour rien. C'est toujours ainsi lorsque son esprit vagabonde dans les méandres de la Cause, cette cause pourtant la moins urgente parmi toutes celles qui l'occupent à cœur de jour, mais certainement la plus sexy, la plus susceptible d'allumer en elle une ferveur révolutionnaire de très jeune fille. Elle ne renie pas la nature essentielle de ses autres occupations : tenir à bout de bras la Maison et ses cent vingt-cinq pensionnaires occasionnels tout en contrant la faillite du Tipi, son pendant autochtone, est certainement sa fonction la plus utile au sein du monde dévasté, mais justement, ce qui est surtout utile procure davantage de migraines que d'exaltations.

Du reste, il n'y a jamais rien de perdu, laisser son esprit divaguer un peu lui aura servi de répétition générale pour ce qui s'en vient, l'entrevue sous les projecteurs tout à l'heure où il y a de grands risques que l'essentiel s'écrase complètement devant le sexy.

Est-elle nerveuse ? Étonnamment peu. Quelque chose en elle refuse d'admettre que, dans deux heures, elle sera juchée sur l'un des tabourets de *Silence, on parle,* à tenter d'émettre des propos saisissants sous les caméras goguenardes de l'émission de télé la plus regardée au pays, où ont l'habitude de s'épandre ministres, vedettes et autres VIP crémeux de la société, toujours flanqués il est vrai de quelques nécessaires *invités-grumeaux,* dont on attend qu'ils fassent surir de leurs rots acides une sauce autrement trop onctueuse.

Elle est de ces derniers, bien entendu.

Le plus réjouissant, c'est qu'elle ne sera pas seule à *en être.* Guillaume en sera aussi : son allié et parfois son ennemi Guillaume, son compagnon d'élite dans la longue aventure religieuse, malmené à sa façon par les mêmes instances sur lesquelles elle tire à boulets rouges. Cher irritant Guillaume.

Elle ne comprend toujours pas, cependant, que Guillaume *en soit.*

Rien de ce qu'elle connaît de lui ne le prédispose à aller étaler ses différends sur la place publique, encore moins à déterrer haut et fort la douloureuse *affaire* qui lui occasionne encore des insomnies. Car il ne fait aucun doute que c'est là, dans cette plaie encore sanguinolente, que l'on touillera Guillaume.

Depuis l'épisode Zahir Ramish, il faut dire qu'il est devenu insaisissable, Guillaume, et presque complètement opaque. Encore aujourd'hui, il ne l'a pas rappelée ni n'a relevé l'offre de se rendre ensemble à l'*épreuve* télévisuelle.

À moins que ce ne soit lui, justement, qui sonne en

ce moment à sa porte, imprévisible comme il aime l'être, et Virginie se précipite pour lui ouvrir.

Ce n'est pas lui. C'est un gros bouquet de fleurs avec quelqu'un d'hirsute derrière. Elle ne reconnaît pas tout de suite Castor, Jean-Pierre Avrard, dit Castor Hors-Bord – on ne sait plus d'où lui vient ce pseudonyme saugrenu, et lui encore moins.

— C'est de la part des gars, fait Castor. Pour vous souhaiter bonne chance. On va tous vous watcher à la tévé, *Sister*.

Il est rouge de fierté, ou de gêne, et d'une touche de gros gin ou autre tord-boyaux, et il rougit davantage quand Virginie le prend par l'épaule et le tire à l'intérieur.

— Entre entre !... Des fleurs ! Vraiment !... T'es un amour, Jean-Pierre.

Personne ne l'appelle plus Jean-Pierre depuis sa petite enfance, peut-être, et, quant à se faire traiter d'*amour*, ça se perd dans la nuit des temps si ça a déjà existé. Il rit, il a des délicatesses de prince pour embrasser Virginie sur la joue et déballer les fleurs sans en arracher un pétale. Ce sont des roses rouges, les fleurs les plus éminemment fleurs qui soient. Et il y en a vingt-quatre, vingt-quatre de trop puisque payées à même les oboles prélevées de peine et de misère dans la rue. Virginie plonge le nez dans le bouquet pour cacher son émotion.

— Vous auriez pas dû.

— Le fleuriste chinois m'a fait un bon prix, précise Castor.

Sous le regard dubitatif de Virginie, il ajoute avec un clin d'œil :

— Si je vous dis que je les ai volées, ça va-tu vous rassurer ?

— Non ! dit Virginie, faussement scandalisée.

Tant pis si elle n'a pas le temps, elle lui offre du thé ou de la limonade, et même une portion de gâteau aux fruits qui lui reste de Noël. Il s'assoit sans se faire prier, mais il ne veut rien de ce qu'elle lui offre. C'est la bouteille de rhum qu'elle range sous l'évier qui ferait son affaire, mais il y a des limites à être accommodante.

Elle ne sait pas comment Jean-Pierre Avrard, dit Castor Hors-Bord parvient à être encore vivant. Il ne se nourrit que d'alcool et de pilules. Il vient souvent à la Maison, parce qu'il aime les douches brûlantes et les draps propres, mais lorsque l'heure du souper arrive il pignoche dans son assiette et finit invariablement par en refiler le contenu à son voisin de table. Pour le reste, il ressemble à tant d'autres, c'est si souvent une histoire de démolition ancienne, un petit gars malmené par des parents eux-mêmes malmenés par les leurs – jusqu'où remonter pour comprendre qu'il n'y a pas de coupables ? –, et après, toute une vie en glissades et en béquilles à refuser de *se prendre en main,* comme on dit chez les intervenants, alors qu'il faudrait plutôt dire toute une vie à refuser d'avoir envie de vivre.

Ce qui lui manque, c'est Dieu. Mais on ne peut pas le prescrire en pilules.

— Vous allez parler de Téflon à la tévé ?

— Téflon ?…

Il s'est penché vers elle, son haleine d'alcool lui balaie le visage comme un vent âpre, comme un rappel à l'ordre. La vie pue et brûle pendant qu'on se pomponne devant les miroirs, et c'est bel et bien le corps du pauvre Mike qu'on a retrouvé sans vie dans la rue de la Commune, ainsi qu'elle en a eu le pressentiment ce matin.

— Il faut que vous parliez de Téflon. Les écœurants, les chiens sales, ils l'ont éventré comme un chien, pis laissé mourir au bout de son sang...

— Tu veux dire qu'on a trouvé qui a fait ça ?

— C'est les *chiens, Sister*!... Les *bœufs*!... Vous écoutez pas les nouvelles ?... La police !... Encore leur christ de légitime défense, ciboire !... Comme si Téflon était équipé pour attaquer des *chiens* armés, câlice !...

— Ça donne rien de sacrer, Castor.

— Ça en fait cinq, depuis deux ans, câli... câlissti !... Klaus, Michel, Barry... Des pauvres diables ben trop maganés pour être un danger... Qui c'est qui en parle ?... Qui c'est qui proteste ?... Personne. On vaut rien. On est de la marde.

— C'est pas vrai, Jean-Pierre.

Elle se lève parce que, si elle ne se lève pas, il sera encore ici dans deux heures à n'en plus finir de sortir le fiel que trop d'indigence a bourré en lui.

Ce n'est pas qu'il a complètement tort.

Il se lève avec docilité, il s'excuse, il a souvent comme ça, en contraste surprenant avec sa rugosité, des manières de gentleman, Castor. Il reboutonne son manteau, de l'eau dans les yeux, en grinçant quand même entre les dents : *On est juste de la marde, dans la tête du monde, juste de la marde.*

Virginie a l'habitude de frayer avec ces chagrins plus grands que nature. Elle serre dans les siennes les mains de Castor et elle lui promet d'investiguer et de faire toute la lumière demain, demain mais pas avant demain, elle jure qu'il est infiniment respectable, lui et tous les écrasés de son espèce, que sous ses dehors rustiques bat un cœur plus noble que celui de bien des endimanchés de l'extérieur et que bientôt ça se saura, elle lui promet même cette chose incroyable qui relève de l'hérésie ou de l'utopie à moins de croire aux prodiges, elle lui promet qu'il sera heureux un jour, le même jour où le monde saura distinguer la vraie noblesse de la préfabriquée – et ce n'est pas demain la veille, mais, ça, elle ne le lui dit pas – et parce qu'elle sait à quel point un vieil enfant toujours se cache derrière les chagrins débordants, elle lui glisse dans la poche quelques billets pour s'acheter des friandises – en forme de boisson ou de pilules, les friandises qu'il voudra.

Ça marche, toutes les fois.

Ce n'est pas sans raison qu'à la Maison les gars l'appellent *Sister* Miracle.

Sur le pas de la porte, il est rasséréné, peu importe le temps que ça durera. Il la regarde un moment en triturant sa tuque, et elle remarque pour la première fois qu'il a de beaux yeux clairs, quand on fait abstraction des veinules éclatées et des paupières ridées.

— Vous allez en parler à la tévé, insiste-t-il avec une tranquille assurance.

Une irritation gagne Virginie, et un malaise, comment lui faire comprendre qu'elle a écrit un livre qui a besoin de tous les feux des projecteurs, et que parfois les livres sont plus importants que les hommes ?

— Je suis invitée pour autre chose, commence-t-elle. Mais bon.

Elle balaie elle-même la justification de la main.

— Merci encore pour les fleurs.

— Les fleurs, dit-il le sourire en biais, en s'enfonçant la tuque sur la tête, je les ai volées pour de vrai.

Il s'éloigne trop vite pour lui laisser le temps de réagir.

C'est la journée des miroirs. Jamais n'a-t-elle gaspillé autant de précieuses minutes face à son reflet, et puisqu'il y a très peu de chances que ça se reproduise, aussi bien en profiter. Ce miroir-ci couvre un mur entier devant lequel on l'a confortablement étalée, et une maquilleuse s'affaire au-dessus d'elle comme si elle était une sorte de pharaonne à embaumer. Virginie s'émerveille devant la panoplie de poudres et de couleurs scintillantes à leur disposition. Tout ça, ces palettes de rose et de gris et de doré et de mauve et de teintes hardies pour lesquelles elle ne trouve pas de nom, tout ça *juste pour le visage*? *Vous êtes sûre?* Elle n'est pas seule dans la salle : la femme en train de se faire *reconfigurer* sur le fauteuil à côté d'elle éclate de rire, un rire cordial. C'est une belle femme aux cheveux noirs qui a l'habitude de se faire travailler par les autres, c'est évident, et qui accepte les yeux fermés qu'on applique un or rutilant sur ses paupières, surligné par de l'orange. De l'*orange*! Virginie en glousse de plaisir. Quand la maquilleuse fait mine de s'arrêter après lui avoir administré sobrement un peu de noir autour des yeux et un peu de poudre sur les joues, Virginie se surprend à en réclamer davantage, plus d'audace, plus de couleurs, *Allez ne vous gênez pas, arrangez-vous pour que personne ne me reconnaisse!* La voisine de fauteuil approuve avec gaieté, *de toute façon personne ne nous connaît jamais,* dit-elle, et la maquilleuse enhardie lui propose alors des mauves très riches pour illuminer *ses beaux yeux gris*, et Virginie acquiesce, enchantée de tout cela, personne ne lui avait jamais dit que passer à la télévision était si festif, du reste elle ne se rappelait pas qu'elle avait les yeux gris.

Le plaisir se poursuit dans la pièce attenante, où les autres invités de l'émission sont groupés autour d'une grande table couverte de nourriture et de vin, il y a même du saumon fumé des fromages fins et des brioches dans lesquels personne ne picore sauf Virginie qui n'a pas eu le temps de dîner et qui, l'aurait-elle eu, se serait sustentée d'œufs durs et de pain, tandis que là, c'est bombance et réveillon comme chez Monsignore. Du moins selon le témoignage de Guillaume, qui y a déjà été convié en des temps meilleurs, mais où donc est justement Guillaume ?

La belle femme aux cheveux noirs avec maintenant de l'or sur les paupières est en conversation avec deux hommes, et en admirant sa longue jupe outrageusement orangée Virginie se dit qu'elle aurait dû oser finalement la robe bleue un peu plus folichonne, mais tant pis, déjà de se savoir les yeux décorés comme une pharaonne la fait se sentir délicieusement étrangère à elle-même, et cette étrangère se tamponne les lèvres avec grâce pour s'enlever toute trace de saumon fumé et le sourire maintenant impeccable se dirige d'un pas parfaitement assuré vers les trois autres pour les saluer comme de vieilles connaissances.

Magda Zambrovicz ! se présente la belle femme en lui serrant la main, et Virginie apprend qu'elle est artiste, comme le sont aussi les deux hommes, un plus jeune au regard perçant s'appelant Bouchard et un moins jeune à la tête séduisante s'appelant aussi Bouchard, quelle étrange coïncidence! *Oui tout à fait étrange* sourit le plus jeune *puisque c'est mon père, Qu'est-ce que tu racontes!* réplique le séduisant pince-sans-rire, *c'est toi qui es mon fils*, et Magda rit en montrant l'or de ses paupières, et devant ces trois désinvoltes *invités pure crème*, dont elle ne connaît pas la moindre miette d'œuvre, Virginie continue de se sentir complètement à l'aise, même quand arrive le moment de se présenter.

— Virginie Hébert, auteure d'un tout petit livre.

— Sûrement pas si petit que ça, proteste le charmant Bouchard père, sinon vous ne seriez pas ici.

Le temps est venu de parler de la naissance de *Femmes de joie*, fruit de lucidité bien plus que d'amertume, nécessaire réflexion humaniste qui rassemble les croyants et les baptisés dans leur commun ras-le-bol, triomphant pamphlet et groupe inspiré dont elle n'espère rien de moins qu'une révolution, mais elle ne sait comment, ce qui surgit plutôt de sa bouche les rameute tous autour de la Maison et du Tipi en difficultés financières. Elle s'entend avec effarement s'égarer et ressasser les plaies de l'itinérance et de la déresponsabilisation sociale, et la tare des préjugés xénophobes, car on croirait qu'une solidarité tous azimuts a cours chez les démunis, mais rien de moins vrai, car les Blancs démolis ne blairent pas du tout les Autochtones déboussolés et vice versa comme partout ailleurs, raison pour laquelle il a fallu créer un refuge dédié aux Inuits et aux Amérindiens hélas de plus en plus présents sur les trottoirs crevés où flageolent ceux qui manquent de tout, surtout de la dignité essentielle qui les éloignerait de leurs dépendances qui les tuent…

Elle s'entend, et elle est écœurée de s'entendre, un vieux disque rayé dont elle ne maîtrise plus les redites, mais les trois autres au contraire sont suspendus à ses lèvres : Magda aux paupières d'or secoue la tête, pleine de commisération, le jeune Bouchard opine avec ferveur, les yeux brillants, mais celui qui réagit le plus intensément est Bouchard père, de son prénom Thomas, qui la prend finalement par le coude et l'emmène plus loin, et la mine soudain chiffonnée lui demande des nouvelles d'un Inuit en particulier qui s'appellerait Charlie Patanik et quêterait dans le centre-ville…

Charlie Putulik ! le reprend-elle en soupirant, et ça y est, elle a endossé de nouveau son vieil uniforme de mère Teresa, dite *Sister* Miracle, les perles n'ont qu'à bien se tenir tout comme le maquillage excessivement mauve de ses yeux de pharaonne, car elle ne peut s'empêcher d'en rire, aucun masque ne peut vous dérober longtemps à votre identité profonde.

— Charlie Putulik est mort, dit-elle doucement.

— QUOI ? fait Thomas.

Il semble si médusé par la nouvelle qu'elle s'empresse de lui en fournir les circonstances atténuantes et même favorables, qu'elle tient à vrai dire d'un ami digne de foi. Charlie, elle ne l'a pas connu vraiment, il n'est venu qu'une fois à la Maison, c'était juste avant que naisse le Tipi où il se serait peut-être davantage intégré… Mais il s'en retournait chez lui, à pied, il avait décidé de s'en retourner à Kangiqsujuaq et tout porte à croire qu'il était heureux.

— À *Kangiqsujuaq* ? À pied ? dit Thomas, effaré.

— Oui, dit Virginie. On l'a trouvé sur le bord de la route 117, dans le fossé. Il avait été frappé par une voiture, un chauffard qui ne s'est pas arrêté. Mais le plus étonnant, c'était son visage. Il avait un grand sourire imprimé sur le visage, un sourire tout à fait heureux.

Tous ces détails, elle les tient de son ami Tobi Crow, et elle les tient pour vrais, comme tout ce que dit Tobi.

— Vous le connaissiez bien ? demande-t-elle à Thomas.

Il s'embrouille en tentant de répondre, et sa réponse est si longue à construire que Virginie le lâche pour donner son attention ailleurs. Car ailleurs, à la sortie de la salle de maquillage, vient d'apparaître Guillaume.

Il la voit aussi, et en même temps ils se dirigent l'un vers l'autre en y mettant la lenteur contrainte des adultes bien élevés. Ils s'étreignent en silence.

— Tu es très en beauté, dit enfin Guillaume.

— Et toi, tu n'as pas mis ton col romain, remarque Virginie en souriant.

Ils se considèrent un moment avec un pétillement de joie, et un fond de gravité ineffaçable, puisqu'on ne peut pas oublier ce qui est arrivé. Guillaume a sur le front des rides qu'il n'avait pas.

— Finalement, j'ai bien failli ne pas venir, soupire-t-il. Mais bon. Je suis là.

L'équipe de la télé fait irruption dans leur cénacle tranquille et l'atmosphère s'en trouve chamboulée de fond en comble. Les visages familiers des deux animateurs surgissent brièvement pour mieux disparaître par une autre porte, des techniciens encombrés traversent la pièce en échangeant des blagues d'initiés, les maquilleuses fondent sur les invités pour retoucher leur plâtrage – et le rose à lèvres de Virginie ravagé par le saumon fumé –, un régisseur se carre devant eux pour leur livrer les ultimes consignes tandis qu'en arrière-plan déferlent les piétinements et les rires d'une petite foule en train de se masser quelque part tout près. C'est une émission devant public, leur rappelle le régisseur, et ce même public est à courtiser et à émouvoir puisqu'il sera appelé à voter pour le meilleur GRAND MOMENT DE VÉRITÉ, comme ils le savent tous bien entendu, tout ira bien et tout sera tiguidou pourvu qu'ils restent simples et naturels et chaleureux comme ils le sont déjà.

Virginie ne sait pas, ni pour ce Grand Moment de Vérité ni pour le reste, en cet instant elle ne sait rien et n'a jamais rien su. Elle tente de retrouver l'aisance de la pharaonne en complet de soie gris, si omniprésente quelques secondes auparavant, et n'en retrouve pas un seul atome. Une grosse main s'est glissée à l'intérieur d'elle et lui tord tranquillement les viscères. Ils trottinent tous vers le studio, procession de zombis maquillés dont elle ferme la marche, de son pas halluciné. Comment fait donc Guillaume, aussi peu aguerri qu'elle à ces parades du paraître ? Elle l'envie profondément tandis qu'il avance devant avec décontraction, et puis elle remarque ses épaules, hissées et raides, celles d'un joueur de football rembourré. Un rire d'autodérision lui chatouille l'intérieur, mais il est tué dans l'œuf par la même main qui ligote ses entrailles.

Ils entrent dans le studio – ou plutôt c'est le studio qui s'ouvre comme un boa et les avale, immense bazar de lumières crues, de musique et de clameurs qui propulse la terreur de Virginie vers des sommets insoupçonnés. Où est-elle rendue ? Qui est encore responsable de la carcasse de soie et de membres gourds devant se hisser sur le tabouret minuscule et y trouver son équilibre ? Un technicien l'aide à se stabiliser là-haut, il lui glisse quelques mots rassurants à l'oreille et un microphone dans le collet de sa veste, et elle s'entend coasser : *Très bien très bien.*

C'est merci qu'il fallait dire.

Pendant ce temps, les deux animateurs ont commencé à éjecter le feu roulant de leur humour complémentaire, car la petite foule massée au fond du studio rit abondamment, et même applaudit. L'animateur principal s'appelle Jéhan et le second, Bill, ce sont les seules informations encore vivantes dans l'esprit décimé de Virginie, encore faudra-t-il s'en souvenir, de ça et de la raison de sa présence au cœur de cette luminosité infernale. Et puis elle se voit sur l'écran témoin, son visage de mauve peinturluré luit en gros plan comme une lune blafarde, la caméra est maintenant sur elle après avoir été sur les autres et son nom est prononcé à haute voix par Secondo, avec quelques mots cabalistiques à son sujet qui ne se rendent pas jusqu'à elle. Elle s'entend dire *Bonsoir* – bonsoir, et pas bienvenue ou au secours, c'est déjà un miracle.

Magda Zambrovicz parle, longuement et avec vivacité, les bracelets de ses poignets tintant plus fort que ses propos dans l'oreille de Virginie. Elle est parfaitement à l'aise sur ce champ de bataille puisque c'est une *performer,* le mot *performer* est prononcé si souvent dans les minutes qui suivent qu'il finit par se creuser une place et rester là, comme un invité surnuméraire.

Ce qu'elle dit semble intéressant et même important, et Virginie se désole de ne pas y avoir accès, jusqu'à ce qu'elle sente soudain une main qui prend la sienne et la serre fortement, une main fraternelle en catimini sous la table qui tente de la remettre en état de fonctionnement, et qui y parvient. C'est la main de Guillaume, tout ce temps il était assis près d'elle sur son tabouret de fortune et elle n'en avait même pas conscience.

Être, est en train de dire Magda Zambrovicz. Plutôt que faire, être. Vider sans cesse sa maison, c'est-à-dire son esprit. Réapprendre à n'utiliser que son intuition créative. Se servir de la télépathie au lieu du téléphone. C'est parfaitement possible, tout est parfaitement possible. Quand on est établi dans son essence, on communique avec l'essence de toute chose. Un artiste véritable ne s'installe nulle part, il change de territoire sans cesse, il prend des risques, il se fout de rater ou de tomber, c'est comme ça qu'on reconnaît un artiste.

Primo, alias Jéhan, l'écoute sérieusement, une lueur pas tout à fait convaincue au coin de l'œil, et soudain il fait défiler sur un écran des images insoutenables où on voit Magda Zambrovicz les yeux fermés étendue sur une table aux côtés d'objets menaçants – rasoir, couteau, corde, même un pistolet !... –, livrée en pâture à des gens qui la tâtent, la cisaillent, la déshabillent...

— Ce sont des images de vous à New York, lors d'une performance au MoMA.

— Oui, confirme Magda.

— Méchant fan club, dit Secondo.

— Expliquez-nous ce que vous faites là, reprend Primo. Et en quoi cette expérience... masochiste est pour vous de l'*art*.

Je teste les limites, dit posément Magda, *je teste les limites des autres et de moi-même, et je les repousse.* Ses yeux d'or battent lentement, comme un éventail gracieux, tandis qu'elle ajoute : *Je vais toujours là où ça fait peur.*

Virginie l'écoute complètement, comme aspirée par ses paroles, sa main dans celle de Guillaume. Magda raconte maintenant la fois où elle a traversé seule un désert africain, harcelée par la chaleur et surtout par les mouches, tellement de mouches dans les cheveux la bouche les yeux les narines que c'était une illustration vivante de l'enfer, jusqu'au moment où elle s'est fondue dans l'espace et le sable, où son ego s'est désagrégé si totalement qu'il n'y avait plus de corps étranger dans le désert, plus personne pour être harcelé par les mouches, qui ont du coup toutes disparu.

La foule à ce moment éclate en applaudissements débridés, propulsant Magda au faîte des meilleurs Grands Moments de Vérité, et Virginie lâche la main de Guillaume pour applaudir aussi, séduite au point d'oublier sa terreur. Guillaume lui adresse un petit sourire sardonique avant de l'imiter sans conviction. Et puis il reste tranquillement immobile, les mains croisées sur la table, le regard résigné.

Car maintenant, c'est son tour.

En Virginie, quelque chose a remplacé la terreur, qui n'est pas moins inconfortable et douloureux. En ce moment, elle est un vaste pan d'épiderme écorché, vulnérable au moindre mouvement d'air, elle est devenue pure anxiété par osmose avec Guillaume, l'anxiété de voir bientôt ramper hors de l'ombre Zahir Ramish.

Primo regarde Guillaume en souriant. Primo évalue toujours du regard les meilleurs morceaux, avant de les croquer.

Guillaume Cuerrier, ou plutôt père Guillaume, dit-il enfin. *Bienvenue à* Silence, on parle.

Guillaume répond par un monosyllabe.

Vous êtes exorciste. *Racontez-nous comment on devient exorciste.*

Un léger flottement se produit, en Guillaume mais aussi en Virginie, une stupeur soulagée, comme lorsqu'un écureuil surgit d'un bosquet où on attendait un ours.

Guillaume prend le temps d'enlever ses lunettes rondes pour les nettoyer, un indice incontestable qu'il vient de prendre la situation en main. Virginie avale quelques gorgées d'eau pour achever d'irriguer ce qui était noué.

— Il faut être nommé par l'évêque du diocèse, commence Guillaume posément, ce qui veut dire qu'il faut d'abord être prêtre. Certaines dispositions personnelles sont aussi souhaitables. Ce serait trop long de les énumérer. Par la suite, eh bien par la suite, il est fortement recommandé de suivre une formation universitaire qui se donne à Rome, un cursus de neuf mois, suivi d'une période de travaux pratiques en compagnie d'un exorciste chevronné.

— Un cours universitaire à Rome!... apprécie Secondo, pince-sans-rire. On vous enseigne à repérer différentes sortes de démons, et à les combattre, comme dans *Harry Potter*?...

— Le cursus comprend des cours d'histoire, de théologie, de spiritualité orientale, de sociologie, de médecine…, dit Guillaume en le regardant dans les yeux.

— Soyons sérieux, Bill, le réprimande Primo. C'est une affaire sérieuse. Ça veut dire, père Guillaume, que vous croyez au Diable…

— Certainement, dit Guillaume. Je crois en Dieu et je crois au Diable.

— … et vous pratiquez des exorcismes à Montréal. Ici même, à Montréal, en 2014.

— Dans cette seule année, j'en ai pratiqué une soixantaine. Mais ce sont davantage des rituels de prières de délivrance que de véritables exorcismes…

— Soixante !… Ça parle au diable !… Excusez-la. Vous voulez dire : dans certains arrondissements plus que d'autres ? Sur le Plateau, par exemple. Est-ce que le Diable se tient sur le Plateau ?

— Certains quartiers sont plus infestés que d'autres, dit Guillaume en souriant. Mais je ne les nommerai pas.

Une bonhomie générale flotte encore dans l'air, truffée de rictus, de regards amusés, de fous rires, mais bientôt quelque chose la grignote et l'alourdit, au fur et à mesure que Guillaume déploie posément l'arsenal de son intelligence et de sa conviction. C'est un malaise qui se déploie aussi en Virginie, et qui n'a plus rien à voir avec de la compassion pour Guillaume puisque Guillaume est en ce moment au sommet de lui-même, juché sur son *insupportable efficacité.*

Le Diable adore les grandes villes, résume-t-il, New York, Paris, Londres, et bien sûr Montréal, Montréal est une si charmante collection d'individualismes débridés et d'égoïsmes rutilants, et d'intolérances sous le couvert de la bonne foi, et de désirs de paraître et de briller, d'ORGUEIL, bref, d'orgueil et d'esprits orgueilleux qui Le convoquent pour rire, en jouant au oui-ja par exemple ou en ânonnant des formules sataniques, ou plus souvent en s'enfonçant dans le glauque la porno et la violence sur Internet, car le Diable au fait aime aussi beaucoup Internet. Mais on s'entend, n'est-ce pas, le Diable n'est pas, n'a jamais été une créature matérielle avec une queue fourchue et des cornes, le Diable est un souffle d'orgueil, une pulsion de haine, une force du Mal. Alors que l'esprit du Bien, l'esprit divin est reçu comme une paix profonde, un silence intérieur, l'esprit du Diable, si l'on peut dire, s'exprime dans le clinquant, le tonitruant, le spectaculaire.

— Le Diable doit adorer alors les plateaux de télévision, intervient Secondo, provoquant dans l'assistance un rire libérateur.

— Sans aucun doute, fait Guillaume avec un sourire sibyllin.

— Père Guillaume, dit abruptement Primo, reprenant les choses en main, père Guillaume, décrivez-nous donc ce qui s'est passé le soir du 25 janvier.

C'est une salve inattendue, presque un coup bas, que Guillaume reçoit sans se départir de ce calme apparent qui le fait avaler lentement un demi-verre d'eau, les doigts fermes. Il n'y a peut-être que Virginie pour remarquer ses phalanges blanchies à force de tension.

Zahir Ramish. En ce moment, l'image de Zahir Ramish qui monte en Virginie, noir et couvert de sang, se confond avec celle du Diable.

— Le soir du 25 janvier, dit sobrement Guillaume,

un pauvre homme s'est enlevé la vie dans l'église de Jean-de-Dieu.

— Votre église.

— C'est exact.

Personne ne peut se contenter de ça, bien entendu, de ce condensé homéopathique d'une histoire que tout le monde déjà sait juteuse de sang et d'embarras religieux et de fumets djihadistes, grâce aux médias si friands de détails qui tuent. Les deux millions de spectateurs à venir piaffent d'impatience, et Primo pousse dans les câbles Guillaume.

Vous avez pendant un mois donné asile à l'Afghan Zahir Ramish tout en sachant qu'il faisait partie d'une cellule de terroristes, vous avez tout ce temps tenu tête à vos supérieurs et aux forces de l'ordre, qui souhaitaient l'incarcérer, et le soir du 25 janvier vous avez conseillé à cet homme, réfugié dans votre église, de se suicider avant que les policiers interviennent et le cueillent de force.

Dans la voix de Primo, il n'y a aucun blâme, plutôt des étincelles d'admiration devant ces énormités accomplies de plein gré, comme un air de dire sans le dire : quel homme, quand même ! Guillaume prend le temps de rameuter ses esprits, Virginie ne peut se contenir.

— C'est faux ! intervient-elle, soubresautant d'énervement. Ça a été démenti depuis, c'était une invention, une invention mesquine de notre évêque, Zahir Ramish était déjà suicidaire, je le sais parfaitement puisque j'étais là au début, Guillaume n'a fait que son devoir de compassion, de compassion simplement humaine dont le Vatican en général et Monseigneur en particulier se montrent tout à fait incapables…

Les caméras s'en vont sur le visage maintenant enflammé de Virginie, mais Guillaume prend la parole et la garde, et les caméras courent aussitôt à lui comme de petits chiens dociles.

— Je suis coupable, dit Guillaume. De tout, d'insubordination, de désobéissance, d'incitation à la résistance qui a dégénéré en mort violente sans que je le sente venir, donc coupable aussi d'aveuglement, je suis coupable et en même temps je ne regrette rien. J'ai failli faire un autre choix. J'ai failli le lendemain de Noël obéir à mon supérieur ainsi que ma fonction le demande, j'ai failli chasser un pauvre homme du refuge inviolable qu'il croyait avoir trouvé, quitte à lui mentir pour faciliter son éviction et la vie de tout le monde. J'ai failli être un bon prêtre obéissant, dans lequel cas je ne serais pas ici et cette histoire ne vous aurait pas intéressé, ni même rejoint.

Il boit le reste de son eau. Magda Zambrovicz se précipite en bas de son tabouret pour aller remplir son verre vide, et quelques rires nerveux fusent.

— Et pourquoi *diable* avez-vous changé d'idée ? demande Primo sans sourire de son jeu de mots.

— Je ne sais pas, dit Guillaume.

Il était pourtant lancé, la construction de son discours en train de s'échafauder avec brio comme tout à l'heure quand il s'agissait de tisonner Satan, et tout à coup son assurance vacille et se fissure. Il ferme les yeux.

— Tout ce sang, murmure-t-il. Un être humain ne devrait pas contenir autant de sang.

— Vous faites allusion à son cadavre, retrouvé sur l'autel ?... Une vision d'horreur, sûrement. Aucun média n'a pas pu pénétrer dans l'église, mais on raconte que Zahir Ramish se serait coupé les veines à l'aide des objets liturgiques, l'ostensoir, ou une croix, ou la patène...

— Non! coupe Guillaume, la voix soudain très ferme. Pas de ça, pas de sensationnalisme. Ou alors je me tais et on arrête l'entrevue ici.

— C'est vous qui avez parlé de sang, proteste Secondo.

Guillaume le regarde longuement, presque avec affection.

— C'est vrai, dit-il. Je suis poursuivi par des images, mais ce ne sont pas ces images-là qui comptent. Ce qui compte, c'est le cœur d'un homme... Vous voulez des histoires, vous voulez du sang, mais moi je vous dis : qu'est-ce qu'un homme, Bill?... Je vous demande : qu'est-ce qu'un homme?... Qu'est-ce qu'un homme, quand on élimine justement toutes les histoires fabriquées à son sujet, par lui et par les autres? Qui est Zahir Ramish, et pourquoi mérite-t-il d'être chassé hors de l'église, hors du refuge sacré de l'église?... Parce qu'il est égaré, parce qu'il est méchant?... Parce qu'il a tellement peur qu'il urine tous les jours dans son pantalon, et qu'il faut lui demander de se changer comme à un petit enfant?... Je m'assois à côté de lui, tous ces jours-là, à côté de celui à qui on avait donné le nom de Zahir, jadis, quand il était un petit tout petit homme... Qu'est-ce qu'un homme?... Qu'est-ce qu'un homme perdu, terrifié, qu'est-ce qu'un *terroriste*?... À force de m'asseoir à côté de lui, je ne vois plus rien, je ne vois pas de violence, je ne vois pas de folie... Je vois juste de la douleur. La douleur d'être séparé de l'Amour. Oui, c'est ça, tout est juste ça, il n'y a que ça… L'Amour originel se cherche sans cesse lui-même, et ça ressemble à de la douleur, ça ressemble à de la violence, mais c'est tout simplement de l'amour qui se cherche. C'est ça, un homme, c'est ça, le fondement de tout homme. Un homme est un condensé d'amour obscurci. Aucun homme ne mérite d'être chassé d'une église.

Primo et Secondo attendent encore dans un silence perplexe, espèrent quelque chose de plus intelligible, mais rien d'autre ne vient. La petite foule du studio attend aussi, étourdie par une émotion à laquelle elle ne comprend rien, et puis elle se met à applaudir frénétiquement. C'est un très Grand Moment de Vérité. C'est le meilleur plus Grand Moment de Vérité à l'applaudimètre, supérieur à celui de Magda, ce qui laisse présager qu'il sera pour tout dire imbattable.

Virginie lutte contre des larmes qui, une fois relaxées, risquent de tout entraîner dans leur sillage, surtout sa précaire nouvelle assurance et son beau maquillage mauve. Elle tend quand même la main pour saisir et serrer celle de Guillaume, et les caméras marquent tout de suite leur approbation en cavalant vers eux. Cher Guillaume, cher *insupportablement efficace* Guillaume, qui l'a écartée de l'église et de sa vie ces semaines-là décisives de janvier pendant lesquelles il affrontait ses propres démons et ceux des autres, qui l'a écartée implacablement *pour l'épargner,* disait-il, et Dieu sait qu'elle lui en a voulu.

Selon les règles du jeu, l'entrevue se termine de facto après le Grand Moment de Vérité, et c'est embêtant, car on ne saura pas ce qu'il est advenu de Guillaume après ce sanglant 25 janvier, à moins d'avoir opportunément sous la main un témoin, même écarté de l'incident, ce qu'est justement Virginie. Primo dirige prestement l'attention de tous vers elle.

— Bienvenue à *Silence, on parle, Sister*...

— Je ne suis *Sister* que pour les gars de la Maison, rectifie Virginie avec aplomb. Je suis théologienne et je suis en ce moment une laïque comme vous et l'autre, je veux dire Bill.

— C'est noté, Virginie. Virginie, donc, dites-moi : trouvez-vous que l'Église est trop sévère envers le père Guillaume en le suspendant de son ministère pendant un an ?...

— Certainement pas, intervient vivement Guillaume. Monseigneur s'est au contraire montré très compréhensif...

— Sans commentaire, fait sobrement Virginie, déclenchant les rires de l'assistance et enfournant du coup le cœur de son propos.

Car elle est lancée. Bien en selle sur son tabouret exigu, elle sprinte dans les dédales des revendications de *Femmes de joie,* elle ne rate aucune des cibles en illustrant les dessous pingres et déshumanisés du Vatican, la sénilité de l'institution devenue un protectionnisme misogyne, et souvent des rires complices et des amorces d'applaudissements accompagnent ses salves humoristiques, et à la fin elle réussit cet exploit, elle s'empare de l'arène pour parler de foi et d'engagement envers le message primordial de Christ, elle réussit à faire rouler le nom de Dieu, gravissime, sur le parterre riant d'une émission grand public.

C'est son Grand Moment de Vérité. Les applaudissements sont authentiquement chaleureux, s'ils ne fracassent pas de record. Elle a conscience que Guillaume applaudit aussi, mais tout ce temps qu'elle dévidait sa charge contre l'Église, il ne la regardait pas, campé dans une neutralité qu'elle a toujours trouvée insupportable. Secondo semble lire dans ses pensées :

— Que pensez-vous de *Femmes de joie*, père Guillaume ?...

— C'est une cause défendable, dit-il lentement, et c'est un texte solide.

— Mais êtes-vous d'accord avec Virginie Hébert ? insiste Secondo. Est-ce que par exemple vous signeriez une pétition qui serait acheminée au Vatican pour demander l'ordination des femmes ?

Virginie l'embrasserait, ce surprenant exquis Bill-Secondo, et à charge de revanche elle lui souffle de loin un baiser, tant elle est portée en ce moment par une force ludique.

— Je ne signe jamais de pétitions, fait Guillaume en souriant.

Il s'en tire avec des rires, y compris ceux de Virginie. C'est bientôt terminé pour eux deux, ils ont bien joué finalement, et Primo leur lance une dernière balle.

— Vous êtes quand même, chacun à votre façon, deux révolutionnaires au sein d'une institution ringarde. Comment est-ce que l'Église peut encore vouloir de vous ?

— L'Église, c'est nous, tranche Virginie.

En ce moment ultime, elle sent qu'elle gagne Guillaume, qu'elle le gagne pour la première fois, dans le regard touché qu'il lui adresse – et qu'une caméra alerte ne manque pas de repérer.

Le reste de l'émission semble relégué dans l'anecdote plaisante et le menu bavardage. Virginie écoute tout sans écouter vraiment, elle est maintenant si libre et détachée d'elle-même qu'elle a l'impression de flotter quelque part, au-dessus des projecteurs. C'est au tour du beau Thomas Bouchard de faire son tour de piste, et il est question du film qu'il a écrit et surtout de la série télévisée qui a suivi, et qui a dû s'interrompre prématurément malgré son succès colossal. Thomas circule dans ses propres phrases comme une panthère habituée aux scènes bruyantes et aux dompteurs. Il sait être drôle pour narrer des épisodes d'*Invisible Man*, son *hit* cinématographique, et très émouvant lorsqu'il évoque la mort de Donald Trudeau, l'acteur de la série qui était aussi son meilleur ami. Cela lui vaut un Grand Moment de Vérité bruyamment applaudi, un peu au-delà de Magda, et franchement sous la barre de Guillaume.

Quand son fils entre en scène, c'est une autre paire de manches.

Laurel, de son prénom, est aussi introverti que son père était spectaculaire.

Ce n'est pas de la timidité. Ses yeux très bleus sous ses lunettes dévisagent franchement Primo, qui déploie des prouesses d'énergie pour le cuisiner, et dans son sourire transpire une confiance tranquille.

Mais il ne *parle* pas.

Il accole bien sûr une réponse à la fin de chaque question, mais avec une telle concision que cela ne s'appelle plus *parler*, au sens télévisuel du terme. Il n'a aucun sens de la surenchère élégante, il ne sait pas se perdre savamment dans les digressions, et Virginie surprend le regard un peu désespéré de Thomas qui erre dans le studio pour éviter de se poser sur son fils.

Laurel est ici pour un livre nouvellement publié, une manière de roman gigogne où les personnages sont régurgités les uns à la suite des autres, et parfois les uns dans les autres, et qui aurait puisé son inspiration abracadabrante dans tout ce qui se dresse en hauteur dans le ciel montréalais – mais pourquoi y avoir inclus alors un chapitre autour de *Silence, on parle* et de ses deux animateurs mécréants, si c'est bien le cas ?

— Oui, dit Laurel.

— Oui quoi ? dit plaisamment Primo. Oui, c'est bien le cas, ou : Oui, Bill et Jéhan sont des mécréants, ou : Oui, la hauteur est égale à la profondeur, ou : Oui, les concombres sont chers en cette période de l'année ?

— Toutes ces réponses, dit Laurel en souriant.

Finalement, il n'y a que ça à faire, en rire, transformer la loquacité réduite de Laurel en *running gag* désopilant, et c'est ainsi que ça se passe, au grand soulagement de Thomas et à l'amusement réel de Laurel, qui peut en toute aisance continuer de ne pas se forcer à parler pour ne rien dire. Il survient quand même un moment où il déroge à son économie naturelle, et c'est lorsque Primo interroge la pertinence de l'un des personnages, après avoir pourtant fait bien pis – et bien plus musclé – tout au long de l'entrevue.

— Qu'est-ce que *Jeanne Mance* vient faire dans votre histoire ? Jeanne Mance ! Est-ce qu'elle n'est pas complètement déphasée dans ce qui se veut un livre contemporain ?

La caméra surprend le sourire vaguement approbateur de Thomas, avant de retourner à Laurel qui vient à l'instant de se découvrir une véhémence pour défendre son imaginaire et la modernité de son personnage. *Jeanne Mance est la flamme qui a embrasé la baraque, Jeanne Mance est le début de toute l'aventure montréalaise et je vous jure qu'elle est actuelle, prenez par exemple Virginie Hébert,* est-il en train de dire, sous les yeux de Virginie interloquée, *prenez Virginie Hébert, une laïque pourtant elle aussi comme Jeanne Mance, mais qui a complètement investi le champ de la générosité humaine et même mystique, elle n'en a pas parlé, mais son quotidien consiste à protéger la vie et la santé des humains les plus vulnérables, exactement comme Jeanne Mance, à se dévouer corps et âme même si ce n'est pas à la mode et* hot *et contemporain comme vous dites…*

Il parle encore, il parle d'abondance pour une fois, mais Virginie ne l'entend plus. D'avoir été ainsi interpellée l'a propulsée hors de la quiétude passive dans laquelle elle somnolait, et une phrase de Laurel continue de ricocher en elle et de former des cercles de plus en plus étourdissants. *Elle n'en a pas parlé.*

Elle n'en a pas parlé, non. Elle sent sur elle les yeux à la fois clairs et ravagés de Castor, dans lesquels brille une supplique muette. Elle n'a pas parlé d'eux, les gars dont personne ne parle – ces délabrés, ces mal pris, ces pas aimables –, elle n'a rien dit sur Téflon baignant pour rien dans son sang, tué par l'indifférence générale. Dans quelques heures, les gars vont la regarder parler à la télé avec un désenchantement de plus en plus douloureux, tandis qu'elle flottera de plus en plus haut dans sa bulle révolutionnaire, sa bulle de pharaonne.

Et pourtant. C'est eux, son ministère. C'est eux, le legs de Christ. Qu'a-t-elle à vouloir briguer à tout prix les honneurs de la profession, la soutane et l'élévation du calice dans les airs, et les formules mille fois ressassées, les salamalecs tout en mots et en vernis, alors que le vrai ministère, le plus rugueux, le plus actuel, celui que Christ pourrait encore aujourd'hui sans rougir revendiquer comme sien, est celui-là même, celui qu'elle pratique ? Aimer ces débris d'hommes, ces mal foutus aux gueules d'enfer, les aimer assez pour les remettre debout quand ils tombent.

Elle agite la main frénétiquement, comme à la petite école lorsqu'elle connaissait la bonne réponse – et c'était presque tout le temps.

Ils en sont maintenant aux applaudissements, car même Laurel a fini vraisemblablement par décrocher son Grand Moment de Vérité. Secondo est le premier à l'apercevoir.

— Oups ! dit-il. *Sister* Virginie veut nous dire quelque chose !...

Elle n'attend pas que Primo donne son approbation, elle plonge. Cet homme. Mike Warren, qu'on appelait Téflon, ça dit tout, les coups bas à répétition, les misères. Téflon comme dans : amenez-en, j'endure. Une vie toute de revers et de manques, et une fin en apothéose : tué par un policier, tué par ignorance, par peur. Juste coupable d'être poqué. Pas le premier, pas la première fois. Insupportable. Les rues grouillent de ceux-là, et on baisse les yeux sur notre iPhone pour ne pas les voir. Les laissés-pour-compte, les blessés, ces parties de nous-même qu'on est terrifié de rencontrer.

Quand elle arrête de parler, elle est échevelée et hors d'haleine, et les applaudissements nourris qu'elle reçoit lui démontrent qu'elle a été entendue, même si ça ne compte plus officiellement.

Et c'est terminé, les animateurs saluent et remercient, l'assistance s'ébroue et se lève, Guillaume vient serrer Virginie dans ses bras.

— N'importe quand, dit-il en souriant, n'importe quand je courrais écouter tes sermons.

Le beau Thomas Bouchard s'approche d'elle et lui glisse avec émotion un papier plié dans la main.

— Pour votre Tipi, dit-il.

Laurel lui serre la main avec chaleur, Magda Zambrovicz l'embrasse sur la joue.

Et Primo la prend à part, lui souriant avec considération : « C'était excellent, vous avez été excellente. »

— Mais, ajoute-t-il, votre intervention finale ne sera pas dans l'émission, on dépassait déjà le temps et les caméras étaient fermées.

— Vraiment ? dit-elle.

C'est tout ce que, mortifiée, elle parvient à dire : *Vraiment ? Vraiment ?* tandis qu'il s'excuse et se met à parler avec quelqu'un d'autre, et que tout est bel et bien fini.

Elle ouvre machinalement le papier plié dans sa main. C'est un chèque, qu'elle lisse et scrute plusieurs fois pour bien s'assurer du montant. Elle lève les yeux pour chercher Thomas, mais ne le voit plus.

Vingt-cinq mille dollars.

C'est toujours ça de pris.

LE BIEN NE FAIT PAS DE BRUIT

Les rives sont rougies par les dernières feuilles d'automne lorsque le voilier quitte l'embouchure du grand fleuve pour entreprendre son périple de plus de deux mois vers La Rochelle.

Elle se trouve à bord. C'est la deuxième fois qu'elle retourne en France, et c'est la nécessité, encore, qui la téléguide vers ce laborieux retour aux sources.

Le bateau qui vogue poussivement vers la France est chargé de ballots de fourrure qui seront traités à La Rochelle, où la prospère industrie de la mégisserie peine à étancher la soif insatiable des Européens pour les pelus *de Nouvelle-France. La traite, ralentie par les guerres iroquoises, a repris de plus belle, et cette cargaison en est un trophée luxuriant : peaux de vison, de loup, de lynx, de marmotte, de martre, de renard, d'ours, de loutre, de glouton... Et du si prisé castor. La peau de castor est devenue la coqueluche des Européens, et le castor est l'unité de valeur pour tout troc. Une peau de castor adulte, appelée un* plus, *peut valoir aux Sauvages qui l'échangent des pistolets, des chemises, des couteaux, de la flanelle, du sucre, des perles, des chaussures...*

Ils en rient entre eux, les dits Sauvages, de l'engouement effréné de ces Européens « qui n'ont point d'esprit » pour une bête si commune…

Dans la chambre aux canons où elle a trouvé refuge avec Marguerite Bourgeoys, les odeurs pestilentielles des peaux s'infiltrent partout et rendent nauséeux les repas – pour l'essentiel de la morue au vinaigre déjà indigeste. Et les huguenots, dont le bateau regorge, entonnent leurs prières profanes à toute heure du jour. Mais c'est là le moindre de ses inconforts.

Elle s'en va encore une fois quêter de l'argent, c'est entendu, besogne fastidieuse familière, mais elle se propose surtout de ramener quelques hospitalières, des filles parrainées par le visionnaire Jérôme Le Royer de La Dauversière qui pourront la remplacer à l'Hôtel-Dieu de Ville-Marie où, depuis plus d'un an, elle s'estime plus un poids qu'un secours. À cinquante-deux ans, elle se trouve en bien piteuse forme. Elle a le bras droit en écharpe, disloqué et rompu, et perpétuellement douloureux. Depuis plus d'un an, elle doit être habillée et soignée comme un petit enfant, comme les malades justement auxquels elle s'est bien malgré elle substituée.

Une mauvaise chute sur la glace, traitée légèrement par le chirurgien Étienne Bouchard, et la voici invalide à jamais.

Cela est une authentique visite de Dieu, *qui exige gratitude et soumission sans nul doute, mais l'hyperactive en elle ne peut que pâtir, en plus d'endurer les douleurs cuisantes produites par le moindre contact, le plus petit déplacement.*

Et les déplacements ne manquent pas, en ce deuxième voyage obligé.

Maintenant on la voit somnoler, crispée et fragile, dans une litière à cheval qui l'emmène seule à La Flèche. Mais dès qu'elle rencontre Jérôme Le Royer de La Dauversière, sa faiblesse s'estompe devant la grandeur du projet qu'ils partagent, même si la féroce réalité en a érodé un peu le cœur. Car faute de partenaires autochtones, il n'est plus question de cité idéale mixte, là-bas, mais de colonie française viable, avec en supplément des morceaux vibrants de Jérôme lui-même, puisqu'il lui confiera quelques jeunes femmes dévouées issues de sa presque famille, issues de la communauté qu'il a fondée. Une communauté formée de femmes habillées comme les autres, et qui n'ont de religieuses que les vertus intimes.

Toutes les Hospitalières de Saint-Joseph de La Flèche veulent se rendre en Canada.

Elle en choisit trois, Judith Moreau de Brésoles, Catherine Macé et Marie Maillet, et comme son sens pratique s'est toujours méfié des exaltées, elle laisse derrière la plus passionnée de toutes, sœur Pilon, celle qui depuis des mois jeûnait et pratiquait des macérations corporelles effroyables afin d'obtenir de Dieu cette faveur. On rapportera plus tard que le fantôme de cette infortunée laissée pour compte serait venu frapper à la porte de l'Hôtel-Dieu de Ville-Marie, là où se trouvaient ses compagnes élues, pour qu'elle y soit admise dans la mort si elle n'avait pu l'être de son vivant.

Ce sont des histoires qui ne se rendront pas jusqu'à elle – l'auraient-elles fait qu'elle les aurait accueillies avec le sourire narquois qu'elle réserve aux folies vraiment folles.

Maintenant elle est à Paris.

Elle loge en plein cœur de Paris près de l'église Saint-Sulpice, chez sa cousine Madame de Bellevue, la sœur de

Nicolas Dolebeau qui avait, il y a si longtemps lui semble-t-il, attiré le premier son attention sur la Nouvelle-France. Elle ne parvient pas à dormir, tant l'air lui paraît raréfié, tant le silence n'existe pas.

La ville grouille comme un organisme monstrueux qui déborderait de son propre corps. Ou plutôt c'est elle qui a oublié ce qu'était une ville.

La puanteur l'assomme. Et la démesure partout : trop de bruits, trop d'objets, trop de gens.

Elle apprend que l'Hôpital général de Paris vient d'ouvrir, sous l'impulsion de Vincent de Paul, qu'on y loge 5 000 vagabonds malades, et qu'on se propose de soigner, pour leur bien matériel et spirituel, 60 000 indigents dans les années qui viennent. Seulement dans le cœur de Paris, 240 000 mendiants se trouveraient répartis dans onze cours des Miracles.

Ce sont des chiffres qui l'étourdissent, elle qui se trouve du côté balbutiant de la création du monde. Les données qu'elle a à transmettre aux associés parisiens de la Société de Notre-Dame de Montréal sont autrement plus modestes.

Ville-Marie compte maintenant 160 hommes valides, dont 50 chefs de famille. Et Marguerite Bourgeoys, cette perle infatigable qui se trouve maintenant à Troyes pour rameuter des enseignants, Marguerite, donc, vient de donner sa première classe en une grande étable de pierre aménagée par Paul de Chomedey. Car il y a maintenant des enfants sur l'Isle, enfin des enfants ayant survécu à la paralysie infantile. Et Marguerite entend les instruire « à la canadienne », en évitant la sclérose des traditions européennes.

Elle ne dit pas que cette première classe, donnée

le 30 avril de l'année 1658, est le début de l'instruction publique en l'Isle de Montréal, puisqu'elle n'en sait absolument rien. Elle ne dit pas non plus tout ce qu'elle sait, par exemple que les raids iroquois n'ont pas cessé de fondre sur Ville-Marie, et que la vigilance quotidienne est encore le seul gage de survie.

Elle est ici pour semer et raviver dans le cœur – et l'escarcelle – des associés, dont dépend complètement la colonie, une fierté et un enthousiasme inébranlables.

Éclopée et souffrante, le bras en écharpe, elle multiplie les rencontres.

Elle a le don de convaincre, et elle le sait.

Tous ceux qui l'entendent parler de l'œuvre de Dieu en Nouvelle-France s'en trouvent galvanisés. Marie Rousseau, la mystique célèbre de Paris, la décrira comme l'une des plus grandes âmes qui vivent. *Marie Morin, reconnue plus tard comme la première historienne de Nouvelle-France, et qui l'accompagne dans ses dernières années, dira qu'elle avait si bien l'art de transmettre simplement de hauts raisonnements spirituels qu'elle* était écoutée comme le saint Évangile. *Le grand Jean-Jacques Olier écrira à son sujet dans ses* Mémoires : Je la voyais pleine de la lumière de Dieu, dont elle était environnée comme un soleil.

Elle parle, et les bourses se délient.

Le problème est que les associés de la première heure, les plus dédiés à la cause, se comptent à présent à peine sur les doigts d'une main. Le cher Gaston de Renty, un laïque comme elle, en même temps militaire et aide de camp de Vincent de Paul, qui visait à être pauvre au milieu des richesses et à devenir de plus en plus petit, *est mort depuis déjà dix ans, laissant de sa courte vie des traces impéris-*

sables. Entre autres, sa biographie – La Vie de Monsieur de Renty, de Jean-Baptiste Saint-Jure – est un modèle d'indépendance et de noblesse spirituelle dont elle a fait sa lecture de chevet – et qui inspirera plus tard Blaise Pascal lui-même. Chez les associés, il n'est en ce moment question que de lui, puisque sa veuve vient d'exhumer ses restes pour les transférer dans un nouveau tombeau, et qu'on l'a trouvé miraculeusement préservé, avec encore, chuchote-t-on, les yeux fort beaux.

Et Jean-Jacques Olier, le complice du tout début, le maître en grandeur, le fondateur des Sulpiciens, ces messieurs laïques qui ont commencé à Ville-Marie leur œuvre édifiante de pragmatisme et de ferveur sacrés, Jean-Jacques Olier a disparu brutalement il y a un an à peine.

Comment se passer de Jean-Jacques Olier ?

Par chance, la Bienfaitrice anonyme est toujours aussi généreuse que vivante.

C'est vers son hôtel privé qu'elle trotte laborieusement maintenant, laborieusement parce qu'elle vient d'apprendre, de la bouche même du médecin du roy, qui l'a minutieusement examinée, que non seulement son bras est condamné, mais qu'il s'ensuivra tôt ou tard une paralysie peut-être générale.

On a beau être forte, ce sont là des pronostics qui ébranlent.

Elle connaît par cœur les aires, pour s'y être trouvée si souvent à déployer des requêtes prodigalement accueillies. L'hôtel de Bullion, rue Plâtrière, affiche de l'extérieur une architecture fort simple, mais recèle dans ses murs des trésors de raffinement et d'élégance. On lui a dit que la richesse de la décoration, des peintures murales et des plafonds portait la signature du peintre Simon Vouet, protégé de Louis XIII et de Richelieu – mais ce sont là précisions mondaines qui ne l'ont jamais titillée. Elle se contente d'arpenter les corridors à la suite du majordome sans s'arrêter à l'ornementation des choses.

Assise dans l'angle gauche de son vaste salon, dans son fauteuil favori décoré d'un amour tenant les armes de la famille de Bullion, la Bienfaitrice anonyme l'attend. Placide, majestueuse, si grasse qu'elle bouge à peine.

Angélique Faure, veuve de Claude de Bullion, a déjà versé des sommes d'argent importantes pour l'Hôtel-Dieu de Ville-Marie, et elle en donnera encore, car elle en a beaucoup.

Son mari était surintendant des finances pour le roy et tellement détesté par le peuple, raconte-t-on, qu'on l'aurait enterré en secret de peur que son cadavre soit profané. Cet argent qu'Angélique de Bullion donne secrètement à la colonie sainte de Montréal vient lui faire oublier un peu l'étranglement des contribuables, peut-être, tout en répondant à son intérêt authentique pour Ville-Marie.

Car Ville-Marie la passionne.

Pour elle, comme pour les autres, la rugueuse fille de Champagne devient une oratrice fougueuse qui rend palpable et vivante la terre de rêve dont ils ne s'approcheront jamais.

Elle parle, puisqu'elle sait si bien le faire. Elle parle de l'héroïsme de la vie là-bas – comment faire autrement – et aussi du grand chef iroquois surnommé La Barrique, devenu un ami inconditionnel des Français depuis qu'elle l'a soigné et guéri de ses blessures. Elle parle de ses deux filles « adoptives » qui l'attendent chez elle, car oui, elle a *recueilli depuis l'an dernier les jeunes Élisabeth et Marie Moyen, de l'île aux Oies, capturées, puis relâchées par les Onontagués qui ont tué leurs parents. Et comme Angélique de Bullion a un faible pour la forêt et la faune exotiques, elle trouve des mots pittoresques pour illustrer ce qui elle ne la passionne guère, les vaches sauvages si nombreuses qu'on les attrape à la nage, les oiseaux-fleurs, les mouches luisantes, les écureuils qui, merveille, volent là-bas d'arbre en arbre comme s'ils avaient des ailes.*

À la fin, elle part avec la promesse de 20 000 livres pour l'installation en Montréal des Hospitalières de La Flèche, et avec un médaillon précieux : le portrait de la Bienfaitrice en miniature, dans une boîte d'agate fine enchâssée dans de l'or et des perles.

Avec l'argent, du moins, elle sait très bien ce qu'elle fera.

Maintenant, elle peut ralentir ses trépidants déplacements. On est tout juste à l'orée de février, il faut encore attendre l'été pour penser au retour.

Elle a cette idée.

Il s'agit davantage d'une pulsion organique que d'une idée, à vrai dire, même si tout provient du même espace plus vaste, elle a cette idée d'aller rencontrer *une dernière fois Jean-Jacques Olier, dont les restes sont inhumés dans la chapelle du séminaire de Saint-Sulpice.*

Si un être en ce monde ou en l'autre peut comprendre à quel point elle a besoin de ses deux bras valides pour mener à bien l'œuvre montréalaise, c'est lui.

Elle sent sa présence aussitôt qu'elle pénètre dans la chapelle. Elle sent sa présence sous forme de joie saisissante, et les larmes lui viennent et ne peuvent s'arrêter, tant ce qui l'empoigne est fait de douceur et de tendresse.

Elle se met à lui parler, *dans cet état de bonheur extrême, elle lui parle mieux que s'il était vivant, car là où il se trouve il la connaît profondément.*

C'est ce qu'elle écrira à Marguerite Bourgeoys, car à son confesseur du moment, elle ne peut que balbutier : Monsieur, je suis saisie d'une telle joie que je ne puis vous rien exprimer.

Elle demande à toucher le coffret de plomb dans lequel repose le cœur de Jean-Jacques Olier. Elle le prend et l'appuie sur son bras malade, et aussitôt une chaleur extraordinaire l'envahit, et elle sent sa main se libérer complètement.

Miracle.

Miracle ?... Trois cents ans plus tard, un médecin de cet Hôtel-Dieu de Montréal devenue mégapole préférera parler d'atrophie de Sudeck, qu'un profond choc psychologique peut résoudre.

Peu importent les causes et les interprétations, on la retrouve ce même jour en train de rédiger devant Dollier de Casson, le futur historien, et Bretonvilliers, le nouveau directeur des Sulpiciens : Le 2 février de l'année 1659 [...], j'ai écrit ces mots de ma main droite, de laquelle je n'avais eu aucun usage depuis deux ans...

La nouvelle de sa guérison se répand dans Paris comme une traînée de poudre.

Elle recommence à fréquenter les salons des nobles et la cour du Palais-Royal, puisqu'on lui fait de pressantes invitations. Tout le monde se l'arrache, tout le monde veut l'entendre raconter ce prodige – quelques-uns par dévotion coupent même des morceaux de ses habits sur le vif.

Elle en rit, elle en souffre mille morts.

Il ne lui tarde maintenant que de cesser d'être connue, que de retrouver l'immensité silencieuse de son vrai pays.

Elle n'est plus d'ici.

Dans les salons parisiens, aussitôt qu'on a cessé de l'écouter, on commente fiévreusement la carte du Tendre, que vient de dessiner Madeleine de Scudéry dans le premier tome de sa Clélie.

Dans Saint-Germain-des-Prez-les-Paris, elle aperçoit sa sœur Marguerite, chez qui elle n'est pas descendue cette fois-ci. Elle la laisse s'éloigner sans l'arrêter, le cœur serré. Elle n'est jamais retournée à Langres, elle a coupé tout ce qui cause les remous émotifs. Elle n'est plus d'ici.

Le 2 juillet, le Saint-André *est enfin prêt à appareiller pour la Nouvelle-France.*

La grâce de Jean-Jacques Olier doit planer encore sur elle, car elle parvient à surmonter encore d'invraisemblables tribulations. Des manifestants crient à la traite des Blanches et tentent d'empêcher le vol des trois hospitalières embarquées pour cette terre hostile où elles seront la proie des Sauvages. On parvient à les disperser. Le capitaine du navire exige soudain plus d'argent que prévu pour la traversée. Elle emprunte sur place à un marchand la somme demandée. Et à bord, une épidémie de peste se déclare – le navire n'ayant pas été désinfecté après ses derniers équipages malades.

Durant la traversée, ils auront droit en prime à des tempêtes violentes et à une grave disette d'eau douce.

Quand le Saint-André *mouille enfin le 7 septembre dans le port de Kebecq, plusieurs sont morts en cours de traversée, leurs corps jetés à la mer, dont les quatre enfants d'une même famille, et d'innombrables autres sont fortement malades.*

Elle est du nombre. Mais elle se rétablit. Elle se rétablit et ramène en l'Isle ce qui restera sur l'écran de l'Histoire comme la Grande Recrue, les germes des futurs corps hospitalier et enseignant de Montréal, et une vaste poignée de ces grains de moutarde qui, répandus dans le terreau rocailleux, n'en croîtront pas moins dru.

Jusqu'à devenir des arbres aux ramifications multiples : Avrard, Bailly, Bériau, Bonnin, Bourget, Cardinal, Charbonneau, Courtemanche, Cuillerier, Garnier, Goyette, Guilbaut, Mathieu, Moreau, Roy, Thibodeau, Trudeau…

SITRA ASHRA

Chaim se tenait devant moi, si bouleversé que l'enveloppe blanche dans sa main tremblait comme une chose vivante, et avant qu'il ouvre la bouche j'ai su qu'il me parlerait de toi.

Même si ton nom n'a plus été prononcé depuis le 14 Kislev 5774, sache qu'il n'a jamais cessé de brûler dans mes veines, de me faire mal mais aussi de me garder en vie.

Markus.

Quand Chaim a lancé ton nom à voix basse, c'est comme s'il le libérait de moi, et moi de lui, et qu'il nous permettait de vivre tous deux en même temps. Ton nom au grand air, enfin libre d'allumer un incendie.

Dans l'enveloppe blanche, il y avait les trois cents dollars que tu aurais pu garder, mais aucun des mots que tu aurais dû m'écrire.

Quelle joie terrible. J'aurais pu pleurer pendant des heures.

Tu es vivant. Tu as le teint bruni par le soleil. Tu as maigri. Tes cheveux sont longs. Ta barbe a disparu. Et tu as répété deux fois à Chaim : *Je ne reviendrai pas.*

Tu as dit aussi : *Dis-lui que je l'aime.*

Ça se passait il y a quelques jours, sur le trottoir de la rue Jeanne-Mance, devant chez Surie où j'habite maintenant avec Avigdor et leurs dix enfants, un trottoir où cent paires d'yeux au moins auraient pu surprendre notre conversation si Hashem Lui-même n'avait mis une sourdine à la fébrilité ambiante. Car tu ne peux l'avoir oublié, nous étions sur le point d'entrer dans les huit jours de Pessa'h, et au milieu des *mitzvot* frénétiques chaque seconde de silence ou de solitude est un miracle en soi. J'avais dans les bras la centaine de bougies que je venais d'acheter et une bombonne d'eau de Javel pour cachériser les ustensiles, mais l'enveloppe blanche a réussi à léviter des mains de Chaim à mon sac et je n'ai plus été remplie que de ton nom et d'un espoir assourdissant.

Chaque dimanche depuis le début du vrai printemps, m'a chuchoté Chaim, tu joues du tam-tam dans le parc du Mont-Royal, au pied de la statue.

À vingt minutes de moi.

Et maintenant, le temps s'est arrêté. J'enlève mon turban et je le remplace par ma perruque la plus pâle, j'attache ma veste aux boutons dorés, j'enfile mes boucles d'oreilles, et tout ce temps les enfants qui ne sont pas de moi s'affairent bruyamment dans un monde parallèle. Chayku se querelle avec le petit Hershy, qui aurait abîmé son vélo, Sorreleh désespère de faire disparaître les taches de vin sur la nappe, Sarah cherche à hauts cris sa broche de perles égarée, les garçons reviennent de la synagogue et ma sœur Surie est couchée avec une migraine, comptant sur moi pour tout apaiser. Ils sont comme les personnages d'un rêve pour lequel je ne peux rien, ils s'évanouissent tous tandis que je sors de la maison, réveillée par la seule réalité qui soit. En ce moment il n'y a que silence et détermination, et solitude extrême.

C'est aujourd'hui le sixième jour de Pessa'h. C'est aujourd'hui dimanche.

Je m'en viens, Markus.

Je m'en viens te chercher.

La douceur des bourgeons sur le point d'éclater ne peut pas être un hasard. Ni le vent qui répand des parfums de jacinthe. Le quartier au complet flambe de la lumière des tulipes et ce n'est pas un hasard. Ce quartier est ton quartier, celui de ton enfance, le plus beau et le plus sacré dc tous. Aujourd'hui il proclame qu'il se souvient de toi, car ce jour n'est pas comme les autres jours.

Mah Nishtana'h? Pourquoi ce jour est-il différent des autres?... C'est ainsi, tu te rappelles, que commence le séder, au premier soir de Pessa'h. *Mah Nishtana'h? Ha-laylah ha-zeh, mi-kol ha-leylot... Pourquoi ce jour est-il différent des autres?* a entonné Hershy, le plus petit garçon de la maison, ainsi que le veut la tradition, mais ce dernier soir de Pessah, c'est ta voix de jeune rossignol qui m'est parvenue aux oreilles pardelà les années, et plutôt qu'Avigdor, c'est ton père que j'ai entendu répondre, et tout était de nouveau sublime et pénétré de grandeur joyeuse, j'avais allumé les deux bougies, le vin tremblait dans les coupes, *Parce que nous étions esclaves,* chantait la voix rauque de ton père tan dis qu'un souffle de gratitude traversait notre petite tablée et toutes celles, je le sais, de notre communauté héroïque en train au même moment d'accomplir les rituels qui empêchent la mort et l'oubli de fondre sur nous.

Parce que nous étions esclaves, chantait ton père et chantent tous les pères depuis et avant, et il est interdit de croire que ce ne sont que des mots, nous étions esclaves avant de traverser au fil des siècles toutes ces mers Rouge remplies d'épreuves, tant des nôtres sont tombés tant de petits enfants ont été sacrifiés tant de sang et de douleur pour que continue ce que nous sommes, la lumière au poing en héritage, pour que parvienne la longue file des survivants de D.ieu depuis Abraham jusqu'ici, précisément ici dans ce quartier paisible en apparence et irradié aujourd'hui par les couleurs tendres des tulipes, et c'est pourquoi je viens te chercher, Markus, et je ne suis pas seule, avec moi sont tous ceux-là tombés pour que tu vives et n'oublies jamais que tu es un Kohen, un descendant des *kohanim* qui officiaient au Temple de Jérusalem.

Tu as dit deux fois à Chaim : *Je ne reviendrai pas.* C'est une fois de trop, je te connais bien, c'est une insistance qui masque ton trouble et l'effroi de revenir en arrière, c'est une ouverture, je le sens, et dans cette brèche je frapperai et j'entrerai. Je te jure, *sheyfale,* que l'effroi que tu ressens n'est pas celui de retourner derrière avec les tiens, mais bien plutôt d'entrevoir devant le chaos qui te réduira en poussière.

Non, ce jour n'est pas comme les autres. Aujourd'hui dimanche je tremble d'espoir de te voir revenu dans le cœur immense de D.ieu, je sais qu'Il aime les repentis encore plus que ceux qui n'ont jamais quitté le chemin. Les hommes, j'en fais mon affaire. Les hommes de la communauté, y compris Avigdor, qui a organisé ton enterrement symbolique, les hommes qui comptent se réjouiront, et *Rebbe* Sander composera un sermon d'allégresse en ton honneur. Quant au pauvre Chaim, dont tu n'as pu que percevoir l'émotion extrême, ton *khevruso* depuis si longtemps, celui avec lequel tu as toutes ces années débattu de la Gémara et grandi dans la connaissance, il n'a jamais pu te remplacer dans son cœur, il a sangloté presque autant que moi lors de ces funérailles terribles qui enterraient ton corps fictif pour protéger du mauvais exemple les garçons de la communauté. De cela je ne peux te parler, tant je m'en trouve encore ravagée. Ce que je t'affirme, c'est qu'aucun bonheur ne serait plus grand pour Chaim que de retrouver ta présence fraternelle à ses côtés dans la yeshiva.

Et Raquel. Nous révoquerons Raquel si c'est elle la raison de ta défection, nous trouverons une autre fiancée si celle-ci malgré sa beauté et sa noblesse en était venue à te causer des réticences, tout est possible, tout est envisageable. Bien sûr, Raquel est grièvement blessée, car c'est une faute grave que de rompre un *vort* scellant une promesse d'union librement consentie, mais les fautes existent pour être pardonnées, et bien que la marieuse ait l'embarras du choix pour elle si séduisante, je te révèle que Raquel ne s'est engagée avec personne d'autre et que ses yeux continuent de s'embuer de désolation lorsqu'elle me rencontre.

Tu es toujours aimé, Markus.

Sache qu'il n'y a pas de colère en moi, qu'il n'y en a jamais eu, même quand j'ai cherché en vain dans la cuisine et jusque sous les *sforim* de la bibliothèque ces trois cents dollars qui constituaient l'essence de mes économies depuis la mort de ton père. La colère, je ne l'ai sentie que lorsque ma sœur Surie et son mari Avigdor t'ont traité de voleur, car je connais l'honnêteté de ton cœur mieux que tu ne la connais toi-même. Je n'ai pas senti de colère, mais quelque chose de plus amer et de plus desséchant qui s'adresse à moi bien plus qu'à toi. Encore maintenant, je ne peux cesser de m'en vouloir. J'ai manqué de clairvoyance, je n'ai pressenti aucun de ces tressaillements intimes au sein desquels tu planifiais tes projets malheureux. Ou peut-être n'as-tu rien planifié, *sheyfale*, peut-être t'es-tu rué hors de notre communauté comme on se jette à l'eau dans un moment de canicule extrême. Mais peu importe, je ne peux cesser de m'en vouloir, car j'ai failli là où toute mère hassidique est obligée de réussir, j'ai failli à te transmettre le feu de notre héritage qui doit se propager inextinguible et sacré entre les générations.

Tous ces mots, je les roule dans ma tête avant de te les livrer dans leur maladroite ferveur et leur nudité. Que restera-t-il d'eux quand je te verrai face à face ? Peut-être rien, peut-être que je ne pourrai que rire ou sangloter comme une pauvre folle, une *meshigeneh* dont l'âge a court-circuité les neurones.

Je viens de croiser Malky et sa cadette qui la dépasse d'une tête même si elle n'a que quinze ans, et juste avant la jeune Shoshana poussant son landau de trois bébés, et chaque fois j'ai redoublé de vitesse et affiché le sourire contraint de celle qui n'a pas le temps des bavardages malgré la chaleur invitante de cette fin de jour. J'ai senti le regard perplexe de Malky me suivre jusqu'au croisement de la rue Laurier, où je ne vais jamais. Je prie Hashem de ne plus rencontrer personne dorénavant, personne de connu, et c'est ce qui se passe, Il me pousse sans transition dans *Sitra Ashra*, le territoire immense des goyim.

Il me suffit de savoir que cet Autre Côté est peuplé par toi pour avancer sans frayeur.

Ce n'est pas comme si je ne les avais jamais côtoyés, mais cette fois est différente, cette fois je me force à les regarder pour de vrai, furtivement pour ne pas susciter leur attention.

Des couples âgés marchent lentement, de jeunes parents déambulent derrière leur unique poussette, des jeunes filles se bousculent, des garçons parlent fort, des enfants mâchent de la gomme ou des morceaux de pizza, oh Markus, ne vois-tu pas que, malgré leurs apparentes similitudes avec nous, tous ceux-là, dans leurs couleurs criardes, vaquent désespérément privés de sens ?

Je ne parle pas de la langueur naturelle qui accompagne une promenade dans la tiédeur du printemps, bien que nous ayons peu de temps pour la langueur, je parle de lien direct avec la moelle de la vie. Je parle du corps qui doit épouser à chaque instant les formes de l'âme sous peine de n'être qu'un corps d'animal. Tout a une signification profonde, remercier pour la vie dès le réveil, s'adonner aux ablutions rituelles, respecter les lois alimentaires, chausser le pied droit avant le gauche parce que la bonté l'emporte sur la discipline, allumer les bougies au plus tard dix-huit minutes avant le coucher du soleil… Oui, il est exigeant d'être un véritable être humain, oui, les codes sont nombreux pour aider le corps à ne pas oublier sa vraie nature. Mais quel autre choix est plus valable que celui d'assumer sa propre grandeur ? Rappelle-toi, Markus, la joie profonde de voir sacralisé ce qui pour le reste du monde n'est que gestes et déplacements insignifiants. Et rappelle-toi, surtout, toutes les autres joies si fréquentes dans nos vies, tant de fêtes, tant de chants auxquels tu excelles, et les danses, et les jeux, et les nourritures délicieuses, tant d'émotions exaltantes.

Peut-être crois-tu ne plus croire en D.ieu.

Tu vois, même cette hypothèse ne me scandalise pas, n'aurait pas scandalisé *Rebbe* Sander si tu avais eu l'audace de la lui soumettre.

Il y a des moments où on croit et d'autres non, les périodes de foi profonde sont précieuses mais rares, et suivies invariablement de longs épisodes de doutes et de questionnements, et ce n'est pas la fin du monde. Ton père aurait pu te le dire. Et Avigdor, et Moyshe. Moi-même, j'aurais pu t'en parler d'abondance. D.ieu n'a pas besoin de notre foi pour exister. Faire est plus important que croire. Six cent treize actions valent 613 fois la ferveur théorique. Croire n'engage que l'esprit agité et changeant, tandis que faire implique chaque seconde de notre existence.

Peut-être crains-tu le mariage, et la famille.

Le cœur me manque en pensant que tu as peut-être été effrayé par la perspective de tous ces petits corps à venir autour de toi.

Tous ces petits corps charmants, boudinés, exquis – braillards et indisciplinés oui, mais la lumière de nos vies, mais la joie de l'avenir, mais la pérennité de notre histoire, et ils poussent presque tout seuls, soutenus par la communauté entière, et ils attrapent si vite le sens des responsabilités, à cinq ans déjà ils savent s'occuper des bébés, à dix ans ils connaissent tout de la cacheroute et des rituels, à douze ils peuvent te remplacer le soir de shabbat, oh Markus, toutes ces petites flammes brillantes d'une grande famille que tu as peut-être redoutées sont précisément ce qui m'a manqué toute ma vie.

Tes enfants seraient les miens, et mon sang serait à eux. Et ta femme pourrait dormir et se consacrer à toi pendant que je les élèverais, les tancerais, les nourrirais, les bercerais, et toi tu serais au *kollel* à continuer de briller dans les études avec Chaim qui t'aime et le *Rebbe* qui te respecte et nous serions heureux.

Je te le dis, je te le promets, tu serais heureux.

Dans l'avenue du Parc, aux trottoirs assez vastes pour que circulent côte à côte autant d'humains que d'horizons, un son soudain se dessine et grandit et me fait battre le cœur.

Les tam-tam.

Ils sont souvent venus jusqu'à moi lors des étés torrides, soufflés par le vent du sud, et chaque fois leur cacophonie lointaine me semblait rassurante, comme un rappel de tout ce à quoi nous échappions.

Plus je m'approche, plus les tam-tam me transpercent. Par les pores qu'ils m'ouvrent dans la tête, je perds peu à peu ma solidité.

Je perds tout ce qu'il me restait encore à te dire.

Je vois flotter la statue de l'Ange au-dessus du parc, au moins as-tu senti la grâce auspicieuse d'être abrité par un ange. S'agit-il de Gabriel, d'Uriel, d'Asmodée ? Si je savais son nom, peut-être me suffirait-il de le saluer intérieurement pour qu'il me conduise vers toi.

Me voici sans arme et sans stratégie devant la foule de jeunes gens qui entourent la statue, tous semblables dans leur surexcitation et leurs vêtements bariolés, une armée de soldats anonymes qui sautilleraient au lieu de marcher au pas, avec en leur centre immobile les Tambours. Tu serais donc de ceux-là qui battent la mesure du chaos, assis au pied de la statue, tu serais un Tambour de guerre en apparence pareil aux autres, mais je crois en ta différence profonde, Markus, et je la cherche de loin au risque de me dessécher les yeux, je cherche la marque indélébile de vingt ans de pratique divine dans l'une de ces silhouettes aux mouvements mécaniques et au visage enfiévré, oh je cherche je cherche.

Je suis trop éloignée.

Il faut me rapprocher, de toi, de tout, de la connaissance de ce qui fonde un individu au sein d'un groupe uniforme, il faut que j'apprenne très vite ce que je n'ai jamais appris, à isoler les parties au lieu de célébrer l'ensemble.

Il y a des corps partout, sur des couvertures épandues et aussi sur l'herbe, ou debout gigotant en transe, des corps de femmes révoltants d'impudeur, mais j'avance à travers eux, à travers elles avec quelques mots d'excuse et même une sorte de sourire honteux, car elles me sourient comme si j'étais des leurs, malgré le gouffre entre nous. Je suis si stupéfaite que j'en oublie d'être en colère, pourquoi, mais pourquoi se dénuder ainsi au milieu de tous et sous les yeux des enfants, pourquoi toute cette peau offerte, pourquoi ces étalages extravagants de ce que le corps a de plus intime?

Déjà, n'était-il pas suffisant de laisser traîner à l'air libre leur chevelure sauvage ?

Les cheveux, oui. Les cheveux qui dansent joyeusement sur les épaules, ça je ne peux m'empêcher de comprendre.

Qui sait encore que les miens seraient blonds sous ce *sheitel* châtain – le plus pâle qu'il soit permis de porter ? Blonds et bouclés, épais et aussi très doux, s'ils n'étaient rasés. Personne.

Aucune perruque n'a jamais pu rivaliser avec la beauté de mes cheveux.

C'est ce que je voudrais leur dire, à ces jeunes femmes au laisser-aller outrageant qui me coulent des regards discrètement apitoyés au-dessus de leurs sourires. Je voudrais leur dire que mettre un bémol à la luxuriance de son corps est une offrande extraordinaire, dont au lieu de souffrir on se trouve élargie. Que ce n'est pas parce qu'on est moche qu'on se cache, bien au contraire, plus on est belle et plus belle est l'offrande, toute la beauté se voit ainsi redirigée à l'intérieur où elle se canalise pour flamboyer.

Au nom de D.ieu.

Mais aucun pont entre nous n'est possible ni souhaitable, ici le nom de D.ieu est usurpé par le bruit animal des corps, parler des grandeurs de l'abnégation et de la modestie serait comme les haranguer en mandarin – ou en yiddish. Au moins dis-leur, toi, Markus, je t'en supplie, toi qui nous as trop connus de l'intérieur pour avoir oublié, dis-leur au moins à quel point nous sommes bien plus riches que sacrifiés, pour que cesse la condescendance apitoyée de leur regard.

Et si jeunes. Elles sont si jeunes pour la plupart, des

adolescentes, de grandes petites filles aux formes déjà développées, et ce sont là les plus fragiles, les plus menacées sans le savoir, elles ont choisi leur camp sans réfléchir, elles se dirigent droit vers le gouffre de la reddition sexuelle où les attend en salivant d'avance le monde impitoyable des goyim qui ne fera qu'une bouchée de leur corps.

Pourtant, être jeune devrait être une grande chose, être jeune et avoir un corps de femme pourrait être un chant triomphant, mais ce n'est pas ici dans la vitrine de la surenchère qu'il est possible de l'entendre.

Pas ici.

L'une de ces jeunes au décolleté excessif s'évente le visage avec un magazine, une autre se verse à même une bouteille de l'eau dans le cou.

Je sens tout à coup la moiteur de mes jambes dans leur gangue de coton épais. Des perles de sueur me roulent sur le front, sous les aisselles. Une rivière de transpiration se plaque tout le long de ma robe grise.

Il fait chaud, trop chaud pour le mois de *Nissan*. Le soleil frappe durement cette fin de journée comme s'il voulait l'abattre.

On entend les tam-tam, mais on n'entend pas le vrai chant triomphant du corps féminin.

Ni ici ni chez nous.

Ne pas montrer ses clavicules ne pas montrer ses genoux ses coudes ni la chair de ses bras jamais jamais, pas l'ombre d'une forme jamais, pas de pantalon, car le corps serait alors moulé et reviendrait au monde, oblitérer le corps les formes honnies du corps.

J'ai été une jeune fille au corps plantureux.

J'ai été une rebelle, Markus, et j'aurais dû certainement te le raconter pour que tu voies à quel point la rébellion des jeunes est naturelle et ne porte pas à conséquence, je me suis rebiffée contre l'étouffement du corps à ton âge et même plus tôt, car il est vrai que les filles sont plus précoces.

Sortir de l'enfance est une épreuve.

Être une fille sur le point d'être une femme entraîne une tourmente dont tu n'as pas idée, Markus, toi que la chance a fait naître homme et qui as quand même estimé infranchissable le passage adulte, avoir douze ans et être une fille ressemble à un cauchemar nocturne auquel le jour ne mettrait jamais fin.

Que faire lorsque le corps se met à te trahir ? La pudeur et la pureté sont les premières *mitzvot* des femmes, et voici que le corps produit des protubérances incompatibles avec la pudeur, excrète des flots de sang viciant la pureté.

Que faire contre le corps qui se met à te trahir ?

L'empêcher. L'empêcher de devenir ce qu'il s'obstine à devenir, une avalanche de courbes de plus en plus obscènes, de chairs rondes vacillant sous leur propre lourdeur, de fuites de sang coupable, stopper par tous les moyens l'avancée de la dégradation.

Cela est possible, mais il faut de la ruse et une fermeté dans la solitude, personne personne pour conseiller aider, ma mère éreintée ne pose jamais les yeux sur moi, anonyme parmi quatre autres filles plus jeunes et sept garçons sans problèmes, jamais un baiser ni une étreinte de ma mère débordée, mais peu importe quand on est ferme dans la solitude. C'est en amont qu'il faut couper les vivres, empêcher à tout prix les combustibles d'encrasser la machine, s'enfermer après chaque repas dans la salle de bain pour se débarrasser de ce qui est entré – l'idéal serait de ne rien avaler, mais à l'idéal nulle n'accède sans soulever l'attention. Il y a aussi les purges et les lavements, descendre chaque jour des litres de kéfir et d'eau peut faire des miracles, mais rien n'est plus radicalement efficace que les deux doigts au fond de la gorge, et cela finit par produire des résultats qui étrangement n'apportent aucune fierté, étrangement ce sentiment d'indignité est infusé à demeure même si les graisses fondent et les règles s'arrêtent.

Au bout du compte, après des mois de travail clandestin, il y a devant le miroir ce corps maigre de partout sauf LÀ où il serait si important qu'il le soit, les seins les fesses s'acharnent à s'arrondir et semblent encore plus globuleux à côté des os qui saillent, donc il n'y aura pas de solution, donc la seule possibilité serait d'arrêter le bazar au complet et c'est ce qui survient presque.

Dans la bataille contre le corps, c'est le corps qui a le dernier mot, et lorsqu'il est étendu sans conscience il hurle au grand jour les secrets que l'on peinait tant à cacher, tous les efforts réduits maintenant à néant sur ce lit d'hôpital où l'on me gave de force et où l'on donne un nom de maladie à ce qui n'était pourtant que réaction vitale pour accommoder les exigences de D.ieu.

Et c'est là que le doute survient – s'agit-il là après tout d'*exigences de D.ieu*? –, le doute s'installe et la rébellion se réveille – s'agit-il d'exigences de D.ieu ou d'exigences d'hommes rebutés par les corps?

Dans la classe où je suis de retour, on ne discute pas de ces choses avec les autres jeunes *maiden,* ni Lipa ni Gittel ni Yitty avec qui l'amitié fleurit pourtant aisément, personne ne parle, mais le corps une fois de plus trahit les secrets, et je discerne maintenant partout les légères bouffissures sous les joues qui adviennent lorsque la bile emplit trop souvent la bouche, et j'aperçois sur tant de mains les éraflures que les dents laissent quand on se fait vomir, et tout devient clair, tout devient sombre.

Toutes les filles de mon âge partagent ma détestation et mon horreur de *ce qui s'en vient,* toutes les filles de ma classe sont *anorexiques,* pour reprendre le mot de maladie de l'hôpital Hôtel-Dieu.

Personne ne veut devenir une femme, cet être impudique par essence.

Et c'est à ce moment, Markus, que naît en moi une vague du même ressac qui t'a emporté loin d'ici, un embrasement de révolte qui m'allume au complet. Sur le coup, je ne sais pas qu'en faire, je n'ai qu'un mot pour laisser vivre ce qui m'habite : non. Non.

Je recommence à manger et à aimer manger. Je recommence à laisser grossir le corps et ses protubérances charnues. Mieux, chaque fois que je suis seule devant un miroir, je me prends à contempler longuement ces boules parfaitement rondes et fermes, avec en leur centre cette exquise fleur de chair, et à me répéter avec étonnement : Ceci est à moi.

Ce non à l'impossible renoncement à moi-même, ce non à ce qui tue les femmes en devenir non seulement me sauve la vie, mais transmute comme un brusque vent d'orage ma honte en fierté.

Je suis de plus en plus une *shaine maidel,* une très belle jeune fille. Chaque jour mon corps s'autoproclame avec assurance. Mes cousins me dévorent des yeux à la dérobée, je surprends mon père papilloter du regard pour ne pas me voir. Ma mère finalement me prend à part pour me parler, pour me convaincre de sa voix épuisée qu'il y a un problème, *je suis* ce problème auquel il faut remédier à l'aide de vêtements encore plus épais et encore plus amples – si elle pouvait me recouvrir d'une bâche en plastique, elle le ferait avec soulagement. Je la laisse dire, je ne lui en veux pas, je comprends qu'à mon âge elle n'a pas su dire non à l'impossible, et j'accepte les vêtements ternes qu'elle me tend. Discrètement, je les amadoue à ma façon, une ceinture invisible ici, un froncement plus agréable là, et il se passe que ces hardes lourdes et amples n'arrivent pas à m'éteindre, je continue d'ondoyer plutôt que de marcher, je suis une avalanche de chair épanouie, je suis une démone.

Et ainsi pendant des années, je prends plaisir à transgresser les lois des hommes qui voudraient m'imposer un corps de planche à laver, mes perruques sont toujours trop claires et trop longues, ma jupe, trop courte, mes bas sont trop pâles et ne portent pas la couture réglementaire, ma mère sans ressources est désarmée, *Rebbe* Sander, alors plus jeune et moins imposant, me gronde si souvent que c'est entre nous comme un jeu où il serait le seul à ne pas savoir qu'il joue.

Il n'y a finalement que le mariage pour me remettre à ma place.

Je le dis sans hargne, Markus, il n'y a que le mariage pour apaiser l'individualité, ce morceau juvénile de nous qui souffre sans cesse d'avoir ce qu'il ne veut pas et de vouloir ce qu'il n'a pas.

Ton père est la meilleure chose qui me soit advenue.

Avec toi.

Ton père était intransigeant avec bonté, mais tu l'as si peu connu qu'il ne te reste peut-être que des bribes cassantes de lui, car il exigeait et il savait obtenir, mais il t'aimait, *sheyfale*, et il m'aimait assez pour me pousser jusqu'au bout de moi-même, là où bataillaient encore mes contradictions adolescentes.

Je mentirais en disant que les premiers mois de notre mariage ont été heureux. Comment auraient-ils pu l'être, avec moi braquée contre la discipline du corps, et lui qu'on m'avait affecté précisément en raison de la fermeté de la sienne ? Je n'avais pas refusé le *vort*, car j'aimais la droiture de son regard et le velours qui y dormait tout au fond. Mais le velours a mis bien du temps à monter à la surface. Les premiers mois de notre mariage, ton père a tout fait pour décourager la complaisance de ma chair, me touchant à peine et jamais *là*, transformant nos rencontres nocturnes en petites *mitzvot* expéditives dont j'émergeais aussi abasourdie que vide. Tu es venu très vite, heureusement. Mon corps a trouvé une nouvelle raison de s'épanouir avec toi, toi qui comblerais bientôt ma faim d'intimité, toi le cher premier, pavant une autoroute intérieure pour tous les petits à venir qui sacraliseraient l'opulence de mon corps, tous les petits à venir qui ne sont jamais venus.

C'est ton père qui m'a donné la force de traverser la première épreuve, et aussi sans le savoir toutes les épreuves futures encore inimaginables, dont sa propre disparition.

Gam tsu letoyvo. Que cela aussi serve le Bien.

Cette phrase en apparence anodine était son incantation quotidienne, et elle est devenue la mienne.

Qui aurait pu deviner que mon corps épanoui n'allait pas tenir ses promesses, me trahissant jusqu'au bout, ou peut-être me punissant de l'avoir maltraité, qui aurait pu prédire que mes hanches rebondies refuseraient de te livrer passage, et qu'après des complications sans nom ne subsisterait d'autre issue que celle de me vider au complet comme une poche de riz ? Qui aurait pu penser qu'à vingt ans je me retrouverais plus stérile et désertée qu'une vieille *bubba* qui a conduit à bon port sa douzaine de marmots ?

Pas moi. Ni ton père.

J'ai vu ton père aussi défait que moi pleurer pour la première fois, et la dernière.

Il aurait pu demander le divorce, puisque je ne pouvais lui assurer une famille, et c'est ce qu'auraient fait Moyshe et Avigdor, j'en suis sûre, et la plupart des hommes de notre communauté. D'ailleurs, aucun homme n'a voulu de moi, plus tard, après l'inimaginable, mais cela est une autre histoire.

Mais voici quel homme était ton père, Markus. Au lieu de me répudier, il a consolé en moi ce qui était inconsolable, et en surface est monté pour rester le velours qui dormait au fond de ses yeux. Je te dis ce que je n'ai jamais dit à personne, les six ans qui ont suivi ont été entre nous les plus beaux de ma vie.

Que cela aussi serve le Bien.

Il m'a fallu la pénétrer jusqu'à la moelle, cette incantation de ton père, cette exhortation à tout accueillir, pour comprendre que sur elle reposent la grandeur et la sagesse. Que cela aussi serve le Bien. Les joies surviennent et les tourments et les deuils, *gam tsu letoyvo,* les expériences défilent et disparaissent selon leur rythme secret et aucune d'elles n'est plus signifiante ou souhaitable que les autres, tout n'apparaît que pour révéler sa source, le seul Bien qui soit, la face triomphante de D.ieu.

Il m'a fallu la pratiquer à vif, dans un cœur dévasté, lorsque ton père à trente ans fut foudroyé, trente ans quelle aberrante apparente injustice, mourir si jeune, si jeune être abandonnée.

Gam tsu letoyvo.

J'y suis arrivée. L'acceptation n'exclut pas les larmes, et j'ai beaucoup pleuré, tandis qu'en même temps se creusait en moi une paix étrange, un lac lisse fait d'une eau plus tendre que salée.

Cette fois-là, j'y suis arrivée.

Mais assez de mots.

Je m'approche, Markus. Je m'approche de toi et je me tais maintenant. Je calme la tempête de mon esprit, je laisse la place nette pour te rencontrer. Aucun obstacle ne m'arrêtera, aucun de ces jeunes gens frénétiques ne m'affolera au point de me repousser. J'enjambe des corps, des pieds, je marche presque sur une fille en train d'allaiter. Allaiter au grand air, le sein découvert, le bébé au milieu du tumulte. Devant elle je m'arrête, parce que c'est trop.

Trop intime, cette jeune mère fusionnée avec son petit, ou plutôt c'est tout le reste qui est *trop* et qui devrait disparaître, les clameurs les tam-tam les danseurs, il n'y a de vrai que cet amour s'exprimant dans un total abandon, la petite bouche qui boit la vie de sa mère et la mère inclinée dans son adoration, je suis fauchée par leur déchirante fusion et je pourrais m'écrouler ici, oui, et pleurer à genoux et te supplier de toutes mes forces, tu es mon seul unique amour, *sheyfale*

sheyfale, tu es le lait de ma vie et l'artère qui pousse le sang vers mon cœur, je ne pourrai jamais accueillir ton départ ni lui dire oui, jamais, ton absence est un long cri de douleur.

Où es-tu ? Je te cherche parmi ces joueurs de percussions à la frénésie imperturbable maintenant à trois mètres de moi, où es-tu donc, lequel d'entre eux es-tu et comment se peut-il que je ne te reconnaisse pas ? Aurais-tu en si peu de temps tellement changé ou est-ce moi dont l'esprit se dérègle ? Je suis si proche, regarde-moi dans mes vêtements austères et ma perruque que j'aurais voulue blonde et mon allure désespérément hassidique, reconnais-moi, je t'en conjure, si moi je ne te reconnais pas.

Il n'est pas ici.

J'entends cette phrase en moi, aussi distinctement que si elle avait été prononcée par quelqu'un d'autre.

Je crois bien que je vais m'affaisser sur moi-même, lorsqu'une main secourable me prend par le bras.

Venez à l'ombre, il fait si chaud.

Une vieille dame élégante est à côté de moi, me regardant avec commisération, me soutenant avec une énergie étonnante pour son âge. Trop atterrée pour protester, je la suis hors du cercle des tam-tam, près d'un bouquet d'arbres où elle me conduit, sur un banc où elle s'assoit avec moi. Je voudrais la remercier, mais aucun mot ne parvient à franchir ma gorge serrée, et elle répond quand même en hochant la tête, avec une sympathie sévère et des lèvres ridées qui ne savent plus sourire. Elle est aussi déplacée que moi au milieu de ces jeunesses extravagantes, dans son collier de perles et sa robe de laine mauve.

Ici on est bien. Il fait frais, reposez-vous.

Elle lisse des plis invisibles sur sa belle robe, elle parle sans me regarder, on dirait même sans ouvrir la bouche.

On est mieux ici. Loin de ces maudits tam-tam de sauvages. Les jeunes, ils sont jeunes, qu'est-ce qu'on peut faire. Il faut bien qu'ils vivent. Quitte à nous marcher sur le cœur.

Je ne sais pas ce qu'il faudrait lui répondre ni pourquoi elle me parle. Mais cela crée une diversion de paix au milieu de mon tumulte, et je ne souhaite pas qu'elle se taise.

Il est resté en Inde bien trop longtemps. J'ai bien essayé de l'attendre, mon petit Laurel, mais qu'est-ce qu'on peut faire. On n'a pas pu se revoir. C'est comme ça, les jeunes. Il faut bien qu'ils vivent.

Je ne sais pas de quoi elle parle, mais je la regarde pour l'encourager à poursuivre, à continuer de remplir le vide.

Entendez-vous ce que j'entends ? Écoutez ! C'est si beau, de la vraie musique.

Il est vrai qu'on perçoit nettement de la musique par-dessus les percussions plus lointaines, de la musique douce portée par des instruments à cordes et une voix qui chante. Le vent s'est levé et le soleil glisse lentement vers la montagne, je dois rentrer, Surie Avigdor et les enfants m'attendent et s'inquiètent, il sera bientôt l'heure pour moi d'allumer les bougies, les bougies du sixième soir de Pessa'h.

Écoutez. Écoutez bien…

Il est temps de rentrer. Je me prépare à la saluer, à la quitter pour toujours.

Kol Nidrei... Ve'esarei Ush'vuei, Vacharamei...

La voix chante. La voix chante le *Kol Nidrei*, la voix chaude, reconnaissable entre toutes, et je me lève d'un bond.

Tu es là. Tu es là au milieu d'un petit groupe sous les arbres, deux filles jouent du violon et toi, toi. Je m'approche. Tu joues aussi d'un petit instrument que je ne connais pas, et tu chantes, oh ta voix de rossignol adulte portant haut le *Kol Nidrei* terrible de beauté, tu es toujours toi malgré ton déguisement, ta blouse blanche échancrée sur la poitrine, tes jambes nues, tes cheveux en bataille comme les jeunes goyim, tu ne peux pas cesser d'être toi.

Je m'appuie contre un arbre, je me tiens le cœur à deux mains. Je me tourne vers le banc derrière moi pour quêter de l'aide, une approbation, mais la vieille dame n'y est plus.

Vekonamei, Vekinusei, Vechinuyei...

Comme tu chantes. Comme tu chantes de tous les pores de ton corps d'homme, le visage radieux, les yeux fermés sur ta ferveur, comme l'exultation monte de toi et se répand et me traverse.

Les deux *schiksot* à côté de toi te regardent avec tendresse, t'écoutent avec admiration, leurs doigts minces sur les cordes de leurs violons comme des caresses, et tu finis par ouvrir les yeux, tu finis par finir de chanter, et tu les regardes te regarder et tu te mets à rire avec elles.

Comme tu sembles heureux.

Ta tête tourne lentement dans ma direction. Au moment où ta tête lentement vers moi tourne, au moment où tu me verrais, car tu ne pourrais pas ne pas me voir, je me glisse tout à fait derrière l'arbre, c'est la seule chose à faire et cela vient de bien plus profond que moi, je me cache derrière l'arbre et j'échappe à ton regard.

Gam tsu letoyvo.

Que cela aussi, déchirant et insurmontable, que cela aussi serve le Bien.

LE BIEN NE FAIT PAS DE BRUIT

Que cela aussi serve le Bien.

C'est l'exhortation stoïque qu'ils pourraient adopter en ce moment ingrat où l'Histoire les malmène. Et c'est sans doute ce qu'ils font, car ils restent avares de récriminations lors de cette dernière soirée qui les voit ensemble.

Paul l'a invitée à sa table.

Ils soupent de pain et de lard, accompagnés de fèves du petit jardin et de lait caillé écrémé. Il y a aussi du poisson frais qu'un colon vient de leur apporter, et du melon et de la citrouille qu'un autre a tenu à leur offrir, car l'affliction est grande parmi les habitants de Ville-Marie depuis qu'ils savent que leur gouverneur les quitte.

Paul lui a versé du vin de Champagne, et elle en boit, elle qui ne boit jamais de vin.

Paul de Chomedey, sieur de Maison-Neufve, qui a tout donné, sa jeunesse, sa flamme et la moelle de sa vie à l'Isle de Montréal, qui a sauvegardé l'impossible avec rien, accompli des miracles sans ressources, vient d'être remercié de ses services par l'administration nouvelle, sous la pression secrète de Kebecq et de son récent Monsignore.

Il est prié de passer en France pour s'occuper de ses

affaires, *renvoyé brutalement pour cause d'*incompétence *et de caducité.*

Il sera à bord du prochain navire quittant la Nouvelle-France en ce début de novembre 1665, le Vaisseau de Normandie.

Le ciel d'automne est encore embrasé par le couchant, un incendie de couleurs vives qui se propage à l'infini, et de temps à autre ils cessent de parler pour écouter les outardes qui criaillent leur départ aussi, pour se perdre du regard dans cet horizon illimité qui n'existe pas ailleurs.

Ils sont si chavirés que le moindre vent risquerait de les abattre, s'ils n'avaient tous deux le cœur moulu par l'adversité, habitué à puiser du courage dans ce qui semble fait pour le saper.

Au fil du repas ils se prennent même à sourire, car le bilan de ces vingt-trois ans de colonisation, une main sur la hache et l'autre sur le mousquet, *comme le résume lapidairement Paul, est saturé d'épisodes épiques qu'il est impossible d'oublier.*

Ils sentent encore le grand tremble-terre d'il y a deux ans, neuf séismes majeurs en autant d'heures, suivis de secousses pendant des mois, accompagnées de manifestations terrifiantes et de feux dans le ciel…

Ils revivent l'allégresse de cette Année des cent hommes, où la recrue emmenée par Paul a changé à jamais le cours de la vie à Ville-Marie, si elle n'a pas éteint la férocité des attaques à venir…

Car encore il y a trois ans, soixante-dix colons sont morts aux mains des Iroquois. Sans compter les nombreuses pertes à Kebecq, et à Tadoussac qui a dû se saborder, et aux Trois-Rivières…

Ils ne peuvent que parler et reparler des Iroquois.

Les Iroquois forgent la trame rugueuse de la plupart de leurs souvenirs.

Ils sont la source de ce mois de mai héroïque à Long Sault, en amont de l'Isle, où Adam d'Aulac Dollard des Ormeaux, secondé seulement de seize Montréalistes, a résisté pendant dix jours à plus de huit cents de leurs guerriers, impressionnant les belligérants au point de rendre improbables les attaques projetées sur l'Isle…

Ils sont la cause encore des prodiges attestés par Louis Cuerrier, leur prisonnier de cette époque – le visage du père Le Maistre décapité juste en sortant de la messe où l'on venait précisément de souligner la Décollation de saint Jean-Baptiste, imprimé si nettement sur le mouchoir dans lequel l'Iroquois l'emportait en trophée que des mois plus tard on reconnaissait sur le tissu chacun de ses traits… Et la tête de Jean de Saint-Père qui, même coupée, continuait de haranguer les Agniers dans leur langue, qu'il ne connaissait pas de son vivant…

Les Iroquois sont finalement pour beaucoup dans la bravoure sans faille et la trempe d'acier des Montréalistes, même si un autre déclencheur moins sanguinaire aurait sans doute fait l'affaire…

Ils mangent et ils parlent. Il leur est si facile et léger d'être ensemble que personne en ce moment ne pourrait se douter qu'ils sont en train de consommer leurs adieux.

Maintenant, puisqu'il a été question de bravoure, le souvenir de la Parmenda vient de s'inviter à leur table, les déridant jusqu'au fou rire. La Parmenda demeurera à jamais le surnom de Martine Primot, née Messier, cette costaude Normande qui a fait fuir l'Agnier s'apprêtant à la scalper en lui empoignant les parties, et qui a terrassé d'une gifle le Français qui s'en venait l'étreindre de joie: Parmenda! Je croyais qu'il me voulait baiser!…

Paul sait imiter si plaisamment le patois normand.

Il aime l'humour, et il a eu si peu l'occasion de l'exercer que, ce soir, il ose la taquiner au sujet des femmes de la colonie. À qui sont-elles véritablement redevables de leur force? Est-ce bien aux Iroquois? Ne serait-ce pas plutôt à elle, le modèle maternel parfaitement énergique de l'Isle de Montréal? Car, il le lui rappelle avec un demi-sourire, en tant que seul magistrat de Ville-Marie, il a dû au cours des années juger nombre de femmes pour violence et voies de fait – sur des hommes…

Même la chienne Pilote, la bête favorite de Lambert Closse, restera dans les mémoires comme une petite femelle infatigable pour dépister l'ennemi…

Puis la griserie du vin s'estompe peu à peu, et la pénombre en même temps que le silence gagnent la salle à manger du gouverneur.

À mi-voix, ils évoquent l'ombre de l'échec. Aucun Indien n'est aujourd'hui établi dans l'Isle, et c'était pourtant là le projet fondateur.

Mais les projets affrontent la réalité et s'y soumettent. Les Jésuites ne nourrissaient-ils pas le projet de transformer les orignacs *et les élans en bêtes de labour? Ils se permettent d'en sourire, ce soir, comme il leur faut peut-être sourire du projet de transformer les Sauvages en chrétiens sédentaires.*

Bientôt, ce sont les visages aimés des morts qui viennent les retrouver.

Jérôme Le Royer de La Dauversière s'est éteint dans les bras de François de Sales, essoufflé de douleurs, empor-

tant dans sa débâcle financière l'argent que la Bienfaitrice destinait aux Hospitalières de Montréal.

La Bienfaitrice elle-même est morte l'an dernier.

Et Nicolas Godé, de la première cohorte de 1642, finalement rattrapé à soixante-dix ans par l'ennemi de toujours. Comme Lambert Closse, le vaillant Raphaël-Lambert Closse, qui laisse derrière lui un enfant de sa courte union avec Élisabeth Moyen.

Les enfants sont l'avenir radieux de la colonie.

Il y a en ce moment soixante-dix enfants vivants, entre six et treize ans, dont près de la moitié sont des filles.

On vient de marier Jeanne Loisel, la première enfant de l'Isle à avoir survécu.

La vie est forte. Ils conviennent que la vie est forte, même s'ils ne savent dans quelle direction elle poussera ses racines.

Une nouvelle chapelle, Notre-Dame-de-Bon-Secours, a finalement été construite. L'Hôtel-Dieu, son *hôpital, n'a cessé de s'agrandir, et la jeune Marie Morin, née du premier colon de Kebecq, a rejoint les Hospitalières à tout juste treize ans. C'est pour l'heure la seule novice, et rien ne permet de savoir qu'elle deviendra un jour supérieure de l'établissement, ni qu'elle en rédigera les annales pendant vingt-huit ans.*

La colonie se mue en un vrai village. Une fois par année, une grande foire des pelleteries se tient sur la plaine de la Commune, attirant des visiteurs de plus de soixante lieues à la ronde : cinq cents Indiens viennent participer à la traite des pelus, *des marchands dressent boutique, c'est la fête.*

C'est la fête, et la traite de l'eau-de-vie est maintenant tolérée, malgré les interdits de Paul. Les Algonquins, les

Hurons, les Iroquois alliés succombent dramatiquement à l'alcool, semant chez les Blancs les germes d'un mépris insidieux pour les Nations au complet.

Plusieurs colons se sont enfuis dans la forêt, gagnés par la barbarie. Ou la liberté.

La vie est forte. Mais on ne sait dans quelle direction elle poussera ses racines, ni quels territoires elle laissera incultes.

Ils savent bien que toute une façon de vivre la colonie est en train de mourir.

La Nouvelle-France vient d'être fondée une seconde fois, et il n'est plus question de primitive Église.

Ville-Marie était en banqueroute, Ville-Marie va au moins pouvoir recommencer à payer les appointements de ses officiers publics.

Ils conviennent – comment faire autrement – que ni les associés appauvris ni les Sulpiciens, derniers propriétaires de l'Isle, ne sont arrivés vraiment à administrer leur territoire insensé et perpétuellement menacé. Le jeune Louis XIV a peut-être entendu les mots lapidaires de Marie de l'Incarnation, à Kebecq : Ou exterminer les Iroquois, ou voir tomber la colonie. *Dorénavant, la Nouvelle-France au complet, dont l'Isle de Montréal, est province royale. Et l'armée royale, sous la forme du régiment de Carignan, est sur le point de marcher sur les Iroquois, dont elle ne fera qu'une bouchée.*

Paul n'assistera pas à la débâcle de ses vieux ennemis, et il s'en montre étrangement soulagé.

Dehors, l'obscurité est maintenant totale.

Elle n'a pas parlé d'elle, de ses déboires à elle.

La salve vient de Kebecq, encore, et elle atteint des proportions inattendues.

François de Montmorency-Laval, évêque de Pétrée maintenant en poste en Nouvelle-France, a détecté dans les chiffres de l'Hôtel-Dieu que 22 000 livres avaient été acheminées hors de l'établissement, en l'année 1659 – l'Année des cent hommes, l'année où elle a « sauvé le tout par cette partie », avec le consentement de la donatrice, Madame de Bullion.

Aucune attestation officielle de ce consentement n'existe, puisque Madame de Bullion tenait à demeurer la Bienfaitrice anonyme.

Ne reste que la parole de Maison-Neufve, et sa parole à elle, pour contrer les allégations de fraude.

Car c'est là où on en est. Monseigneur de Laval l'accuse de détournement de fonds, et réclame cet argent sans relâche.

C'est lui encore, bien sûr, l'éminence grise derrière le bannissement de Paul.

Elle a beau lui écrire et réécrire sans cesse des explications détaillées pour défendre son geste, il reste imperturbable et menaçant.

Marie de l'Incarnation, pourtant si respectueuse de l'Église, avancera devant l'évidente intransigeance de Monsignore que peut-être s'il n'était pas tant mort à toute chose matérielle, tout irait mieux.

Elle n'oserait jamais, pour sa part, émettre le moindre reproche à son endroit.

Mais son désarroi est total.

Elle a tout donné, plus que sa vie même, pour que se répandent l'éternité et le nom de Dieu, et voici que Dieu, en la personne de son représentant sur terre, vient l'accuser d'être une voleuse.

Elle ne sait pas encore qu'il la harcèlera jusqu'à la fin

de ses jours, ni que jusqu'au dernier souffle elle emploiera ses forces usées à rédiger des billets désespérés pour se défendre.

Mieux vaut ne pas savoir dans quelle direction la vie pousse ses racines.

Paul de Chomedey, sieur de Maison-Neufve, incompétent.

Jeanne Mance, voleuse.

Près de quatre cents ans plus tard, ce même jésuite pétri de vertu tatillonne et comptable se trouvera canonisé par ses pairs – et pas les autres, aucun des autres qui ont allumé la flamme et se sont consumés pour Ville-Marie.

Peut-être a-t-elle pensé tout haut. Paul vient de lui mettre la main sur l'épaule en l'appelant : Jeanne. *Avant, il disait toujours :* Mademoiselle Mance, *avec ce petit sourire de déférence amusée sur les lèvres, et maintenant, il dit :* Je vous écrirai, Jeanne.

Ils ne se reverront jamais.

La nuit est tombée, mais ils tardent à se lever de table. Paul empoigne son luth. Il n'a jamais joué devant elle, c'est ce soir qu'il le fait. Il joue et il chante une vieille complainte, d'un compositeur milanais surnommé Il Divino. *C'est ce qu'il lui dit avant de chanter –* Il Divino *–, et il lui dit aussi qu'il laisse tout derrière à Ville-Marie : ses meubles, ses tapisseries, ses livres, et ce luth – qu'il offrira peut-être à un Agnier, ajoute-t-il avec un sérieux improbable.*

De mon triste desplaisir / à vous belle je m'y complains / car vous traictez mal mon désir / si durement que je m'y plains.

La ballade amoureuse frivole a si peu à voir avec leur vie âpre que ça ne peut que lui arracher un sourire.

C'est tout ce qu'il souhaite, en ce dernier instant où ils s'attardent ensemble sur l'écran du temps, la voir sourire sous les larmes qu'elle retient.

CE QU'IL RESTE DE MOI

Tu t'habitueras, Laurel.

Tu n'auras pas toujours le vertige et la nausée face à la liberté crue, et même si cela était tu t'habitueras à ce que ton corps s'adonne à ses petites frasques de corps sans que ça te fasse un pli.

Tu chignais depuis si longtemps pour mettre la main sur ta véritable identité. La voici finalement, et elle ne te plaît pas.

Ta véritable identité, c'est de ne pas en avoir. Est-ce assez hilarant.

Que veux-tu, c'est à ça que ressemble la liberté vraie, quand il n'y a plus de compartiments pour te contenir, c'est vertigineux et transparent, et pas du tout une petite tablette de chocolat sucré, pas un nanane pour bébés assoiffés de lait spirituel. Tu t'habitueras, je te le dis, et tu ne voudras bientôt plus avaler autre chose.

En attendant, croque tes Pepto-Bismol, maîtrise tes haut-le-cœur, et concentre-toi, je te prie, sur ce qui t'importe le plus en ce moment.

Son cœur, précisément.

Le cœur de Jeanne dans une boîte de plomb. La boîte de plomb dans une chapelle. La chapelle dévastée dans l'incendie de 1695.

Active tes neurones, Laurel. À quelle température le plomb fond-il ?

Le plomb fond à 327 degrés Celsius.

Quelle est la température d'un incendie dans une chapelle ?

La température d'un incendie raisonnable, surtout quand le combustible est du beau bois franc de Nouvelle-France, dépasse facilement les 600 degrés Celsius.

Voilà qui a certainement dû mettre un terme à son cœur, et qui devrait par le fait même en mettre un à ta quête. Et pourtant non.

Quelque chose de têtu te dit que son cœur n'a pas pu brûler. Pas le sien, si ouvert, si impérissable. Quelque chose te dit que la boîte de plomb a échappé à l'incendie.

Verse-nous un verre de pineau des Charentes. N'oublie pas les deux glaçons.

Tout ça à cause de Marie Morin. Depuis que tu connais Marie Morin, le doute est en train de se muer en une intuition inébranlable.

Marie Morin, qui voue une vénération de montagne à Jeanne, n'a pas pu laisser *cela* se faire. C'est clair et net.

Depuis qu'elle a treize ans, Marie Morin, sa petite face de souris est tournée passionnément vers Jeanne. Elle est devenue intoxiquée aussitôt qu'elle l'a entendue, à Kebecq, raconter la Folle Entreprise de Ville-Marie, et depuis elle la suit comme une teigne amoureuse. Elle endure la misère chez les Hospitalières de Montréal, mange du pain dur comme de la glace, crève de froid sans émettre un fantôme de plainte, pourvu qu'elle puisse apercevoir ici et là la reine infatigable sous sa cape et son éternel petit chapeau. Les derniers mois de la vie de Jeanne, elle peut enfin se coller dans son intimité, lui apporter ses tisanes, nettoyer ses lunettes, remonter ses coussins, et se permettre de la tancer parce qu'elle s'épuise à son courrier fastidieux, toujours le même, les justifications au Monsignore, elle se met même à exécrer profondément le Monsignore au point de commettre sans doute là un péché mortel.

C'est elle qui dépose en sanglotant le cœur de Jeanne dans sa boîte de plomb sous la lampe du sanctuaire, afin que la reine puisse continuer à veiller sur ses bien-aimés Montréalistes, selon ses derniers souhaits.

Comment veux-tu qu'une adoratrice de cette trempe se croise tranquillement les bras en attendant que l'incendie crame au complet le sacré *cœur* ?

Une intuition inébranlable te dit que le cœur dans sa boîte corrodée est enfoui sous le sol, quelque part en l'*Isle,* et qu'il continue de libérer lentement les atomes de ses battements, lentement depuis des siècles.

Cela mérite un autre verre. Un seul glaçon fera l'affaire.

T'ai-je dit que le noir de tes murs noirs donnerait le cafard à un cafard ?

Le noir de tes murs noirs n'a beau être qu'un détail insignifiant dans l'infini de ce qui constitue désormais ton espace, je t'assure qu'il est hideux et qu'il joue pour beaucoup dans tes haut-le-cœur à répétition – eux aussi insignifiants dans le bien-être de ton corps cosmique, je veux bien, mais agaçants au possible quand il s'agit de poursuivre un peu sérieusement une conversation.

Et puis cet environnement de carnaval. Le boulevard De Maisonneuve est une annexe touristique pour itinérants avinés, junkies et putes au sexe indéterminable, et c'est là qu'il fallait que tu t'échoues. T'ai-je dit que j'aurais souhaité plus que tout au monde que tu emménages dans la maison de la rue Jeanne-Mance, ceinturée de pivoines parfumées et de calme beauté – et accessoirement de pittoresque hassidique ? C'est évident qu'il aurait fallu le mentionner dans ces horribles papiers funéraires, mais que veux-tu, le couperet tombe toujours plus tôt qu'on ne le pense.

Et ce vacarme. Un tel vacarme n'est pas salubre, ni tolérables de tels cris de mort : pour un peu, on croirait entendre les Agniers déferler en hurlant sur les pauvres Montréalistes.

Jette au moins un coup d'œil par ta grande fenêtre. C'est une horde qui envahit ta rue, c'est une manifestation, c'est une émeute. Non, finalement, ce n'est que *ça* : des partisans enfiévrés, des sportifs de salon qui viennent d'assister à une première victoire de leur équipe de hockey idolâtrée et qui maintenant répandent leur exultation comme si c'était de la colère dans ta rue.

On ne sait pas comment les Canadiens de Montréal parviennent à maintenir la fièvre de leurs partisans, alors qu'ils ont visiblement perdu l'itinéraire qui mène à la coupe Stanley.

La fièvre, oui. Une fois il y a longtemps, tu t'es retrouvé au Centre Bell, ce palais des fièvres polaires, traîné de force par Thomas, rappelle-toi, et ta zénitude new age a été balayée par l'ampleur des électrochocs que tu as reçus.

Go, Habs, go. Go, Habs, go. Il y avait là, rappelle-toi, une telle puissance dans cette harangue concertée, cette *prière* collective, que le toit de l'édifice et la terre elle-même t'en paraissaient trembler, que l'humanité entière te semblait soudain revêtue du même chandail tricolore et de la même vibrante aspiration à se fondre en un, à se dissoudre dans la chaleur extrême d'une galaxie se mettant au monde. Je n'invente rien, ce sont tes mots d'alors même s'ils peuvent sonner quelque peu excessifs, tes mots de jeune scribe d'alors tentant de rendre l'expérience avec le plus d'acuité possible – *Go, Habs, go…* –, une galaxie, avais-tu dit, tous les individus, hommes femmes enfants, tous en train d'être avalés par le brasier et de devenir un seul cœur battant.

Ce sont tes mots. Tu avais alors parlé de cœur et ça n'a rien d'étonnant puisque c'est évidemment de cœur qu'il s'agit.

Je sais ce que tu penses et je pense la même chose.

Les partisans des Canadiens de Montréal ne savent pas ce qui les transporte à ce point, mais ils n'en sont pas moins complètement transportés.

Écoute-les ne pas dérougir dans ta rue.

Leur cœur collectif résonne avec le *sien,* enfoui sous eux dans sa gangue de plomb, même s'il n'y a pas moyen de savoir où.

Tout est entrelacé, Laurel, est-ce assez hilarant. Ce nom-là, les *Canadiens,* on a oublié que c'était aux Agniers qu'il s'appliquait jadis, aux soi-disant *Sauvages* dans leur royaume du Canada. Et on a oublié que ce sont les descendants des Agniers, les Mohawks, qui ont pratiqué les premiers le hockey à Montréal, avec leurs voisins irlandais de Griffintown, après leurs âpres journées de travail à édifier le pont Victoria.

En ce moment, pendant que ça hurle de joie boulevard De Maisonneuve, les Mohawks ont le caquet bas à Kahnawake. Ce sont des partisans féroces et hautement *transportables,* eux aussi, mais passionnés pour n'importe quelle équipe de hockey qui vient d'ailleurs combattre l'ennemi séculaire francophone, pour n'importe quelle équipe qui n'est pas les *Canadiens.*

Est-ce assez hilarant.

À moins que ça ne soit tragique, ce qui revient au même.

Le cœur de Jeanne n'en a cure, il continue de battre indifféremment pour tous, ceux qui rient ou ceux qui pleurent, les Mohawks comme les pures laines comme les venus d'ailleurs, tous ceux-là susceptibles d'être allumés par ses pulsions clandestines.

Tu as soudain le tournis, et ça n'a rien à voir avec tes haut-le-cœur.

Soudain, ça te semble immense et vertigineux, le champ des *allumés* sans savoir pourquoi, toutes ces ferveurs plus grandes qu'humaines qui s'ébattent partout en quête de l'inaccessible.

Ceux qui traquent Dieu dans les croissances personnelles, alors que c'est la *décroissance* qu'il leur faudrait viser, ceux qui s'échinent à créer des œuvres de beauté autant que de laideur, ceux qui tentent de sauver le monde, ceux qui défendent les baleines et les abeilles, ceux qui astiquent passionnément leurs indéfectibles croyances, dans les religions dogmatiques, dans la santé par le *cru,* dans l'immortalité par le sport, dans le bonheur par l'amour, par la célébrité, par le magasinage, par l'ingestion d'alcool, de sexe, de dope, de succès, par la souveraineté du pays, tous ceux-là aspirant à être aspirés par le haut.

Même ceux qui s'assoient devant des autels de pacotille jour après jour, dans l'artifice et le clinquant des néons, implorant le dieu du hasard de leur être favorable. Tu en as vu plusieurs, de cette sorte fragile et fanatique, la couche aux fesses pour ne pas avoir à quitter leur *machine* qui finirait bien par donner, toutes leurs fibres tendues vers le gain à venir qui ne vient jamais.

Car une fois, tes écritures pour Thomas te commandant des recherches sur le personnage Tobias Crow et ses comportements erratiques, tu es allé au casino.

Ce que tu as vu là ressemble à un embrasement des instincts primaires, à une version tapageuse et *soft* de l'enfer.

Et dire que ce sont les *gouvernants* qui maintiennent allumés ces feux pitoyables, empochant d'une main les redevances de l'avidité et s'adonnant de l'autre à des mises en garde hypocrites pour prévenir la compulsion qu'ils provoquent.

Le sieur de Maison-Neufve, même exilé au fin fond de Paris, doit s'agiter parfois douloureusement dans sa tombe.

Ce n'est certes pas là qu'on voulait aller, Laurel, mais c'est là qu'on se trouve.

En pleine plate constatation, en train de déguster un petit verre d'amertume. Et Dieu sait que l'amertume n'a pas la délicatesse du pineau des Charentes.

La quête vers le haut se perd souvent dans d'invraisemblables chemins de traverse : et puis après ?

Rentre ta queue de chemise dans ton pantalon, nettoie-moi un peu ces lunettes, requinque-toi, que diable, et retournons à la tienne, de quête. On en était à cette damnée boîte de plomb, enfouie quelque part par une vieille fille trop pingre pour nous en glisser ne serait-ce qu'une allusion dans les milliers de pages somnifères de ses interminables *Annales.*

Entends-tu ce que j'entends ?

Je ne parle pas des excités de ta rue, aux registres de voix si brutalement prévisibles qu'on finit par ne plus les entendre, mais de la musique qui monte et enveloppe, de la vraie musique soudainement tout près, céleste et subtile et absolument délicieuse, on dirait même que ça provient de ton corridor, d'immédiatement derrière ta porte.

Tu vas ouvrir, et tu es étonné.

Le jeune homme qui était adossé à ta porte est encore plus étonné que toi, et il s'affale de tout son long dans ton vestibule et ça fait un grand bang, la rencontre avec le sol est violente, car elle n'a pas été atténuée par ses deux bras toujours levés pour protéger son instrument de musique, une manière de vieux petit violon qui ne méritait pas tant d'égards – penses-tu.

Il se relève, plus désarçonné que blessé, il s'épousssette, et je crois bien qu'il s'étouffe de rire. Toi aussi, heureusement, car il m'aurait été extrêmement désappointant que tu le reçoives avec animosité, ce jeunot hurluberlu qui vient de loin et qui ne connaît pas les bonnes manières même s'il a du cœur, ce pauvre petit Markus.

— Je suis Markus Kohen. Et c'est Laurel, c'est bien Laurel, petit-fils de *Mrs. Boucharde* ?

Pauvre petit Markus. C'est une joie de savoir que sa vie est repartie du bon pied, que Gaby s'est finalement acquittée de sa tâche et lui a remis l'argent du *schtreimel* et même le *schtreimel* lui-même, le bébé et l'eau du bain en surplus, nous voilà plus que quittes. Mais tu ne sais rien de tout ça, et tu regardes la main qu'il te tend.

Tu es bien obligé d'en faire quelque chose.

— Exact, dis-tu en la lui serrant brièvement, et ceci où tu te trouves est aussi l'appartement en principe *privé* de Laurel, petit-fils de *Missize* Bouchard.

— Excuse, excuse. Je pensais que tu étais pas là, je sonnais avant au moins dix minutes et pas de réponse, excuse donc.

Il regarde les murs de ta tanière noire en poussant des sifflements de surprise, et même d'admiration.

— Ah, sourit-il. Elle l'a fait, elle a fait ce qu'elle a dit qu'elle fait.

— Qu'elle ferait, FERAIT, le reprends-tu machinalement, car tu as toujours été allergique, même tout jeune, aux écorchures que l'on inflige au français, à moins que ça ne soit autre chose qui commence à t'énerver.

On peut savoir de qui tu parles ? es-tu sur le point de lui demander avec une note acidulée dans la voix, quand tout à coup tu le reconnais. L'élève dans la classe de français de ta tante Gabrielle. Le zélé, le doué, le téteux à la fin des cours, le prétendant de Gaby.

— Je l'aime, déclare sans ambages Markus.

— Ah bon, fais-tu en soupirant comiquement. Mais elle n'est pas un peu vieille pour toi ?

— Pas important ! tranche Markus. J'ai un cœur très très vieux.

Et ainsi de suite, le quiproquo pourrait s'éterniser de cette façon plaisante, plaisante pour toi qui crois te trouver aux premières loges d'une histoire d'amour impossible, trop étrangère pour t'émouvoir. Mais le nom de Maya surgit, finit par surgir, hélas, encore une fois ressuscitée des cendres où je l'ai bien crue pour toujours enfouie, damné phénix.

Et voici le vrai test pour toi, Laurel, si facilement écorché par tous ceux qui tournaient autour de Maya avant, avant que la liberté t'explose en mille pièces et ne te restitue rien de ce que tu croyais être toi, voici le moment de vérité. Tu fronces un moment les sourcils, des vaguelettes d'émotion viennent t'éclabousser, dont une plus forte qui porte encore l'embrun de la jalousie, et puis tout ça se dissipe en un tour de main. Tu es un homme libre. Tu souris à Markus avec un amusement de grand frère, tu lui offres de ton chai trop sucré et il l'accepte.

Ensuite, assis face à face la tasse à la main, comme les diplomates courtois de deux pays en guerre, vous parlez d'elle. Interminablement vous parlez d'elle, comme s'il y avait matière à exploration dans cette falote créature dépourvue de substance – une carcasse et c'est tout, *what you see is what you get*, une jolie carcasse, d'accord, mais donnez-lui encore trente ans d'usage et qu'est-ce qui en subsistera ?

Le pauvre petit Markus ne pouvait choisir pire jouvencelle pour faire son entrée amoureuse dans le vrai monde, mais tant pis, il apprendra à la dure que les apparences sont parfois plus trompeuses dans notre univers que dans celui qu'il a quitté. Après vous être entendus sur deux ou trois choses – sur le fait qu'elle soit belle, oh là là, vous n'en revenez pas à quel point elle est bêêêlle, et sur le fait qu'elle soit *fantasque*, c'est ton mot à toi, Laurel, car le français de Markus n'est pas aussi élaboré et le mot *folle* aurait sûrement mieux convenu –, vous vous braquez. Toujours poliment, surtout toi qui ne te défais jamais de ton sourire fendant. Le petit Markus est persuadé que c'est avec lui que la donzelle finira ses jours, que c'est de lui qu'elle a besoin, et pas d'un frivole sans cœur capable de l'abandonner des mois sans donner de nouvelles, et qu'il s'acharnera à l'en convaincre, et qu'il emploiera le reste de sa vie s'il le faut à cet usage héroïque. Sa grandiloquence maladroite est comique, et vous en souriez tous les deux, mais tu perçois aussi tout ce qu'elle contient de déclaration de guerre, et alors comme il n'est pas question de vous mesurer au couteau de cuisine tu l'entraînes plutôt dans des débats philosophiques – *Qu'est-ce que l'amour? De quoi est fait cet amour dont toi, Markus, tu dis déborder?* –, mais c'est sans compter que le jeunot vient d'une culture portée fort sur les débats et les harangues, et vous débattez, vous débattez, et je décroche et je ne vous écoute plus.

Vous êtes suprêmement ennuyants.

Finalement, une bonne rixe avec lèvres fendues et nez écrasé aurait été plus divertissante.

Et puis tout à coup vous parlez de moi.

Enfin.

Vous parlez de moi, et ça suffit à vous rabibocher complètement, à vous transformer de belligérants hargneux à frères de sang. Et tu sors de nouveau la bouteille de pineau des Charentes, et vous la videz à ma santé.

Ah, Laurel. Je n'ai pas de mots pour dire l'émotion que ça engendre. Tu verras toi aussi plus tard, même quand il n'y aura plus du tout en toi de tiroirs pour emmagasiner les fabrications de l'esprit, quelque chose continuera sans fin de frayer dans tes artères disparues et d'allumer des incendies dans ton corps désormais inexistant, et ce sera toujours et uniquement l'amour.

Je ne parle pas des pitoyables feux de paille et d'organes dont vous êtes encore victimes, jeunes hommes débordant de liquides séminaux, rien à voir avec ce qui te fait fondre et bander pour une jolie carcasse, je parle de l'amour qui est la même chose que la somme des mystères ou que le Très-Haut de l'absolu, qui est un autre nom pour ce qu'on adore de tout temps sous un vocable fourre-tout parce qu'on est avare et court de vision.

Il n'est pas étonnant que ce soit justement Dieu qui s'amène après dans votre conversation, c'est là où vous en êtes, c'est là que je vous ai hissés sans en même temps y être pour quelque chose.

La question solennelle de Markus – *Toi, Laurel, crois-tu en Dieu ?* – te fait soupirer et tu ne vas certainement pas répondre platement oui ou non, et vous vous carrez tous les deux dans vos fauteuils avec une sorte de délice préparatoire aux débats qui vous excitent : *Il faut s'entendre,* commences-tu par lancer, *il faut s'entendre sur ce que tu entends par Dieu, s'il s'agit d'un objet, c'est-à-dire d'une force à l'extérieur de toi, d'une espèce de bonhomme surdoué qui a tout démarré et qui continue de tout gérer de là-haut, les sanctions les récompenses, c'est évident que je ne suis pas partant, alors je t'écoute, Markus, qu'entends-tu, toi, qu'entends-tu au juste par Dieu?*

Cette fois je suis tout à fait intéressée à entendre la réponse du cher petit Markus, lui qu'on a malaxé vingt ans de temps dans la pâte divine saupoudrée de jéroboams de levain hassidique, et toi aussi tu es tout ouïe au creux du beau fauteuil de cuir grège que je t'ai offert, et c'est ce moment que ça choisit pour cogner à ta porte, ça cogne fermement et joyeusement comme s'il était onze heures du matin plutôt que onze heures du soir, onze heures onze précisément – pas une heure pour faire des visites et perturber l'intimité et réveiller les travailleurs éventuels qui reprennent des forces, pas du tout une heure raisonnable et civilisée et c'est bien entendu celle qu'*elle* a choisie.

Elle se tient droite devant ta porte et elle te sourit comme si c'était normal.

— Je viens repeindre tes murs, elle te dit. J'ai tout ce qu'il faut : des gallons de blanc, des rouleaux, des pinceaux, deux bouteilles de merlot.

Tu ne lui demandes pas si elle couche encore avec tout le monde et pourtant tu devrais. Tant pis pour toi. Tu la laisses entrer, qu'est-ce que je puis y faire?

Elle ne te rappelle donc rien, tu ne vois donc pas ce qui saute aux yeux?

Je te le dis puisque tu refuses de le voir, elle est la copie conforme de ta mère dans son jeune temps – ta mère que tu appelais *Iouniverselle* avec cette lucidité décapante de ton adolescence : même joliesse tape-à-l'œil, même espèce ouverte à tout venant qui ne peut que faire pleurer, et Dieu sait que le pauvre Thomas en a arraché avant de finalement se décider à la quitter dans un sursaut de survie. Ta mère morte violemment en plus, pour empoisonner le reste de ta jeune vie, morte par sa faute, à force de fréquenter des infréquentables venus d'ailleurs, morte tuée par une maladie contagieuse, comme celle-là finira aussi si elle continue à s'ouvrir les jambes devant les légions étrangères, combien de larmes encore faudra-t-il que tu verses avant de raviver un peu de jugeote dans ton crâne, ramolli en inverse proportion avec le navrant appendice durcissant qui gère ta vie ?

Je me tais, je me tais.

Vous pourriez vraiment me désespérer, toi, et ton père, et sa sœur, si j'étais encore *désespérable.*

Il a fallu que Thomas récidive avec la Monna Lisa d'opérette, pour bien se faire éclater le cœur, comme il faudra sans doute que tu reçoives des lacérations à répétition avant d'apprendre à t'écarter du poignard. Même encore, Thomas vient d'installer officiellement Claire dans son appartement, cette blondinette doucereuse qui, maintenant qu'elle est arrivée à ses fins, ne tardera pas à montrer ses vraies couleurs.

Et Gaby, que je croyais la plus raisonnable de vous trois, la plus férocement solitaire, Gaby ne craint pas ces jours-ci de déambuler dans mon quartier avec un homme à tunique longue et à barbe noire qui laisse présager le pire, avec en plus un petit garçon à la main qu'elle cajole et bécote comme si c'était le sien, les trois furetant près de ma maison et de mon beau terrain en zieutant le marronnier et les bourgeons de pivoines et tout ce qui m'était sacré – c'est heureux qu'elle n'ait plus les clés, car elle les aurait sans doute trimballés jusque dans ma chambre à coucher…

Je me tais, je me tais.

Tu la laisses donc entrer, tu fermes la porte derrière elle et son attirail de peinture.

Maintenant que vous êtes trois au lieu d'être deux, il va sûrement se passer quelque chose.

Markus la voit et elle voit Markus. Tu les présentes l'un à l'autre cérémonieusement, un pétillement d'humour noir dans l'œil. Mais elle, qui est rompue à toutes les mixités et à toutes les partouzes, elle salue joyeusement Markus en l'embrassant sur la joue, et elle décrète en riant que vous ne serez pas trop de trois pour repeindre l'immensité de ton territoire.

Et pendant toute la nuit, c'est ce que vous faites.

C'est-à-dire que travailler assidûment et sérieusement n'est pas dans vos gènes de jeunesse, et vous buvez les deux bouteilles de vin en discutant fort et en rigolant et en manipulant accessoirement le pinceau et le rouleau, et Markus est le premier à s'affaler dans un fauteuil, trop ivre pour faire semblant d'être efficace. Il sort son luth et il se met à jouer, aussi bien que s'il était sobre, et peut-être encore mieux.

Tu ouvres ta bouteille de porto, vu que les autres bouteilles sont vides.

Être tourmenté avec constance n'est pas dans vos gènes de jeunesse.

Pourtant, quand le matin arrive, que vous avez donné une première couche de blanc sur tous tes murs qui sont maintenant *noir pâle*, que vous avez éclusé et somnolé par moments et épuisé les matières à plaisir, le temps du dilemme douloureux arrive aussi. Les choix ont beau être sans cesse révocables, elle doit choisir. Ou c'est avec toi qu'elle reste, et il est temps de le proclamer pour que le pauvre petit Markus cesse de se perdre en rêves romantiques, bien qu'il soit d'une race opiniâtre peu encline à jeter l'éponge, ou c'est avec lui qu'elle s'en va.

L'alternative est si claire que je ne la commente pas davantage.

Elle s'en va.

Mais pas avec lui.

Elle vous embrasse tous deux de la même façon aguichante et frivole, et elle s'en va.

Et pour empêcher que Markus la reconduise chez elle comme il semble en manifester l'intention, elle saute dans un taxi et le laisse désemparé sur le trottoir.

Et te laisse désemparé dans ton appartement noir pâle.

Que t'avais-je dit?... Mais je me tais, je me tais.

Je te laisse dormir toute la journée pour assoupir ton mal de bloc.

C'est Marie Morin qui te réveille. Tu rêves que tu es couché dans ton lit aux côtés de Maya toute nue, mais en te retournant vers elle c'est sur Marie Morin que tu butes – encoconnée dans une soutane noire rapiécée avec un visage d'au moins cent ans, le cauchemar.

Ça t'apprendra.

Ça t'apprendra à t'en tenir à l'essentiel, ou du moins à y revenir. C'est maintenant ce que tu fais, mal réveillé devant un café noir, tu as balayé la nuit et Maya de ton esprit, tu penses à Marie Morin, donc à Jeanne, et il te vient enfin l'idée d'aller à la source, là où les autres morceaux de son corps se trouvent.

Il était temps.

Tu fais bien de t'arrêter d'abord devant la statue de Jeanne, avenue des Pins angle Saint-Urbain, car c'est ici que tout a commencé pour toi, je m'en souviens mieux que toi, par la statue qui tente de véhiculer quelque chose de vivant, et qui parfois y parvient. Derrière elle, tout ce béton est bel et bien son œuvre, cette froide et monumentale architecture qu'il faut reconsidérer avec respect, même si tout a changé en apparence, y compris la portion de l'*Isle* sur laquelle elle est maintenant édifiée.

L'essence de l'arbre géant se trouve complètement dans la graine minuscule, et l'Hôtel-Dieu gigantesque était donc contenu dans le petit dispensaire de Jeanne, balayé par le nordet et assiégé par les Agniers.

Il n'y a qu'un fil, sans commencement ni fin. Il n'y a nulle part en dehors d'ici. Tu le sais.

Puisqu'il y a toujours une chapelle dans les environs de Jeanne, il faut donc qu'il y en ait une ici, et elle se trouve derrière le musée des Hospitalières. C'est maintenant, Laurel, que tu dois déployer ton charme le plus convaincant et ton arsenal d'écrivain le plus respectable afin d'être admis dans le Saint des Saints, la crypte sous la chapelle où les restes humains reposent dans leur ultime poussière.

Tout ça a été transbordé et infiniment brassé au fil des années, l'Hôtel-Dieu et ses appendices ont grimpé en 1861 des rues Saint-Paul et Saint-Sulpice jusqu'ici, et Dieu sait où le vent pulvérisant du progrès les disséminera ensuite. Crois-tu quand même pouvoir retrouver dans la vaste marmite des siècles un petit paquet d'ossements effrités bien identifié au nom de Jeanne

Mance, qui aurait par miracle échappé au mélange démocratique avec les résidus poudreux des centaines d'Hospitalières désagrégées depuis ?

Oui, c'est ce que tu crois, et la vieille dame avenante qui, sensible à ton enthousiasme, a accepté de t'introduire dans la crypte, met un point final à tes illusions.

Tandis qu'elle te guide dans la petite salle blanche au vieux plancher de bois, tu ressens l'émotion du dénuement qui a accompagné Jeanne tout au long de sa vie et qui continue de le faire, des chaises droites sont massées au centre de la pièce pour la dévotion des visiteurs, des ampoules nues se balancent au plafond, des tuyaux courent en zigzag comme dans une chaufferie industrielle, et les ossements de six cents corps inhumés dans les murs vous font une escorte respectueuse. *Ô Éternité, qui sondera tes abîmes ?* demande l'un des panneaux installés sur les murs, parmi les plaques où défilent les noms d'une infinité de sœurs hospitalières, et tu avancerais bien une suggestion de réponse si c'était là une véritable question, mais ta guide t'emmène jusqu'au fond de la pièce, devant un petit buste de plâtre blanc. C'est ici, derrière cette humble section de mur et cette sculpture sommaire, c'est ici qu'*elle* est, elle mais pas seulement elle, plusieurs autres ex-vivantes de la même époque se partagent l'espace de l'insondable éternité, toutes ont disparu dans la mêlée. Y compris Marie Morin ? La vieille dame, qui est d'ailleurs elle aussi sœur hospitalière et qui de ce fait est assurée de mariner derrière ces mêmes murs son éternité durant, la vieille dame te répète avec une patiente désolation la même chose, elles sont mélangées, toutes, dans la mort ultimement il n'y a plus d'individualité. Dans la vie non plus il n'y en a pas, il n'y en a jamais eu, es-tu tenté de lui rétorquer, mais cela la confondrait peut-être et l'attristerait certainement, et tu fais bien de t'abstenir.

Ensuite, pauvre enfant. Ensuite, tu prends dans ta main ce que tu trimballes presque toujours dans ta poche, la petite pyramide dérisoire, la pyramide blanche de mes cendres, et tu la tiens un moment devant toi telle une baguette de coudrier, espérant je ne sais trop quoi, que l'objet te propulsera quelque part, t'attirera vers un point précis de cette section de la crypte, comme un chien dépisteur de drogue à la douane américaine.

Pauvre enfant.

Ça me fait de la peine de te le dire, mais je ne suis pas là, au sein de ta pyramide minuscule, risible comme une pharaonne évaporée. Il n'y a plus rien de moi dans cette poussière grise sur laquelle tu as reporté ton affection, rien de rien. Tu pourrais tout aussi bien vénérer de la cendre de cigarette, ou de la suie de poêle à bois.

Je n'étais pas non plus dans tes toilettes de Tiruvannamalai où tu as juré m'avoir vue – quelle horreur, juste de m'imaginer flottant au-dessus de ces effluves immondes me communique tes haut-le-cœur. Ni sur le visage de pierre de la statue de Jeanne dans lequel tu as reconnu mes traits creusés, drôle d'idée.

Je ne nie pas que tu m'aies vue. Tu m'as vue, c'est vrai.

À vrai dire, tu me verras partout où tu voudras bien me voir, car il n'y a pas de mystère et tout est si simple, je fais partie de toi, cher enfant. Je suis toi.

Un seul fil, une seule substance, nul compartiment pour rompre et diviser, tu te rappelles ?

Je suis stockée en toi comme un programme d'ordinateur impérissable, car les données y sont de la plus haute qualité qui soit.

J'ai fait plein de retraits et d'erreurs, j'ai trébuché et invectivé, je n'ai pas réussi à bien aimer les autres, mon pauvre mari cafouilleux, l'humanité dans son ensemble délabré, et même mon immédiate progéniture défectueuse, mais toi, toi.

Ce qu'il y a entre nous ne peut pas se perdre, ne dépend pas des corps fripés et des esprits torturés qui s'en vont à la poubelle une fois leur date d'expiration arrivée, l'amour entre nous est tramé à même l'éternité, est un autre nom pour l'éternité.

Cher, cher enfant.

Une fois cela dit, et digéré, on peut se demander ce que tu fais encore dans cette crypte qui ne contient que des os poussiéreux, pourquoi tu t'attardes à chercher de la vie là où il n'y en a plus.

Tu vacilles, tu perds ta contenance, tu cherches la sortie du regard. La dame charmante qui t'accompagne est en train de te parler de Marie Morin, et tu fais un effort pour revenir à elle.

Il y avait avant dans leur communauté d'Hospitalières, est-elle en train de te préciser, une spécialiste des *Annales* de Marie Morin, qui a mis en exergue toutes les informations d'importance, colligé tous les états d'âme – une bolée, une érudite, un paquet de dynamite qui même maintenant redevenue laïque continue de faire sauter la baraque et d'allumer des feux d'artifice.

Ce ne sont pas exactement les termes qu'elle emploie, cette gentille hospitalière qui pèse ses mots et ses manières, mais tu aménages à ta façon de scribe indépendant ce que tu entends. Tu entends entre autres qu'une ex-nonne brillante sait peut-être pour le *cœur*, a peut-être trouvé dans l'écriture codée des *Annales* l'Information qui te manque, le Saint Graal total.

Elle te donne son nom ainsi que ses coordonnées.

Je comprends ton excitation. Je comprends finalement qu'un organe aussi élaboré que celui de Jeanne puisse être de mouture supérieure, de nature plus inextinguible que de la triviale cendre, et que tu tiennes en quelque sorte à le déterrer. Même un cœur de qualité inférieure, même le mien à la rigueur, si on m'avait trouvée d'une race assez canonisable pour me l'arracher de la poitrine et me le plonger dans le formol afin qu'il soit livré aux adorations futures – Dieu merci, il n'y avait aucun risque –, je comprendrais que tu le ballottes partout avec déférence, mieux qu'un tapon de cendres, quoique plus encombrant, car peut-être en effet subsisterait-il là quelque chose de moi. Peut-être.

Elle te donne son nom, et tu l'emportes en triomphe.

C'est une chasse au trésor qui t'est de plus en plus passionnante, au fur et à mesure que le jour devient sombre et qu'à l'inverse la route semble s'éclairer devant toi, et tu fonces vers le centre-ville rencontrer celle qui détient peut-être le dernier morceau du puzzle, qu'étonnamment tu connais déjà puisque vos chemins se sont récemment croisés dans des circonstances cabotines.

Virginie Hébert.

Est-ce assez hilarant.

Tu ne l'as pas oubliée, tu as tout de suite été séduit sur le plateau de télé par sa force de caractère et son humour, car tu aimes les femmes fortes, c'est évident – ce qui bétonne mon hypothèse que tu te fourvoies complètement avec l'autre, la dulcinée colifichet, mais je m'égare.

Virginie Hébert, la fougueuse directrice de cette halte pour paumés itinérants appelée la Maison, et aussi de cette résidence pour Autochtones égarés, le Tipi – qui se trouvait en difficultés financières, tu t'en souviens, bien que ce soit surtout sa façon de bousculer le monde ecclésiastique qui soit passée à la brève postérité télévisuelle.

Cette Maison, boulevard De Maisonneuve, fait partie de ton parcours familier vers la tienne, et tu ne comptes plus les fois où tu es passé devant elle en accélérant subtilement le pas, pour éviter de rencontrer trop longuement les yeux des débris humains qui s'attardent toujours sous le porche.

Cette fois-ci, tu les salues, ces hommes qui sont des hommes avant d'être n'importe quoi d'autre dans le regard de bien-pensants comme toi, et tu demandes même à l'un d'entre eux de te guider vers Virginie, ce qu'il fait avec un joyeux empressement. Tu marches pour la première fois dans ces corridors vétustes et rigoureusement propres, pendant que ton cicérone te jase de température et de politique comme un vieux copain, il va jusqu'à t'inviter à une fête qui se déroulerait dans les alentours, ce que tu déclines poliment. Tu as visiblement déclenché un Sésame souverain en prononçant le nom de Virginie, même si ce n'est pas ainsi que l'appellent les initiés de la Maison.

Sister Miracle. C'est celui-là, son nom véritable, et quelqu'un s'est d'ailleurs permis de le rajouter au crayon-feutre sous la plaque où figure son identification officielle, à la porte de son bureau où ton nouveau copain t'abandonne.

La porte n'est pas fermée, tu entends sa voix claire bien avant de l'apercevoir. Elle est au téléphone, mais elle te fait de grands gestes brusques de bienvenue aussitôt qu'elle te voit.

Elle non plus ne t'a pas oublié.

Aussitôt libérée, elle vient te prendre par les épaules et te serrer contre elle, et tu es submergé par son odeur d'encaustique, de soupe aux choux et de mère universelle.

Elle te fait asseoir sur le rebord d'une chaise encombrée de papiers. Tout de suite, elle te demande des nouvelles de Thomas, et tu comprends bientôt que c'est surtout lui qu'elle n'a pas oublié, et que sa considération débordante s'adresse au prolongement filial que tu es malgré toi. En d'autres temps, tu t'en serais trouvé froissé, toi qui as toujours sous-estimé ton père, mais maintenant tu en souris d'amusement. Tous les passeports sont les bienvenus, après tout, et tu t'empares de celui-ci pour déballer ta requête.

Elle a l'habitude des histoires abracadabrantes, ça se voit, elle t'écoute sans t'interrompre en opinant deçà, delà, les lasers de ses yeux gris occupés à te traverser tranquillement de part en part malgré les sonneries du téléphone qui ne discontinuent pas.

Quand tu as fini de parler, ou que tu crois avoir fini, elle se lève. Tu te lèves aussi, prenant cela pour une manière de congédiement, mais non.

C'est finalement une femme de peu de mots. Elle ne s'attarde aucunement sur son passé de nonne, un épisode obsolète pour elle, elle ne te parle pas de Marie Morin ni de ses *Annales,* elle va directement au but.

Vous avez raison, te dit-elle. *Il y a des choses qui ne peuvent pas brûler et disparaître. Vous avez tout à fait raison.*

Tu pâlis, tu rougis. Ah, Laurel. Je m'efface peu à peu, comme tu le constates peut-être, ta Framboise aimée se tait puisqu'elle n'est plus requise pour tes travaux majeurs, mais avant de m'éclipser tout à fait je savoure ce moment de triomphe qui est le tien, où tu t'apprêtes à recevoir de Virginie Hébert la révélation ultime.

Bien sûr, est-elle en train d'ajouter. *Bien sûr que je sais où* IL *se trouve.*

Et elle se met en branle sans plus un mot, toi fébrile trottinant à sa suite.

Vous traversez le long corridor en coup de vent, malgré les haltes obligées où elle serre des épaules affaissées, embrasse des joues mal rasées, salue tous ceux-là, malodorants et débraillés, qui se trouvent sur votre passage. Vous sortez de la maison. Vous obliquez à gauche, galopez dans une ruelle où d'autres *initiés* la hèlent et la tamponnent, tout ça sans un mot entre vous.

Vous débouchez finalement, après quelques pâtés de maisons aux façades décaties, dans une cour. Une cour immense, qui longe la moitié de la ruelle, et qui se harnache à un vieux petit duplex retapé. À vrai dire, vous en entendez les émanations sonores bien avant de vous y trouver, car cette cour déborde d'hommes qui ressemblent à s'y méprendre à ceux que vous venez de quitter, sauf qu'ils ont le teint et la chevelure plus sombres, et ces hommes parlent fort et rient, et mangent aussi. Vous êtes arrivés à destination, semble te dire Virginie Hébert, alias sœur Miracle.

Elle tourne vers toi un visage épanoui :

Le Tipi, t'annonce-t-elle.

Et tu tombes bien, ajoute-t-elle, puisque c'est aujourd'hui jour de fête : barbecue à volonté pour tous, en l'honneur du printemps et de la renaissance.

Tout ça grâce à votre père, à la générosité de votre père.

Nous avons toujours sous-estimé ton père. Mais je me tais, je me tais pour de vrai.

Tu es si perplexe que tu ne trouves rien à dire, rien à réclamer, tu la regardes en attendant la suite, persuadé qu'il ne peut pas ne pas y avoir de suite.

Elle t'effleure de son sourire malicieux, et tu te rends compte qu'elle est bel et bien sur le point de te fausser compagnie. Mais elle fait un geste de la main pour t'indiquer quelque chose – le *cœur,* le *cœur* ?… – et ton espoir redresse la tête d'un seul coup.

— Mon assistant est là-bas, dit-elle, le jeune homme qui sert la soupe et le pain, là-bas, c'est mon assistant. Si vous avez des questions, n'hésitez pas à les lui poser. Et mangez, aussi, n'oubliez pas de manger !…

Et c'est tout. Elle est happée par un Amérindien éméché qui se plaint du manque de nourriture *liquide,* par un autre qui l'embrasse dans le cou, bref, elle n'est plus avec toi.

Tu considères la foule bigarrée avec un fatalisme tranquille.

On dirait une cour des Miracles, façon Ville-Marie troisième millénaire. Beaucoup d'Inuits, d'Autochtones aux origines indéterminables, quelques femmes aussi fragiles que leurs hommes, et de rares Blancs disséminés au travers, dont ton nouveau copain, celui qui t'avait justement « convié » à la fête, en train de s'empiffrer de poulet grillé, ainsi que cet autre s'activant derrière un comptoir de fortune…

Non. Lui.

Tu t'approches de l'assistant de Virginie Hébert. Il remplit de potage les écuelles devant lui, il ajoute un petit pain à chacune, il est si occupé qu'il ne te voit pas, même quand tu t'immobilises à ses côtés.

Son indéfectible compagnon est posé sans façon sur la chaise derrière lui, défiant innocemment les voleurs. Par jeu, tu t'en empares. Étrange petit instrument que ce luth, avec ses doubles rangées de cordes et sa patine élimée, bien plus rudimentaire que les sons qui en sortent. Tu discernes soudain sous la caisse des éraflures qui ressemblent à des lettres, et tu les examines de près :

PdC

Markus te voit, enfin, et il te salue sans surprise excessive, comme s'il n'y avait rien de plus normal que de te retrouver parmi les Amérindiens avec son luth à la main, mais toi, au lieu de répondre à son *shalom* amical, tu brandis l'instrument dans les airs.

— Où as-tu pris *ça* ? lui demandes-tu sans douceur.

Il continue de remplir ses écuelles.

Soupe aux choux, t'avise-t-il. *Très bonne.*

Et comme le luth est toujours pointé vers lui avec agressivité, il déroule tranquillement son histoire. Ça tient en beaucoup de mots.

C'est un cadeau. Ou plutôt un remboursement.

Quelqu'un lui a donné ce luth pour rembourser la dette – l'*emprunt*… – de Charlie Putulik, pauvre Charlie qui est mort accidentellement, mais il ne fait aucun doute qu'il aurait fini par lui rembourser les trois cents dollars, car c'était un être bon avec seulement quelques faiblesses… Tu l'interromps. Son français hasardeux te torture la patience.

— Qui ?… Qui te l'a donné ?…

Pour une fois, la réponse surgit prompte et claire.

— Lui, là-bas.

Il lâche sa soupe et ses pains pour mieux te montrer l'homme en question, l'Amérindien tout de noir vêtu qui converse plus loin, si grand que sa belle tête racée dépasse celle des autres.

Il est mohawk, ajoute Markus. *Et aveugle.*

Tu regardes l'homme, tu le regardes intensément. Au même moment, il se tourne vers toi et semble te balayer des faisceaux de ses verres de soleil.

Tu pourrais t'approcher de lui, lui demander si cet objet lui est venu incidemment d'un ancêtre, d'un ancêtre agnier, par exemple. Mais tu ne bouges pas. Tu n'as pas envie d'aller lui parler, même si tu ne peux pas le quitter des yeux.

C'est Markus qui te sort de ta léthargie. Il a de la suite dans les idées, comme tu vas bientôt t'en rendre compte.

— Tiens, dit-il. La réponse à ta question.

Il te tend un bol de soupe et une cuiller.

— Dieu, pour moi, c'est ça.

— Ah vraiment ? fais-tu.

Tu prends la soupe, tu l'avales.

Tu y aurais bien ajouté un peu de sel.

LE BIEN NE FAIT PAS DE BRUIT

Vous cueillez des roses
mais c'est eux qui ont eu les espines

MARIE MORIN

Les rives qui défilent sous ses yeux sont celles d'un paradis terrestre touffu, des chênes, des hêtres, des cèdres, des peupliers comme dans la campagne chez elle, mais entremêlant leurs camaïeux de verts sans brèches et sans discipline, et à l'avant-plan des fleurs comme elle n'en a jamais vu, une tapisserie de couleurs et de débordements allègres. Des oiseaux piquent l'air de leurs tracés et de leurs chants inusités, même les oiseaux d'ici semblent marqués par l'immensité.

Quand le navire finit par s'approcher des berges, il se dégage du paysage des parfums si forts qu'un vertige la prend, car cela sent, oui, cela sent les débuts enivrants du monde.

Le 17 mai 1642 en fin d'avant-midi, peut-être à onze heures onze précises, mais impossible de l'affirmer, car le temps qui ponctue ces territoires n'est pas celui étriqué de la civilisation, ils accostent dans une baie préalablement repérée, entre la petite rivière Saint-Pierre et le grand fleuve, à côté d'une prairie qui s'appellera plus tard la Commune. Paul de Chomedey est le premier à sauter à terre, à embrasser le sol, le premier aussi à abattre le premier arbre.

Plus tard encore, ils sont une soixantaine autour d'un autel improvisé, c'est à vrai dire le jour suivant, mais le temps commence à se télescoper et à ne plus vouloir défiler sagement en ligne droite, il serait plus opportun de parler d'instants qui éclaboussent l'écran avant de céder la place à l'irruption suivante, et cet instant autour de l'autel façonné de branchages hirsutes et de fleurs sauvages reste imprégné plus longtemps que les autres sur la pellicule du temps. Ils sont une soixantaine – les quarante à s'installer ici et les vingt qui sont venus exprès de Kebecq pour l'événement – à sentir monter en eux une grandeur inédite, à vibrer d'exaltation tels des instruments que le Mystère téléguide.

Le père Vimont célèbre la messe et parle de ce petit grain de moutarde qu'ils sont en train de semer, et il ne fait aucun doute, affirme-t-il, que ce petit grain de moutarde ne produise un grand arbre, ne fasse un jour des merveilles, ne soit multiplié et ne s'étende de toutes parts, *et elle regarde la masse compacte de la forêt les encerclant à l'infini dans ce territoire chaotique où le premier jour de la création n'est pas encore survenu, et contre tout bon sens elle s'engage à y croire, aux merveilles naissant un jour de cette jungle, à y croire avec tant d'efficacité que ça ne pourra pas ne pas advenir.*

Remerciements

Nombre d'auteurs, d'œuvres, de visions et de témoignages ont nourri et accompagné les périples de ce livre. Les nommer tous reviendrait presque à remercier l'humanité de sa créativité et de son héroïsme quotidien. Que l'on me permette de mentionner ceux qui ont été les plus déterminants, pêle-mêle dans la vie et la mort, l'avant et le maintenant :

Karen Armstrong et ses analyses méthodiques des grandes religions ; Maître Eckhart et ses Sermons *intemporels ; le philosophe Jean Grondin et ses propos inspirants ; le cheikh Khaled Bentounès, brillant éclaireur de l'islam et du soufisme ; l'Association internationale soufie ; Malka Zipora et ses chroniques de la vie hassidique ; Lise Ravary, le cinéaste Eric Scott, tous les rabbins et les cheikhs de la Toile pour les clés de compréhension des univers hassidique et musulman ; Éric Geoffroy, Taamusi Qumaq, Sylvie Teveni et Knut Hamsun pour la mythologie et la culture inuites ; la* Mohawk Tribe, *Lylia Prim-Chorney ; Arnaud Dumouch et Matt Baglio à propos de la sorcellerie contemporaine et de la pratique de l'exorcisme ; Anna Soupa et Christine Pedotti, qui ont directement inspiré la rébellion de Virginie Hébert ; l'artiste Marina Abramovic, dont la vision a servi de modèle à Magda Zambrovicz ;*

le coloriste Vincent Deshaies, le peintre Steve Spazuk, la Biennale internationale d'art numérique, OBORO, Denis Rousseau et son Percevoir l'invisible…

Les sources qui ont alimenté l'univers de Jeanne Mance, de Ville-Marie et de la Nouvelle-France sont aussi nombreuses, et je n'en retiendrai que les transmetteurs qui ont été ici les plus signifiants : les Relations des Jésuites *(trois premiers tomes), les historiens des commencements Marie Morin et François Dollier de Casson, les* Écrits de Mère Bourgeoys, *les historiens contemporains Marie-Claire Daveluy, Patricia Simpson, Léo-Paul Desrosiers, Françoise Deroy-Pineau, Dom Guy-Marie Oury, Adrien Leblond, Suzanne Martel ; l'ouvrage collectif* Les Sulpiciens de Montréal, une histoire de pouvoir et de discrétion, *les cahiers généalogiques d'Archange Godbout à propos des* Passagers du Saint-André…

Ma gratitude va aussi à sœur Thérèse Payer pour m'avoir gracieusement guidée dans la crypte des Hospitalières, aux itinérants de Montréal pour leur humanité, aux ex-itinérants de L'Itinéraire *pour leur résilience, à C. P. pour avoir accepté de me raconter ses expériences d'« infestation » et d'exorcisme, à Rupert Spira pour ses enseignements renversants, à tous les artistes et créateurs de Montréal, dont la productivité généreuse est une joie.*

Et je remercie les indéfectibles partisans des Canadiens de Montréal, qui nous donnent malgré eux des leçons de fidélité et de confiance absolues en dépit des revers.

M. P.

Crédits et remerciements

Les Éditions du Boréal reconnaissent l'aide financière du gouvernement du Canada par l'entremise du Fonds du livre du Canada (FLC) pour leurs activités d'édition et remercient le Conseil des arts du Canada pour son soutien financier.

Les Éditions du Boréal sont inscrites au Programme d'aide aux entreprises du livre et de l'édition spécialisée de la SODEC et bénéficient du Programme de crédit d'impôt pour l'édition de livres du gouvernement du Québec.

L'auteur remercie le Conseil des arts et des lettres du Québec pour son soutien.

Couverture : Geoffrey Johnson, *Untitled Gold nº 3*, Hubert Gallery (New York)

Ce livre a été imprimé sur du papier 100 % postconsommation,
traité sans chlore, certifié ÉcoLogo
et fabriqué dans une usine fonctionnant au biogaz.

MISE EN PAGES ET TYPOGRAPHIE :
LES ÉDITIONS DU BORÉAL

ACHEVÉ D'IMPRIMER EN AVRIL 2015
SUR LES PRESSES DE MARQUIS IMPRIMEUR
À LOUISEVILLE (QUÉBEC).